Diese Ausgabe der »Suhrkamp BasisBibliothek – Arbeitstexte für Schule und Studium« stellt eine kleine Besonderheit dar: Sie bietet nicht nur Johann Wolfgang Goethes Briefroman *Die Leiden des jungen Werthers* in der Erstfassung von 1774, sondern weist auch im Anhang sämtliche Einfügungen und Erweiterungen auf, die Goethe seiner 1787 erschienenen überarbeiteten Fassung beigegeben hat. Ergänzt wird diese Edition von einem Kommentar, der alle für das Verständnis des Werks erforderlichen Informationen und Materialien enthält: die Entstehungsgeschichte, Dokumente zur zeitgenössischen Wirkung, Goethes Selbstaussagen zum *Werther*, Wort- und Sacherläuterungen, einen Überblick über die verschiedenen Interpretationsansätze sowie Literaturhinweise. Der Kommentar ist den neuen Rechtschreibregeln entsprechend verfasst. Zu diesem Buch ist auch eine CD-ROM und ein Hörbuch im Cornelsen Verlag erschienen.

Wilhelm Große, geboren 1948, Dr. phil. Seit 1981 Lehrbeauftragter für Neuere deutsche Literatur an der Universität Trier. Arbeitsschwerpunkte: Poetik, Lyrik und Drama des 18. Jahrhunderts. Publikationen u.a. zu Lessing, Klopstock, Goethe, Schiller, Glasbrenner, Keller, George, Brecht, Anders.

Johann Wolfgang Goethe
Die Leiden des jungen Werthers

Leipzig 1774
Mit einem Kommentar
von Wilhelm Große

Suhrkamp

Der vorliegende Text folgt der Ausgabe:
Johann Wolfgang Goethe.
Sämtliche Werke, Briefe, Tagebücher und Gespräche.
Die Frankfurter Ausgabe. Erste Abteilung.
Bd. 8: Die Leiden des jungen Werthers.
Die Wahlverwandtschaften. Kleine Prosa. Epen.
In Zusammenarbeit mit Christoph Brecht herausgegeben von
Waltraud Wiethölter, S. 10–266.
Frankfurt am Main: Deutscher Klassiker Verlag 1994.

Originalausgabe
Suhrkamp BasisBibliothek 5
Erste Auflage 1998

Satz: Pagina GmbH, Tübingen
Druck: Ebner & Spiegel, Ulm
Umschlaggestaltung: Hermann Michels
Printed in Germany

7 8 9 10 11 12 – 11 10 09 08 07 06

Inhalt

Johann Wolfgang Goethe
Die Leiden des jungen Werthers 7

Anhang

Die Fassungen des *Werther* 127

Kommentar

Entstehung 153
Dokumente zur zeitgenössischen Wirkung 165
Goethes Selbstinterpretation 174
Aspekte der Interpretation 189
Bibliografie 208
Wort- und Sacherläuterungen 216

Erster Theil

Was ich von der Geschichte des armen Werthers nur habe auffinden können, habe ich mit Fleiß gesammlet, und leg es euch hier vor, und weis, daß ihr mir's danken werdet*. Ihr
5 könnt seinem Geist und seinem Charakter eure Bewunderung und Liebe, und seinem Schicksaale eure Thränen nicht versagen.

Und du gute Seele, die du eben den Drang fühlst wie er, schöpfe Trost aus seinem Leiden, und laß das Büchlein dei-
10 nen Freund seyn, wenn du aus Geschick oder eigner Schuld keinen nähern finden kannst.

am 4. May 1771.

Wie froh bin ich, daß ich weg bin! Bester Freund*, was ist das Herz des Menschen! Dich zu verlassen, den ich so liebe,
15 von dem ich unzertrennlich war, und froh zu seyn! Ich weis, Du verzeihst mir's. Waren nicht meine übrigen Verbindungen recht ausgesucht vom Schicksaal, um ein Herz wie das meine zu ängstigen? Die arme ⌈Leonore⌉! Und doch war ich unschuldig! Konnt ich dafür, daß, während die
20 eigensinnigen Reize* ihrer Schwester mir einen angenehmen Unterhalt* verschafften, daß eine Leidenschaft in dem armen Herzen sich bildete! Und doch – bin ich ganz unschuldig? Hab ich nicht ihre Empfindungen genährt? Hab ich mich nicht an denen ganz wahren Ausdrücken der Na-
25 tur, die uns so oft zu lachen machten, so wenig lächerlich sie waren, selbst ergözt*! Hab ich nicht – O was ist der Mensch, daß er über sich klagen darf! – Ich will, lieber Freund, ich verspreche Dir's, ich will mich bessern, will nicht mehr das Bisgen Uebel, das das Schicksaal uns vor-
30 legt, wiederkäuen, wie ich's immer gethan habe. Ich will das Gegenwärtige genießen, und das Vergangene soll mir vergangen seyn. Gewiß Du hast recht, Bester: der Schmer-

Goethe fingiert hier die Figur eines Herausgebers der Briefe Werthers.

Werthers Freund Wilhelm

reizende Launenhaftigkeit

hier: Unterhaltung

erfreut

zen wären minder* unter den Menschen, wenn sie nicht –
Gott weis warum sie so gemacht sind – mit so viel Emsigkeit der Einbildungskraft sich beschäftigten, die Erinnerungen des vergangenen Uebels zurückzurufen, ehe denn
eine gleichgültige Gegenwart zu tragen.

Du bist so gut, meiner Mutter zu sagen, daß ich ihr Geschäfte bestens betreiben, und ihr ehstens* Nachricht davon geben werde. Ich habe meine Tante gesprochen, und
habe bey weiten das böse Weib nicht gefunden, das man
bey uns aus ihr macht, sie ist eine muntere heftige Frau von
dem besten Herzen. Ich erklärte ihr meiner Mutter Beschwerden über den zurückgehaltenen Erbschaftsantheil.
Sie sagte mir ihre Gründe, Ursachen und die Bedingungen,
unter welchen sie bereit wäre alles heraus zu geben, und
mehr als wir verlangten – Kurz, ich mag jezo nichts davon
schreiben, sag meiner Mutter, es werde alles gut gehen.
Und ich habe, mein Lieber! wieder bey diesem kleinen Geschäfte gefunden: daß Mißverständnisse und Trägheit vielleicht mehr Irrungen in der Welt machen, als List und Bos-
heit nicht thun. Wenigstens sind die beyden leztern gewiß
seltner.

Uebrigens find ich mich hier gar wohl. Die Einsamkeit ist
meinem Herzen köstlicher Balsam* in dieser paradisischen
Gegend, und diese Jahrszeit der Jugend wärmt mit aller
Fülle mein oft schauderndes Herz. Jeder Baum, jede Hecke
ist ein Straus von Blüten, und man möchte zur Mayenkäfer
werden, um in dem Meer von Wohlgerüchen herumschwe-
ben, und alle seine Nahrung darinne finden zu können.

Die Stadt ist selbst unangenehm, dagegen rings umher eine
unaussprechliche Schönheit der Natur. Das bewog den
verstorbenen Grafen von M..* einen Garten auf einem der
Hügel anzulegen, die mit der schönsten Mannigfaltigkeit
der Natur sich kreuzen, und die lieblichsten Thäler bilden.
Der Garten ist einfach, und man fühlt gleich bey dem Ein-
tritte, daß nicht ein ⌈wissenschaftlicher Gärtner⌉, sondern

ein fühlendes Herz den Plan bezeichnet, das sein selbst hier
genießen wollte. Schon manche Thräne hab ich dem Abgeschiedenen in dem verfallnen Cabinetgen* geweint, das
sein Lieblingspläzgen war, und auch mein's ist. Bald werd
ich Herr vom Garten seyn, der Gärtner ist mir zugethan,
nur seit den paar Tagen, und er wird sich nicht übel davon
befinden.

*hier: Garten-
häuschen*

am 10. May.

Eine wunderbare Heiterkeit hat meine ganze Seele eingenommen, gleich denen süßen Frühlingsmorgen, die ich mit
ganzem Herzen geniesse. Ich bin so allein und freue mich so
meines Lebens, in dieser Gegend, die für solche Seelen geschaffen ist, wie die meine. Ich bin so glücklich, mein Bester, so ganz in dem Gefühl von ruhigem Daseyn versunken, daß meine Kunst darunter leidet. Ich könnte jetzo
nicht zeichnen, nicht einen Strich, und bin niemalen ein
grösserer Mahler gewesen als in diesen Augenblicken.
Wenn das liebe Thal um mich dampft, und die hohe Sonne
an der Oberfläche der undurchdringlichen Finsterniß meines Waldes ruht, und nur einzelne Strahlen sich in das innere Heiligthum stehlen, und ich dann im hohen Grase am
fallenden Bache liege, und näher an der Erde tausend mannigfaltige Gräsgen mir merkwürdig* werden. Wenn ich das
Wimmeln der kleinen Welt zwischen Halmen, die unzäh-
ligen, unergründlichen Gestalten, all der Würmgen, der
Mückgen, näher an meinem Herzen fühle, und fühle die
Gegenwart des Allmächtigen, der uns all nach seinem Bilde
schuf, das Wehen des Allliebenden, der uns in ewiger Wonne schwebend trägt und erhält. Mein Freund, wenn's denn
um meine Augen dämmert, und die Welt um mich her und
Himmel ganz in meiner Seele ruht, wie die Gestalt einer
Geliebten; dann sehn ich mich oft und denke: ach könntest
du das wieder ausdrücken, könntest du dem Papier das
einhauchen, was so voll, so warm in dir lebt, daß es würde

*hier: bemer-
kenswert*

der Spiegel deiner Seele, wie deine Seele ist der Spiegel des unendlichen Gottes. Mein Freund – Aber ich gehe darüber zu Grunde, ich erliege unter der Gewalt der Herrlichkeit dieser Erscheinungen.

am 12. May.

Ich weis nicht, ob so täuschende Geister um diese Gegend schweben, oder ob die warme himmlische Phantasie in meinem Herzen ist, die mir alles rings umher so paradisisch macht. Da ist gleich vor dem Orte ein Brunn', ein Brunn', an den ich gebannt bin wie ⌜Melusine⌝ mit ihren Schwestern. Du gehst einen kleinen Hügel hinunter, und findest dich vor einem Gewölbe, da wohl zwanzig Stufen hinab gehen, wo unten das klarste Wasser aus Marmorfelsen quillt. Das Mäuergen, das oben umher die Einfassung macht, die hohen Bäume, die den Platz rings umher bedekken, die Kühle des Orts, das hat alles so was anzügliches[*], was schauerliches[*]. Es vergeht kein Tag, daß ich nicht eine Stunde da sizze. Da kommen denn die Mädgen aus der Stadt und holen Wasser, das harmloseste Geschäft und das nöthigste, das ehmals die Töchter der Könige selbst verrichteten. Wenn ich da sizze, so lebt die patriarchalische Idee[*] so lebhaft um mich, wie sie alle die ⌜Altväter⌝ am Brunnen Bekanntschaft machen und freyen, und wie um die Brunnen und Quellen wohlthätige Geister schweben. O der muß nie nach einer schweren Sommertagswanderung sich an des Brunnens Kühle gelabt haben, der das nicht mit empfinden kann.

am 13. May.

Du fragst, ob Du mir meine Bücher schikken sollst? Lieber, ich bitte dich um Gottes willen, laß mir sie vom Hals. Ich will nicht mehr geleitet, ermuntert, angefeuret seyn, braust dieses Herz doch genug aus sich selbst, ich brauche Wiegengesang, und den hab ich in seiner Fülle gefunden in

anziehendes
geheimnisvolles

Idee einer vom Patriarchen, dem Altvater, geprägten Ordnung

meinem ⌜Homer⌝. Wie oft lull ich mein empörendes Blut
zur Ruhe, denn so ungleich, so unstet* hast Du nichts gesehn als dieses Herz. Lieber! Brauch ich Dir das zu sagen,
der Du so oft die Last getragen hast, mich vom Kummer
5 zur Ausschweifung, und von süsser Melancholie* zur ver-
derblichen Leidenschaft übergehn zu sehn. Auch halt ich
mein Herzgen wie ein krankes Kind, all sein Wille wird ihm
gestattet. Sag das nicht weiter, es giebt Leute, die mir's
verübeln würden.

10   am 15. May.

Die geringen* Leute des Orts kennen mich schon, und lieben mich, besonders die Kinder. Eine traurige Bemerkung*
hab ich gemacht. Wie ich im Anfange mich zu ihnen gesellte, sie freundschaftlich fragte über dieß und das, glaubten
15 einige, ich wollte ihrer spotten, und fertigten mich wol gar
grob ab. Ich ließ mich das nicht verdriessen*, nur fühlt ich,
was ich schon oft bemerkt habe, auf das lebhafteste. Leute
von einigem Stande werden sich immer in kalter Entfernung vom gemeinen Volke halten, als glaubten sie durch
20 Annäherung zu verlieren, und dann giebts Flüchtlinge* und
üble Spasvögel, die sich herabzulassen scheinen, um ihren
Uebermuth dem armen Volke desto empfindlicher zu machen*.

Ich weiß wohl, daß wir nicht gleich sind, noch seyn kön-
25 nen. Aber ich halte dafür, daß der, der glaubt nöthig zu
haben, vom sogenannten Pöbel* sich zu entfernen, um den
Respekt zu erhalten, eben so tadelhaft ist, als ein Feiger, der
sich für seinem Feinde verbirgt, weil er zu unterliegen
fürchtet.

30 Lezthin kam ich zum Brunnen, und fand ein junges Dienst-
mädgen, das ihr Gefäß auf die unterste Treppe gesetzt hatte, und sich umsah, ob keine Camerädin kommen wollte,
ihr's auf den Kopf zu helfen. Ich stieg hinunter und sah sie
an. Soll ich ihr helfen, Jungfer*? sagt ich. Sie ward roth über

hier: ungeduldig

Schwermut

einfachen

hier: Beobachtung

Es erzürnte mich nicht

flüchtige, oberflächliche Menschen

empfinden zu lassen

das einfache Volk; hier nicht abwertend gemeint

Anrede für die unverheiratete Frau, aber auch Dienerin im Range über der einfachen Magd

und über. O nein Herr! sagte sie. – Ohne Umstände – Sie legte ihren Kringen* zurechte, und ich half ihr. Sie dankte und stieg hinauf.

gepolsterter Tragring für Lasten

den 17. May.

Ich hab allerley Bekanntschaft gemacht, Gesellschaft hab ich noch keine gefunden. Ich weiß nicht, was ich anzügliches für die Menschen haben muß, es mögen mich ihrer so viele, und hängen sich an mich, und da thut mirs immer weh, wenn unser Weg nur so eine kleine Strecke mit einander geht. Wenn Du fragst, wie die Leute hier sind? muß ich Dir sagen: wie überall! Es ist ein einförmig* Ding um's Menschengeschlecht. Die meisten verarbeiten den grösten Theil der Zeit, um zu leben, und das Bisgen, das ihnen von Freyheit übrig bleibt, ängstigt sie so, daß sie alle Mittel aufsuchen, um's los zu werden. O Bestimmung des Menschen!

Aber eine rechte gute Art Volks! Wann ich mich manchmal vergesse, manchmal mit ihnen die Freuden genieße, die so den Menschen noch gewährt sind, an einem artig* besetzten Tisch, mit aller Offen- und Treuherzigkeit sich herum zu spassen, eine Spazierfahrt, einen Tanz zur rechten Zeit anzuordnen und dergleichen, das thut eine ganz gute Würkung auf mich, nur muß mir nicht einfallen, daß noch so viele andere Kräfte in mir ruhen, die alle ungenutzt vermodern, und die ich sorgfältig verbergen muß. Ach das engt all das Herz so ein – Und doch! Misverstanden zu werden, ist das Schicksal von unser einem.

Ach daß die Freundin meiner Jugend dahin ist, ach daß ich sie je gekannt habe! Ich würde zu mir sagen: du bist ein Thor! du suchst, was hienieden nicht zu finden ist. Aber ich hab sie gehabt, ich habe das Herz gefühlt, die große Seele, in deren Gegenwart ich mir schien mehr zu seyn als ich war, weil ich alles war was ich seyn konnte. Guter Gott, blieb da eine einzige Kraft meiner Seele ungenutzt, konnt

gleichbleibendes, eintöniges

hier: hübsch, nett

ich nicht vor ihr all das wunderbare Gefühl entwickeln, mit
dem mein Herz die Natur umfaßt, war unser Umgang nicht
ein ewiges Weben von feinster Empfindung, schärfstem
Witze*, dessen Modifikationen* bis zur Unart alle mit dem
5 Stempel des Genies* bezeichnet waren? Und nun – Ach ihre
Jahre, die sie voraus hatte, führten sie früher an's Grab als
mich. Nie werd ich ihrer vergessen, nie ihren festen Sinn
und ihre göttliche Duldung*.

Vor wenig Tagen traf ich einen jungen V.. an, ein offner
10 Junge, mit einer gar glücklichen Gesichtsbildung. Er
kommt erst von Akademien*, dünkt sich* nicht eben weise,
aber glaubt doch, er wüßte mehr als andere. Auch war er
fleißig, wie ich an allerley spüre, kurz er hatt' hüpsche
Kenntnisse. Da er hörte, daß ich viel zeichnete, und
15 Griechisch konnte, zwey Meteore hier zu Land*, wandt er
sich an mich und kramte viel Wissens aus, von ⌜Batteux bis
zu Wood, von de Piles zu Winkelmann, und versicherte
mich, er habe Sulzers Theorie den ersten Theil ganz durch-
gelesen, und besitze ein Manuscript von Heynen⌝ über das
20 Studium der Antike. Ich ließ das gut seyn.

Noch gar einen braven Kerl hab ich kennen lernen, den
fürstlichen ⌜Amtmann⌝. Einen offenen, treuherzigen Menschen. Man sagt, es soll eine Seelenfreude seyn, ihn unter
seinen Kindern zu sehen, deren er neune hat. Besonders
25 macht man viel Wesens von seiner ältesten Tochter. Er hat
mich zu sich gebeten, und ich will ihn ehster Tage besuchen, er wohnt auf einem fürstlichen Jagdhofe, anderthalb
Stunden von hier, wohin er, nach dem Tode seiner Frau, zu
ziehen die Erlaubniß erhielt, da ihm der Aufenthalt hier in
30 der Stadt und dem Amthause zu weh that.

Sonst sind einige verzerrte* Originale mir in Weg gelaufen,
an denen alles unausstehlich ist, am unerträglichsten ihre
Freundschaftsbezeugungen.

Leb wohl! der Brief wird dir recht seyn, er ist ganz histo-
35 risch*.

Daß das Leben des Menschen nur ein Traum sey, ist manchem schon so vorgekommen, und auch mit mir zieht dieses Gefühl immer herum. Wenn ich die Einschränkung so
ansehe, in welche die thätigen und forschenden Kräfte des
Menschen eingesperrt sind, wenn ich sehe, wie alle Würksamkeit dahinaus läuft, sich die Befriedigung von Bedürfnissen zu verschaffen, die wieder keinen Zwek haben,
als unsere arme Existenz zu verlängern, und dann, daß alle
Beruhigung über gewisse Punkte des Nachforschens nur
eine träumende Resignation ist, da man sich die Wände,
zwischen denen man gefangen sizt, mit bunten Gestalten
und lichten* Aussichten bemahlt. Das alles, Wilhelm,
macht mich stumm. Ich kehre in mich selbst zurük, und
finde eine Welt! Wieder mehr in Ahndung und dunkler Begier, als in Darstellung und lebendiger Kraft. Und da
schwimmt alles vor meinen Sinnen, und ich lächle dann so
träumend weiter in die Welt.

Daß die Kinder nicht wissen, warum sie wollen, darinn
sind alle hochgelahrte Schul- und Hofmeister* einig. Daß
aber auch Erwachsene, gleich Kindern, auf diesem Erdboden herumtaumeln, gleichwie jene nicht wissen, woher
sie kommen und wohin sie gehen, eben so wenig nach wahren Zwekken handeln, eben so durch Biskuit und Kuchen
und Birkenreiser* regiert werden, das will niemand gern
glauben, und mich dünkt, man kann's mit Händen greifen.
Ich gestehe dir gern, denn ich weis, was du mir hierauf
sagen möchtest, daß diejenige die glüklichsten sind, die
gleich den Kindern in Tag hinein leben, ihre Puppe herum
schleppen, aus und anziehen, und mit großem Respekte um
die Schublade herum schleichen, wo Mama das Zucker-
brod hinein verschlossen hat, und wenn sie das gewünschte
endlich erhaschen, es mit vollen Bakken verzehren, und
rufen: Mehr! das sind glükliche Geschöpfe! Auch denen
ists wohl, die ihren Lumpenbeschäftigungen, oder wohl

hellen

Privatlehrer

Abwandlung
von »Mit Zu-
ckerbrot und
Peitsche«

gar ihren Leidenschaften prächtige Titel geben, und sie dem Menschengeschlechte als Riesenoperationen zu dessen Heil und Wohlfahrt anschreiben. Wohl dem, der so seyn kann! Wer aber in seiner Demuth erkennt, wo das
5 alles hinausläuft, der so sieht, wie artig jeder Bürger, dem's wohl ist, sein Gärtchen zum Paradiese zuzustuzzen weis, und wie unverdrossen dann doch auch der Unglükliche unter der Bürde seinen Weg fortkeicht*, und alle gleich interessirt sind, das Licht dieser Sonne noch eine Minute län- fortkeucht
10 ger zu sehn, ja! der ist still und bildet auch seine Welt aus sich selbst, und ist auch glüklich, weil er ein Mensch ist. Und dann, so eingeschränkt er ist, hält er doch immer im Herzen das süsse Gefühl von Freyheit, und daß er diesen Anspielung auf den Selbst-mord
Kerker verlassen kann, wann er will*.

15
                           am 26. May.
Du kennst von Alters her meine Art, mich anzubauen*, niederzulas-
irgend mir an einem vertraulichen* Orte ein Hüttchen auf- sen
zuschlagen, und da mit aller Einschränkung zu herbergen. vertrauten
Ich hab auch hier wieder ein Pläzchen angetroffen, das
20 mich angezogen hat.
Ohngefähr eine Stunde von der Stadt liegt ein Ort, den sie
Wahlheim¹* nennen. Die Lage an einem Hügel ist sehr in- das nahe
teressant, und wenn man oben auf dem Fußpfade zum Wetzlar gele-
Dorfe heraus geht, übersieht man mit Einem das ganze gene Garben-
25 Thal. Eine gute Wirthin, die gefällig und munter in ihrem heim
Alter ist, schenkt Wein, Bier, Caffee, und was über alles
geht, sind zwey Linden, die mit ihren ausgebreiteten Aesten
den kleinen Plaz vor der Kirche bedecken, der ringsum mit
Bauerhäusern, Scheuern* und Höfen eingeschlossen ist. So Scheunen
30 vertraulich, so heimlich* hab ich nicht leicht ein Pläzchen anheimelnd, heimelig

¹ Der Leser wird sich keine Mühe geben, die hier genannten Orte zu suchen, man hat sich genöthigt gesehen, die hier im Originale befindlichen wahren Nahmen zu verändern.

gefunden, und dahin laß ich mein Tischchen aus dem Wirthshause bringen und meinen Stuhl, und trinke meinen Caffee da, und lese meinen Homer. Das erstemal als ich durch einen Zufall an einem schönen Nachmittage unter die Linden kam, fand ich das Pläzchen so einsam. Es war alles im Felde. Nur ein Knabe von ohngefähr vier Jahren saß an der Erde, und hielt ein andres etwa halbjähriges vor ihm zwischen seinen Füssen sitzendes Kind mit beyden Armen wider seine Brust, so daß er ihm zu einer Art von Sessel diente, und ohngeachtet der Munterkeit, womit er aus seinen schwarzen Augen herumschaute, ganz ruhig saß. Mich vergnügte der Anblick, und ich sezte mich auf einen Pflug, der gegen über stund, und zeichnete die brüderliche Stellung mit vielem Ergözzen, ich fügte den nächsten Zaun, ein Tennenthor* und einige gebrochne Wagenräder bey, wie es all hintereinander stund, und fand nach Verlauf einer Stunde, daß ich eine wohlgeordnete sehr interessante Zeichnung verfertigt hatte, ohne das mindeste von dem meinen hinzuzuthun. Das bestärkte mich in meinem Vorsazze, mich künftig allein an die Natur zu halten. Sie allein ist unendlich reich, und sie allein bildet den großen Künstler. Man kann zum Vortheile der Regeln* viel sagen, ohngefähr was man zum Lobe der bürgerlichen Gesellschaft sagen kann. Ein Mensch, der sich nach ihnen bildet, wird nie etwas abgeschmaktes und schlechtes hervor bringen, wie einer, der sich durch Gesezze und Wohlstand modeln* läßt, nie ein unerträglicher Nachbar, nie ein merkwürdiger Bösewicht werden kann; dagegen wird aber auch alle Regel, man rede was man wolle, das wahre Gefühl von Natur und den wahren Ausdruk derselben zerstören! sagst du, das ist zu hart! Sie schränkt nur ein, beschneidet die geilen Reben* etc. Guter Freund, soll ich dir ein Gleichniß geben: es ist damit wie mit der Liebe, ein junges Herz hängt ganz an einem Mädchen, bringt alle Stunden seines Tags bey ihr zu, verschwendet all seine Kräfte, all sein Vermögen, um

5

10

15

20

25

30

35

Scheunentor

Kunstregeln

formen

fruchtbaren,
üppigen
Reben

16

ihr jeden Augenblik auszudrükken, daß er sich ganz ihr hingiebt. Und da käme ein Philister*, ein Mann, der in einem öffentlichen Amte steht, und sagte zu ihm: feiner junger Herr, lieben ist menschlich, nur müßt ihr menschlich

5 lieben! Theilet eure Stunden ein, die einen zur Arbeit, und die Erholungsstunden widmet eurem Mädchen, berechnet euer Vermögen, und was euch von eurer Nothdurft* übrig bleibt, davon verwehr ich euch nicht ihr ein Geschenk, nur nicht zu oft, zu machen. Etwa zu ihrem Geburts- und Na-

10 menstage etc.. – Folgt der Mensch, so giebts einen brauchbaren jungen Menschen, und ich will selbst jedem Fürsten rathen, ihn in ein Collegium* zu sezzen, nur mit seiner Liebe ist's am Ende, und wenn er ein Künstler ist, mit seiner Kunst. O meine Freunde! warum der Strom des Genies so

15 selten ausbricht, so selten in hohen Fluthen hereinbraust, und eure staunende Seele erschüttert. Lieben Freunde, da wohnen die gelaßnen Kerls* auf beyden Seiten des Ufers, denen ihre Gartenhäuschen, Tulpenbeete, und Krautfelder zu Grunde gehen würden, und die daher in Zeiten mit däm-

20 men und ableiten* der künftig drohenden Gefahr abzuwehren wissen.

am 27. May.

Ich bin, wie ich sehe, in Verzükkung, Gleichnisse und Deklamation* verfallen, und habe drüber vergessen, dir

25 auszuerzählen, was mit den Kindern weiter worden ist. Ich saß ganz in mahlerische* Empfindungen vertieft, die dir mein gestriges Blatt sehr zerstükt darlegt, auf meinem Pfluge wohl zwey Stunden. Da kommt gegen Abend eine junge Frau auf die Kinder los, die sich die Zeit nicht gerührt hat-

30 ten, mit einem Körbchen am Arme, und ruft von weitem: Philips, du bist recht brav. Sie grüßte mich, ich dankte ihr, stand auf, trat näher hin, und fragte sie: ob sie Mutter zu den Kindern wäre? Sie bejahte es, und indem sie dem Aeltesten einen halben Wek* gab, nahm sie das Kleine auf und

Spießer, pedantischer Mensch

dringendes, notwendiges Bedürfnis

Behörde, bestehend aus mehreren Personen, die gleiches Stimmrecht haben

Kerle, die nichts aus der Ruhe bringt

durch Flutkanäle ableiten

hier: übertrieben pathetischer Redeton

so hübsch, reizvoll, dass man es malen möchte

Wecke, Brötchen

küßte es mit aller mütterlichen Liebe. Ich habe, sagte sie, meinem Philips das Kleine zu halten gegeben, und bin in die Stadt gegangen mit meinem Aeltsten, um weis Brod zu holen, und Zukker, und ein irden Breypfännchen*; ich sah das alles in dem Korbe, dessen Dekkel abgefallen war. Ich will meinem Hans (das war der Nahme des Jüngsten) ein Süppchen kochen zum Abende, der lose Vogel der Große hat mir gestern das Pfännchen zerbrochen, als er sich mit Philipsen um die Scharre* des Brey's zankte. Ich fragte nach dem Aeltsten, und sie hatte mir kaum gesagt, daß er auf der Wiese sich mit ein Paar Gänsen herumjagte, als er hergesprungen kam, und dem zweyten eine Haselgerte* mitbrachte. Ich unterhielt mich weiter mit dem Weibe, und erfuhr, daß sie des Schulmeisters Tochter sey, und daß ihr Mann eine Reise in die Schweiz gemacht habe, um die Erbschaft eines Vettern zu holen. Sie haben ihn drum betrügen wollen, sagte sie, und ihm auf seine Briefe nicht geantwortet, da ist er selbst hineingegangen. Wenn ihm nur kein Unglük passirt ist, ich höre nichts von ihm. Es ward mir schwer, mich von dem Weibe loszumachen, gab jedem der Kinder einen Kreuzer*, und auch für's jüngste gab ich ihr einen, ihm einen Wek mitzubringen zur Suppe, wenn sie in die Stadt gieng, und so schieden wir von einander.

Ich sage dir, mein Schaz, wenn meine Sinnen gar nicht mehr halten wollen, so linderts all den Tumult, der Anblik eines solchen Geschöpfs, das in der glüklichen Gelassenheit so den engen Kreis seines Daseyns ausgeht, von einem Tag zum andern sich durchhilft, die Blätter abfallen sieht, und nichts dabey denkt, als daß der Winter kömmt.

Seit der Zeit bin ich oft draus, die Kinder sind ganz an mich gewöhnt. Sie kriegen Zukker, wenn ich Caffee trinke, und theilen das Butterbrod und die saure Milch mit mir des Abends. Sonntags fehlt ihnen der Kreuzer nie, und wenn ich nicht nach der Betstunde* da bin, so hat die Wirthin Ordre*, ihn auszubezahlen.

Sie sind vertraut*, erzählen mir allerhand, und besonders ergözz' ich mich an ihren Leidenschaften und simplen Ausbrüchen* des Begehrens, wenn mehr Kinder aus dem Dorfe sich versammeln.

5 Viel Mühe hat mich's gekostet, der Mutter ihre Besorgniß zu benehmen: »Sie möchten den Herrn inkommodiren*.«

am 16. Juny.

Warum ich dir nicht schreibe? Fragst du das und bist doch auch der Gelehrten einer*. Du solltest rathen, daß ich mich
10 wohl befinde, und zwar – Kurz und gut, ich habe eine Bekanntschaft gemacht, die mein Herz näher angeht. Ich habe – ich weis nicht.

Dir in der Ordnung zu erzählen, wie's zugegangen ist, daß ich ein's der liebenswürdigsten Geschöpfe habe kennen ler-
15 nen, wird schwer halten, ich bin vergnügt und glüklich, und so kein guter Historienschreiber*.

Einen Engel! Pfuy! das sagt jeder von der seinigen! Nicht wahr? Und doch bin ich nicht im Stande, dir zu sagen, wie sie vollkommen ist, warum sie vollkommen ist, genug, sie
20 hat all meinen Sinn gefangen genommen.

So viel Einfalt* bey so viel Verstand, so viel Güte bey so viel Festigkeit, und die Ruhe der Seele bey dem wahren Leben und der Thätigkeit. –

Das ist alles garstiges Gewäsche, was ich da von ihr sage,
25 leidige* Abstraktionen, die nicht einen Zug ihres Selbst ausdrükken. Ein andermal – Nein, nicht ein andermal, jezt gleich will ich dir's erzählen. Thu ich's jezt nicht, geschäh's niemals. Denn, unter uns, seit ich angefangen habe zu schreiben, war ich schon dreymal im Begriffe die Feder
30 niederzulegen, mein Pferd satteln zu lassen und hinaus zu reiten, und doch schwur ich mir heut früh nicht hinaus zu reiten – und gehe doch alle Augenblikke ans Fenster zu sehen, wie hoch die Sonne noch steht.

Ich hab's nicht überwinden können, ich mußte zu ihr hin-

Sie vertrauen mir

harmlosen Ausbrüchen

Unbequem-lichkeiten oder Unannehm-lichkeiten bereiten

studierter Mann

jemand, der sich an die Tatsachen hält

Einfachheit, Schlichtheit, Unschuld

lästige, unangenehme, sonderbare

aus. Da bin ich wieder, Wilhelm, und will mein Butterbrod zu Nacht essen und dir schreiben. Welch eine Wonne das für meine Seele ist, sie in dem Kreise der lieben muntern Kinder ihrer acht Geschwister zu sehen! –

Wenn ich so fortfahre, wirst du am Ende so klug seyn wie am Anfange, höre denn, ich will mich zwingen ins Detail zu gehen.

Ich schrieb dir neulich, wie ich den Amtmann S.. habe kennen lernen, und wie er mich gebeten habe, ihn bald in seiner Einsiedeley, oder vielmehr seinem kleinen Königreiche zu besuchen. Ich vernachläßigte das, und wäre vielleicht nie hingekommen, hätte mir der Zufall nicht den Schaz entdekt, der in der stillen Gegend verborgen liegt.

Unsere jungen Leute hatten einen ⌜Ball⌝ auf dem Lande angestellt, zu dem ich mich denn auch willig finden ließ. Ich bot einem hiesigen guten, schönen, weiters unbedeutenden Mädchen die Hand, und es wurde ausgemacht, daß ich eine Kutsche nehmen, mit meiner Tänzerinn und ihrer Baase* nach dem Orte der Lustbarkeit hinausfahren, und auf dem Wege Charlotten S. mitnehmen sollte. Sie werden ein schönes Frauenzimmer kennen lernen, sagte meine Gesellschafterinn*, da wir durch den weiten schön ausgehauenen Wald nach dem Jagdhause fuhren. Nehmen sie sich in Acht, versezte die Baase, daß Sie sich nicht verlieben! Wie so? sagt' ich: Sie ist schon vergeben, antwortete jene, an einen sehr braven Mann, der weggereist ist, seine Sachen in Ordnung zu bringen nach seines Vaters Tod, und sich um eine ansehnliche Versorgung* zu bewerben. Die Nachricht war mir ziemlich gleichgültig.

Die Sonne war noch eine Viertelstunde vom Gebürge, als wir vor dem Hofthore anfuhren, es war sehr schwühle, und die Frauenzimmer äusserten ihre Besorgniß wegen eines Gewitters, das sich in weisgrauen dumpfigen* Wölkchen rings am Horizonte zusammen zu ziehen schien. Ich täuschte ihre Furcht mit anmaßlicher* Wetterkunde, ob

Tante

Tanzpartnerin

Amt, Stellung

dunklen

vorgeblicher

mir gleich selbst zu ahnden* anfieng, unsere Lustbarkeit ahnen
werde einen Stoß leiden.

Ich war ausgestiegen. Und eine Magd, die an's Thor kam,
bat uns, einen Augenblik zu verziehen*, Mamsell Lottchen warten
5 würde gleich kommen. Ich gieng durch den Hof nach dem
wohlgebauten Hause, und da ich die vorliegenden Treppen
hinaufgestiegen war und in die Thüre trat, fiel mir das rei-
zendste Schauspiel in die Augen, das ich jemals gesehen
habe. In dem Vorsaale wimmelten sechs Kinder, von eilf zu
10 zwey Jahren, um ein Mädchen von schöner mittlerer Tail-
le, die ein simples weisses Kleid mit blaßrothen Schleifen an
Arm und Brust anhatte. Sie hielt ein schwarzes Brod und
schnitt ihren Kleinen rings herum jedem sein Stük nach
Proportion ihres Alters und Appetites ab, gabs jedem mit
15 solcher Freundlichkeit, und jedes rufte so ungekünstelt
sein: Danke! indem es mit den kleinen Händchen lang in
die Höh gereicht hatte, eh es noch abgeschnitten war, und
nun mit seinem Abendbrode vergnügt entweder weg-
sprang, oder nach seinem stillern Charakter gelassen da-
20 von nach dem Hofthore zugieng, um die Fremden und die
Kutsche zu sehen, darinnen ihre Lotte wegfahren sollte. Ich
bitte um Vergebung, sagte sie, daß ich Sie herein bemühe,
und die Frauenzimmer warten lasse. Ueber dem Anziehen
und allerley Bestellungen für's Haus in meiner Abwesen-
25 heit, habe ich vergessen meinen Kindern ihr Vesperstük* zu Abendbrot
geben, und sie wollen von niemanden Brod geschnitten haben als von mir. Ich machte ihr ein unbedeutendes Compliment, und meine ganze Seele ruhte auf der Gestalt, dem
Tone, dem Betragen, und hatte eben Zeit, mich von der
30 Ueberraschung zu erholen, als sie in die Stube lief ihre
Handschuh und Fächer zu nehmen. Die Kleinen sahen
mich in einiger Entfernung so von der Seite an, und ich
gieng auf das jüngste los, das ein Kind von der glüklichsten
Gesichtsbildung war. Es zog sich zurük, als eben Lotte zur
35 Thüre herauskam, und sagte: Louis, gieb dem Herrn Vetter

eine Hand. Das that der Knabe sehr freymüthig, und ich konnte mich nicht enthalten, ihn ohngeachtet seines kleinen Roznäschens herzlich zu küssen. Vetter? sagt' ich, indem ich ihr die Hand reichte, glauben Sie, daß ich des Glüks werth sey, mit Ihnen verwandt zu seyn? O! sagte sie, mit einem leichtfertigen Lächeln, unsere Vetterschaft ist sehr weitläuftig, und es wäre mir leid, wenn sie der Schlimmste drunter seyn sollten. Im Gehen gab sie Sophien, der ältesten Schwester nach ihr, einem Mädchen von ohngefähr eilf Jahren, den Auftrag, wohl auf die Kleinen Acht zu haben, und den Papa zu grüssen, wenn er vom Spazierritte zurükkäme. Den Kleinen sagte sie, sie sollten ihrer Schwester Sophie folgen, als wenn sie's selbst wäre, das denn auch einige ausdrüklich versprachen. Eine kleine naseweise Blondine aber, von ohngefähr sechs Jahren, sagte: du bist's doch nicht, Lottchen! wir haben dich doch lieber. Die zwey ältsten der Knaben waren hinten auf

Fürbitten

die Kutsche geklettert, und auf mein Vorbitten* erlaubte sie ihnen, bis vor den Wald mit zu fahren, wenn sie versprächen, sich nicht zu necken, und sich recht fest zu halten.

Wir hatten uns kaum zurecht gesetzt, die Frauenzimmer

begrüßt
Kleidung

sich bewillkommt*, wechselsweis über den Anzug* und vorzüglich die Hütchen ihre Anmerkungen gemacht, und die Gesellschaft, die man zu finden erwartete, gehörig

durchgehe-
chelt, darüber
schonungslos
geredet

durchgezogen*; als Lotte den Kutscher halten, und ihre Brüder herabsteigen lies, die noch einmal ihre Hand zu küssen begehrten, das denn der ältste mit aller Zärtlichkeit, die dem Alter von funfzehn Jahren eigen seyn kann, der

Mutwille

andere mit viel Heftigkeit und Leichtsinn* that. Sie ließ die Kleinen noch einmal grüßen, und wir fuhren weiter.

Die Baase fragte: ob sie mit dem Buche fertig wäre, das sie ihr neulich geschickt hätte. Nein, sagte Lotte, es gefällt mir nicht, sie könnens wieder haben. Das vorige war auch nicht besser. Ich erstaunte, als ich fragte: was es für Bücher wären und sie mir antwortete:[1] – Ich fand so viel Charakter in allem was sie sagte, ich sah mit jedem Wort neue Reize, neue Strahlen des Geistes aus ihren Gesichtszügen hervorbrechen, die sich nach und nach vergnügt zu entfalten schienen, weil sie an mir fühlte, daß ich sie verstund.

Wie ich jünger war, sagte sie, liebte ich nichts so sehr als die Romanen. Weis Gott wie wohl mir's war, mich so Sonntags in ein Eckgen zu sezzen, und mit ganzem Herzen an dem Glükke und Unstern einer ⌐Miß Jenny⌐ Theil zu nehmen. Ich läugne auch nicht, daß die Art noch einige Reize für mich hat. Doch da ich so selten an ein Buch komme, so müssen sie auch recht nach meinem Geschmakke seyn. Und der Autor ist mir der liebste, in dem ich meine Welt wieder finde, bey dem's zugeht wie um mich, und dessen Geschichte mir doch so interessant so herzlich wird, als mein eigen häuslich Leben, das freylich kein Paradies, aber doch im Ganzen eine Quelle unsäglicher Glükseligkeit ist. Ich bemühte mich, meine Bewegungen über diese Worte zu verbergen. Das gieng freylich nicht weit, denn da ich sie mit solcher Wahrheit im Vorbeygehn vom ⌐Landpriester von Wakefield⌐ vom[2] – reden hörte, kam ich eben ausser mich und sagte ihr alles was ich mußte, und bemerkte erst nach einiger Zeit, da Lotte das Gespräch an die andern wendete, daß diese die Zeit über mit offnen Augen, als säßen sie nicht da, da gesessen hatten. Die Baase sah mich mehr als einmal mit einem spöttischen Näsgen an, daran mir aber nichts gelegen war.

[1] Man sieht sich genöthigt, diese Stelle des Briefes zu unterdrücken, um niemand Gelegenheit zu einiger Beschwerde zu geben. Ob gleich im Grunde jedem Autor wenig an dem Urtheile eines einzelnen Mädgens, und eines jungen unsteten Menschen gelegen seyn kann.

[2] Man hat auch hier die Namen einiger vaterländischen Autoren* ausgelassen. Wer Theil an Lottens Beyfall hatte, wird es gewiß an seinem Herzen fühlen, wenn er diese Stelle lesen sollte. Und sonst brauchts ja niemand zu wissen.

*Zu denken wäre an Wieland, Hermes, Sophie von La Roche u. a.

Das Gespräch fiel auf das Vergnügen am Tanze. Wenn diese Leidenschaft ein Fehler ist, sagte Lotte, so gesteh ich ihnen gern, ich weis nichts über's Tanzen. Und wenn ich was im Kopfe habe, und mir auf meinem verstimmten Klaviere einen Contretanz* vortrommle, so ist alles wieder gut. 5

Gruppentanz, bei dem jeweils zwei Paare mit- und gegeneinander tanzen

Wie ich mich unter dem Gespräche in den schwarzen Augen weidete, wie die lebendigen Lippen und die frischen muntern Wangen meine ganze Seele anzogen, wie ich in den herrlichen Sinn ihrer Rede ganz versunken, oft gar die Worte nicht hörte, mit denen sie sich ausdrukte! Davon 10 hast du eine Vorstellung, weil du mich kennst. Kurz, ich stieg aus dem Wagen wie ein Träumender, als wir vor dem Lusthause* still hielten, und war so in Träumen rings in der dämmernden Welt verlohren, daß ich auf die Musik kaum achtete, die uns von dem erleuchteten Saale herunter entgegen schallte. 15

Vergnügungsstätte

Die zwey Herren Audran und ein gewisser ⌐N. N.⌐ wer behält all die Nahmen! die der Baase und Lottens Tänzer waren, empfiengen uns am Schlage*, bemächtigten sich ihrer Frauenzimmer und ich führte die meinige hinauf. 20

Tür der Landkutsche

Wir schlangen uns in ⌐Menuets⌐ um einander herum, ich forderte ein Frauenzimmer nach dem andern auf, und just die unleidlichsten konnten nicht dazu kommen, einem die Hand zu reichen, und ein Ende zu machen. Lotte und ihr Tänzer fiengen einen englischen an, und wie wohl mir's 25 war, als sie auch in der Reihe die Figur mit uns anfieng, magst du fühlen. Tanzen muß man sie sehen. Siehst du, sie ist so mit ganzem Herzen und mit ganzer Seele dabey, ihr ganzer Körper, eine Harmonie, so sorglos, so unbefangen, als wenn das eigentlich alles wäre, als wenn sie sonst nichts 30 dächte, nichts empfände, und in dem Augenblikke gewiß schwindet alles andere vor ihr.

Ich bat sie um den zweyten Contretanz, sie sagte mir den dritten zu, und mit der liebenswürdigsten Freymüthigkeit von der Welt versicherte sie mich, daß sie herzlich gern 35 deutsch tanzte. Es ist hier so Mode, fuhr sie fort, daß jedes Paar, das zusammen gehört, beym Deutschen zusammen bleibt, und mein Chapeau* walzt schlecht, und dankt mir's, wenn ich ihm die Arbeit erlasse, ihr Frauenzimmer kann's auch nicht und mag nicht, und ich habe im Englischen gesehn, daß sie gut walzen, wenn sie nun mein seyn wollen fürs Deutsche, so gehn sie und bitten sich's aus von meinem Herrn, ich will zu ihrer Dame gehn. Ich gab ihr die Hand drauf und es wurde schon arrangirt, daß ihrem Tänzer inzwischen die Unterhaltung meiner Tänzerinn aufgetragen ward.

Tänzer. Beim Walzen liegt zuerst die Dame im Arm ihres Chapeaus.

Nun giengs, und wir ergötzten uns eine Weile an mannchfaltigen Schlingungen der Arme. Mit welchem Reize, mit welcher Flüchtigkeit bewegte sie sich! Und da wir nun gar an's Walzen kamen, und wie die Sphären* um einander herumrollten, giengs freylich anfangs, weil's die wenigsten können, ein bisgen bunt durch einander. Wir waren klug und liessen sie austoben, und wie die ungeschiktesten den Plan* geräumt hatten, fielen wir ein, und hielten mit noch einem Paare, mit Audran und seiner Tänzerinn, wakker aus. Nie ist mir's so leicht vom Flekke gegangen. Ich war kein Mensch mehr. Das liebenswürdigste Geschöpf in den Armen zu haben, und mit ihr herum zu fliegen wie Wetter*, daß alles rings umher vergieng und – Wilhelm, um ehrlich zu seyn, that ich aber doch den Schwur, daß ein Mädchen, das ich liebte, auf das ich Ansprüche hätte, mir nie mit einem andern walzen sollte, als mit mir, und wenn ich drüber zu Grunde gehen müßte, du verstehst mich.

Bälle, Kugeln

Tanzfläche

Blitze

Wir machten einige Touren* gehend im Saale, um zu verschnauffen. Dann sezte sie sich, und die Zitronen, die ich weggestohlen hatte beym Punsch* machen, die nun die einzigen noch übrigen waren, und die ich ihr in Schnittchen, mit Zukker zur Erfrischung brachte, thaten fürtrefliche Würkung, nur daß mir mit jedem Schnittgen das ihre Nachbarinn aus der Tasse nahm, ein Stich durch's Herz

Rundgänge

Mischgetränk aus Rum und Wasser oder Tee, auch Wein, und Zukker

gieng, der ich's nun freylich Schanden halber mit präsentiren mußte.

Beym dritten Englischen waren wir das zweyte Paar. Wie wir die Reihe so durchtanzten, und ich, weis Gott mit wie viel Wonne, an ihrem Arme und Auge hieng, das voll vom wahrsten Ausdrukke des offensten reinsten Vergnügens war, kommen wir an eine Frau, die mir wegen ihrer liebenswürdigen Mine auf einem nicht mehr ganz jungen Gesichte, merkwürdig gewesen war. Sie sieht Lotten lächelnd an, hebt einen drohenden Finger auf, und nennt den Nahmen Albert zweymal im Vorbeyfliegen mit viel Bedeutung. Wer ist Albert, sagte ich zu Lotten, wenns nicht Vermessenheit ist zu fragen. Sie war im Begriffe zu antworten, als wir uns scheiden mußten die grosse Achte* zu machen, und mich dünkte einiges Nachdenken auf ihrer Stirne zu sehen, als wir so vor einander vorbeykreuzten. Was soll ich's ihnen läugnen, sagte sie, indem sie mir die Hand zur Promenade* bot. Albert ist ein braver Mensch, dem ich so gut als verlobt bin! Nun war mir das nichts neues, denn die Mädchen hatten mir's auf dem Wege gesagt, und war mir doch so ganz neu, weil ich das noch nicht im Verhältnisse auf sie, die mir in so wenig Augenblikken so werth geworden war, gedacht hatte. Genug ich verwirrte mich, vergaß mich, und kam zwischen das unrechte Paar hinein, daß alles drunter und drüber gieng, und Lottens ganze Gegenwart und Zerren und Ziehen nöthig war, um's schnell wieder in Ordnung zu bringen.

Der Tanz war noch nicht zu Ende, als die Blizze, die wir schon lange am Horizonte leuchten gesehn, und die ich immer für Wetterkühlen* ausgegeben hatte, viel stärker zu werden anfiengen, und der Donner die Musik überstimmte. Drey Frauenzimmer liefen aus der Reihe, denen ihre Herren folgten, die Unordnung ward allgemein, und die Musik hörte auf. Es ist natürlich, wenn uns ein Unglük oder etwas schrökliches im Vergnügen überrascht, daß es

eine Figur beim Tanz

ebenfalls Figur beim Tanz

Wetterleuchten

stärkere Eindrükke auf uns macht, als sonst, theils wegen
dem Gegensazze, der sich so lebhaft empfinden läßt, theils
und noch mehr, weil unsere Sinnen einmal der Fühlbarkeit
geöffnet sind und also desto schneller einen Eindruk annehmen. Diesen Ursachen muß ich die wunderbaren Grimassen* zuschreiben, in die ich mehrere Frauenzimmer
ausbrechen sah. Die Klügste sezte sich in eine Ekke, mit
dem Rükken gegen das Fenster, und hielt die Ohren zu,
eine andere kniete sich vor ihr nieder und verbarg den Kopf
in der ersten Schoos, eine dritte schob sich zwischen beyde
hinein, und umfaßte ihre Schwesterchen mit tausend Thränen. Einige wollten nach Hause, andere, die noch weniger
wußten was sie thaten, hatten nicht so viel Besinnungskraft, den Kekheiten unserer jungen Schlukkers* zu
steuern, die sehr beschäftigt zu seyn schienen, alle die
ängstlichen Gebete, die dem Himmel bestimmt waren, von
den Lippen der schönen Bedrängten wegzufangen. Einige
unserer Herren hatten sich hinab begeben, um ein Pfeif-
chen in Ruhe zu rauchen, und die übrige Gesellschaft
schlug es nicht aus, als die Wirthinn auf den klugen Einfall
kam, uns ein Zimmer anzuweisen, das Läden und Vorhän-
ge hätte. Kaum waren wir da angelangt, als Lotte beschäftigt war, einen Kreis von Stühlen zu stellen, die Gesellschaft
zu sezzen, und den Vortrag* zu einem Spiele zu thun.
Ich sahe manchen, der in Hoffnung auf ein saftiges ⌜Pfand⌝
sein Mäulchen spizte, und seine Glieder rekte. Wir spielen
Zählens, sagte sie, nun gebt Acht! Ich gehe im Kreise herum
von der Rechten zur Linken, und so zählt ihr auch rings
herum jeder die Zahl die an ihn kommt, und das muß gehn
wie ein Lauffeuer, und wer stokt, oder sich irrt, kriegt eine
Ohrfeige, und so bis tausend. Nun war das lustig anzusehen. Sie gieng mit ausgestrecktem Arme im Kreise herum,
Eins! fieng der erste an, der Nachbar zwey! drey! der folgende und so fort; dann fieng sie an geschwinder zu gehn,
immer geschwinder. Da versahs einer, Patsch eine Ohrfei-

wunderlichen
Grimassen

Prasser,
Schlemmer,
Genießer

Vorschlag bzw.
Erläuterung
der Spielregeln

ge, und über das Gelächter der folgende auch Patsch! Und

Ohrfeigen

immer geschwinder. Ich selbst kriegte zwey Maulschellen*
und glaubte mit innigem Vergnügen zu bemerken, daß sie
stärker seyen, als sie sie den übrigen zuzumessen pflegte.
Ein allgemeines Gelächter und Geschwärme machte dem 5
Spiele ein Ende, ehe noch das Tausend ausgezählt war. Die
Vertrautesten zogen einander beyseite, das Gewitter war
vorüber, und ich folgte Lotten in den Saal. Unterwegs sagte
sie: über die Ohrfeigen haben sie Wetter und alles vergessen! Ich konnte ihr nichts antworten. Ich war, fuhr sie fort, 10
eine der Furchtsamsten, und indem ich mich herzhaft stellte, um den andern Muth zu geben, bin ich muthig geworden. Wir traten an's Fenster, es donnerte abseitwärts und
der herrliche Regen säuselte auf das Land, und der erquik-
kendste Wohlgeruch stieg in aller Fülle einer warmen Luft 15
zu uns auf. Sie stand auf ihrem Ellenbogen gestüzt und ihr
Blik durchdrang die Gegend, sie sah gen Himmel und auf
mich, ich sah ihr Auge thränenvoll, sie legte ihre Hand auf
die meinige und sagte – ⌈Klopstock!⌉ Ich versank in dem
Strome von Empfindungen, den sie in dieser Loosung über 20
mich ausgoß. Ich ertrugs nicht, neigte mich auf ihre Hand
und küßte sie unter den wonnevollesten Thränen. Und sah

zu beziehen
auf Klopstock

nach ihrem Auge wieder – Edler*! hättest du deine Vergöt-
terung in diesem Blikke gesehn, und möcht ich nun deinen
so oft entweihten Nahmen nie wieder nennen hören! 25

am 19. Juny.

Wo ich neulich mit meiner Erzählung geblieben bin, weis
ich nicht mehr, das weis ich, daß es zwey Uhr des Nachts
war, als ich zu Bette kam, und daß, wenn ich dir hätte
vorschwäzzen können, statt zu schreiben, ich dich viel- 30
leicht bis an Tag aufgehalten hätte.

Heimfahrt in
die Stadt

Was auf unserer Hereinfahrt* vom Balle passirt ist, hab ich
noch nicht erzählt, hab auch heut keinen Tag dazu.
Es war der liebwürdigste Sonnenaufgang. Der tröpfelnde

Wald und das erfrischte Feld umher! Unsere Gesellschafterinnen nikten ein. Sie fragte mich, ob ich nicht auch von der Parthie seyn wollte, ihrentwegen sollt ich unbekümmert seyn. So lang ich diese Augen offen sehe, sagt' ich, und sah
5 sie fest an, so lang hats keine Gefahr. Und wir haben beyde ausgehalten, bis an ihr Thor, da ihr die Magd leise aufmachte, und auf ihr Fragen vom Vater und den Kleinen versicherte, daß alles wohl sey und noch schlief. Und da verließ ich sie mit dem Versichern: sie selbigen Tags noch zu
10 sehn, und hab mein Versprechen gehalten, und seit der Zeit können Sonne, Mond und Sterne geruhig ihre Wirthschaft treiben, ich weis weder daß Tag noch daß Nacht ist, und die ganze Welt verliert sich um mich her.

am 21. Juny.
15 Ich lebe so glükliche Tage, wie sie Gott seinen Heiligen ausspart*, und mit mir mag werden was will; so darf ich nicht sagen, daß ich die Freuden, die reinsten Freuden des Lebens nicht genossen habe. Du kennst mein Wahlheim. Dort bin ich völlig etablirt*. Von dort hab ich nur eine
20 halbe Stunde zu Lotten, dort fühl ich mich selbst und alles Glük, das dem Menschen gegeben ist.
Hätte ich gedacht, als ich mir Wahlheim zum Zwekke meiner Spaziergänge wählte, daß es so nahe am Himmel läge! Wie oft habe ich das Jagdhaus, das nun alle meine Wün-
25 sche einschließt, auf meinen weiten Wandrungen bald vom Berge, bald in der Ebne über den Fluß gesehn.
Lieber Wilhelm, ich habe allerley nachgedacht, über die Begier im Menschen sich auszubreiten, neue Entdekkungen zu machen, herumzuschweifen; und dann wieder über
30 den innern Trieb, sich der Einschränkung willig zu ergeben, und in dem Gleise der Gewohnheit so hinzufahren, und sich weder um rechts noch links zu bekümmern.
Es ist wunderbar, wie ich hierher kam und vom Hügel in das schöne Thal schaute, wie es mich rings umher anzog.

> vorbehält

> wie zu Hause

Dort das Wäldchen! Ach könntest du dich in seine Schatten mischen! Dort die Spizze des Bergs! Ach könntest du von da die weite Gegend überschauen! Die in einander gekettete Hügel und vertrauliche Thäler. O könnte ich mich in ihnen verliehren! – Ich eilte hin! und kehrte zurük, und hatte nicht gefunden was ich hoffte. O es ist mit der Ferne wie mit der Zukunft! Ein grosses dämmerndes Ganze ruht vor unserer Seele, unsere Empfindung verschwimmt sich darinne, wie unser Auge, und wir sehnen uns, ach! unser ganzes Wesen hinzugeben, uns mit all der Wonne eines einzigen grossen herrlichen Gefühls ausfüllen zu lassen. – Und ach, wenn wir hinzueilen, wenn das Dort nun Hier wird, ist alles vor wie nach, und wir stehen in unserer Armuth, in unserer Eingeschränktheit, und unsere Seele lechzt nach entschlüpftem Labsale*.

Und so sehnt sich der unruhigste Vagabund zulezt wieder nach seinem Vaterlande, und findet in seiner Hütte, an der Brust seiner Gattin, in dem Kreise seiner Kinder und der Geschäfte zu ihrer Erhaltung, all die Wonne, die er in der weiten öden Welt vergebens suchte.

Wenn ich so des Morgens mit Sonnenaufgange hinausgehe nach meinem Wahlheim, und dort im Wirthsgarten mir meine Zukkererbsen* selbst pflükke, mich hinsezze, und sie abfädme und dazwischen lese in meinem Homer. Wenn ich denn in der kleinen Küche mir einen Topf wähle, mir Butter aussteche, meine Schoten an's Feuer stelle, zudekke und mich dazu sezze, sie manchmal umzuschütteln. Da fühl ich so lebhaft, wie die herrlichen übermüthigen ⌜Freyer der Penelope⌝ Ochsen und Schweine schlachten, zerlegen und braten. Es ist nichts, das mich so mit einer stillen, wahren Empfindung ausfüllte, als die Züge patriarchalischen Lebens, die ich, Gott sey Dank, ohne Affektation* in meine Lebensart verweben kann.

Wie wohl ist mir's, daß mein Herz die simple harmlose Wonne des Menschen fühlen kann, der ein Krauthaupt*

Erquickung, Stärkung

süß schmeckende Sorte der Gartenerbse

erkünsteltes Wesen, Ziererei

Kohlkopf

auf seinen Tisch bringt, das er selbst gezogen, und nun
nicht den Kohl allein, sondern all die guten Tage, den schönen Morgen, da er ihn pflanzte, die lieblichen Abende, da
er ihn begoß, und da er an dem fortschreitenden Wachs-
thume seine Freude hatte, alle in einem Augenblikke wieder mit geniest.

am 29. Juny.

Vorgestern kam der Medikus* hier aus der Stadt hinaus Arzt
zum Amtmanne und fand mich auf der Erde unter Lottens
Kindern, wie einige auf mir herumkrabelten, andere mich
nekten und wie ich sie küzzelte, und ein grosses Geschrey
mit ihnen verführte. Der Doktor, der eine sehr ⌈dogmati-
sche Dratpuppe⌉ ist, und im Diskurs* seine Manschetten in Gespräch
Falten legt, und den Kräusel* bis zum Nabel herauszupft, Halskrause
fand dieses unter der Würde eines gescheuten* Menschen, gescheiten
das merkte ich an seiner Nase. Ich lies mich aber in nichts
stören, lies ihn sehr vernünftige Sachen abhandeln, und
baute den Kindern ihre Kartenhäuser wieder, die sie zer-
schlagen hatten. Auch gieng er darauf in der Stadt herum
und beklagte: des Amtsmanns Kinder wären schon unge-
zogen genug, der Werther verdürbe sie nun völlig.
Ja, lieber Wilhelm, meinem Herzen sind die Kinder am
nächsten auf der Erde. Wenn ich so zusehe und in dem
kleinen Dinge die Keime aller Tugenden, aller Kräfte sehe,
die sie einmal so nöthig brauchen werden, wenn ich in dem
Eigensinne, alle die künftige Standhaftigkeit und Festigkeit
des Charakters, in dem Muthwillen, allen künftigen guten
Humor* und die Leichtigkeit, über alle die Gefahren der gute Laune
Welt hinzuschlüpfen, erblikke, alles so unverdorben, so
ganz! Immer, immer wiederhol ich die goldnen Worte des
Lehrers der Menschen: wenn ihr nicht werdet wie eines von Christus; hier
diesen*! Und nun, mein Bester, sie, die unsers gleichen sind, Anspielung
die wir als ⌈unsere Muster⌉ ansehen sollten; behandeln wir auf Matth.
als Unterthanen. Sie sollen keinen Willen haben! – Haben 18,3

wir denn keinen? und wo liegt das Vorrecht? – Weil wir
älter sind und gescheuter? – Guter Gott von deinem Himmel, alte Kinder siehst du, und junge Kinder und nichts
weiter, und an welchen du mehr Freude hast, das hat dein
Sohn schon lange verkündigt. Aber sie glauben an ihn und
hören ihn nicht, das ist auch was alt's, und bilden ihre
Kinder nach sich und – Adieu, Wilhelm, ich mag darüber
nicht weiter radotiren*.

schwätzen

am 1. Juli.

Was Lotte einem Kranken seyn muß, fühl ich an meinem
eignen armen Herzen, das übler dran ist als manches, das
auf dem Siechbette verschmachtet. Sie wird einige Tage in
der Stadt bey einer rechtschaffenen Frau zubringen, die
sich nach der Aussage der Aerzte ihrem Ende naht, und in
diesen lezten Augenblikken will sie Lotten um sich haben.
Ich war vorige Woche mit ihr den Pfarrer von St.. zu besuchen, ein Oertgen, das eine Stunde seitwärts im Gebürge
liegt. Wir kamen gegen viere dahin. Lotte hatte ihre zweyte
Schwester mitgenommen. Als wir in den, von zwey hohen
Nußbäumen überschatteten, Pfarrhof traten, saß der gute
alte Mann auf einer Bank vor der Hausthüre, und da er
Lotten sah, ward er wie neubelebt, vergaß seinen Knoten-
stok*, und wagte sich auf ihr entgegen. Sie lief hin zu ihm,
nöthigte ihn sich niederzusezzen, indem sie sich zu ihm
sezte, brachte viel Grüsse von ihrem Vater, herzte seinen
garstigen schmuzigen jüngsten Buben, das Quakelgen* seines Alters. Du hättest sie sehen sollen, wie sie den Alten
beschäftigte, wie sie ihre Stimme erhub um seinen halb tauben Ohren vernehmlich zu werden, wie sie ihm erzählte
von jungen robusten Leuten, die unvermuthet gestorben
wären, von der Vortreflichkeit des Carlsbades*, und wie sie
seinen Entschluß lobte, künftigen Sommer hinzugehen,
und wie sie fand, daß er viel besser aussähe, viel munterer
sey als das leztemal, da sie ihn gesehn. Ich hatte indeß der

derber, knorri-
ger Gehstock

quäkendes
Kind; Nesthäk-
chen

Kur- und
Badeort im
nordwestli-
chen Böhmen

Frau Pfarrern meine Höflichkeiten gemacht*, der Alte wur- begrüßt
de ganz munter, und da ich nicht umhin konnte, die schönen Nußbäume zu loben, die uns so lieblich beschatteten,
fieng er an, uns, wiewohl mit einiger Beschwerlichkeit, die
5 Geschichte davon zu geben. Den alten sagte er, wissen wir
nicht, wer den gepflanzt hat, einige sagen dieser, andere
jener Pfarrer. Der jüngere aber dorthinten ist so alt als meine Frau, im Oktober funfzig Jahre. Ihr Vater pflanzte ihn
des Morgens, als sie gegen Abend gebohren wurde. Er war
10 mein Vorfahr im Amte, und wie lieb ihm der Baum war, ist
nicht zu sagen, mir ist er's gewiß nicht weniger, meine Frau
sas drunter auf einem Balken und strikte, als ich vor sieben
und zwanzig Jahren als ein armer Student zum erstenmal
hier in Hof kam. Lotte fragte nach seiner Tochter, es hieß,
15 sie sey mit Herrn Schmidt auf der Wiese hinaus zu den
Arbeitern, und der Alte fuhr in seiner Erzählung fort, wie
sein Vorfahr ihn lieb gewonnen und die Tochter dazu, und
wie er erst sein Vikar* und dann sein Nachfolger gewor- Hilfsgeistlicher
den. Die Geschichte war nicht lange zu Ende, als die Jung-
20 fer Pfarrern, mit dem sogenannten Herrn Schmidt durch
den Garten herkam, sie bewillkommte Lotten mit herzli-
cher Wärme, und ich muß sagen, sie gefiel mir nicht übel,
eine rasche, wohlgewachsne Brünette, die einen die Kurz-
zeit über auf dem Lande wohl unterhalten hätte. Ihr Lieb-
25 haber, denn als solchen stellte sich Herr Schmidt gleich dar,
ein feiner, doch stiller Mensch, der sich nicht in unsere
Gespräche mischen wollte, ob ihn gleich Lotte immer herein zog, und was mich am meisten betrübte, war, daß ich
an seinen Gesichtszügen zu bemerken schien, es sey mehr
30 Eigensinn und übler Humor als Eingeschränktheit des Ver-
standes, der ihn sich mitzutheilen hinderte. In der Folge
ward dieß nur leider zu deutlich, denn als Friedrike beym
Spazierengehn mit Lotten und verschiedentlich auch mit
mir gieng, wurde des Herrn Angesicht, das ohne das einer
35 bräunlichen Farbe war, so sichtlich verdunkelt, daß es Zeit

riet, zu große
Freundlichkeit
Friederiken ge-
genüber zu
unterlassen

mürrischen
Gesichtern;
hier auch:
Nichtigkeiten

in Milch einge-
stippte Brot-
stücke

sich wendete

mir scheint

ärgert

neigt sehr
dazu

war, daß Lotte mich beym Ermel zupfte, und mir das Ar-
tigthun mit Friederiken abrieth*. Nun verdrießt mich
nichts mehr als wenn die Menschen einander plagen, am
meisten, wenn junge Leute in der Blüthe des Lebens, da sie
am offensten für alle Freuden seyn könnten, einander die 5
paar gute Tage mit Frazzen* verderben, und nur erst zu spät
das unersezliche ihrer Verschwendung einsehen. Mir
wurmte das, und ich konnte nicht umhin, da wir gegen
Abend in den Pfarrhof zurükkehrten, und an einem Tische
gebroktes Brod in Milch* assen, und der Diskurs auf Freu- 10
de und Leid in der Welt roulirte*, den Faden zu ergreifen,
und recht herzlich gegen die üble Laune zu reden. Wir
Menschen beklagen uns oft, fing ich an, daß der guten Tage
so wenig sind, und der schlimmen so viel, und wie mich
dünkt*, meist mit Unrecht. Wenn wir immer ein offenes 15
Herz hätten das Gute zu geniessen, das uns Gott für jeden
Tag bereitet, wir würden alsdenn auch Kraft genug haben,
das Uebel zu tragen, wenn es kommt. – Wir haben aber
unser Gemüth nicht in unserer Gewalt, versezte die Pfarrern, wie viel hängt vom Körper ab! wenn man nicht wohl 20
ist, ist's einem überall nicht recht. – Ich gestund ihr das ein.
Wir wollens also, fuhr ich fort, als eine Krankheit ansehen,
und fragen ob dafür kein Mittel ist! – Das läßt sich hören,
sagte Lotte, ich glaube wenigstens, daß viel von uns ab-
hängt, ich weis es an mir, wenn mich etwas nekt*, und mich 25
verdrüßlich machen will, spring ich auf und sing ein paar
Contretänze den Garten auf und ab, gleich ist's weg. – Das
war's was ich sagen wollte, versezte ich, es ist mit der üblen
Laune völlig wie mit der Trägheit, denn es ist eine Art von
Trägheit, unsere Natur hängt sehr dahin*, und doch, wenn 30
wir nur einmal die Kraft haben uns zu ermannen, geht uns
die Arbeit frisch von der Hand, und wir finden in der Thätigkeit ein wahres Vergnügen. Friederike war sehr aufmerksam, und der junge Mensch wandte mir ein, daß man
nicht Herr über sich selbst sey, und am wenigsten über 35

seine Empfindungen gebieten könne. Es ist hier die Frage von einer unangenehmen Empfindung, versezt ich, die doch jedermann gern los ist, und niemand weis wie weit seine Kräfte gehn, bis er sie versucht hat. Gewiß, einer der krank ist, wird bey allen Aerzten herum fragen und die größten Resignationen*, die bittersten Arzneyen, wird er nicht abweisen um seine gewünschte Gesundheit zu erhalten. Ich bemerkte, daß der ehrliche Alte sein Gehör anstrengte um an unserm Diskurs Theil zu nehmen, ich erhub die Stimme, indem ich die Rede gegen ihn wandte. Man predigt gegen so viele Laster, sagt ich, ich habe noch nie gehört daß man gegen die üble Laune vom Predigtstuhle gearbeitet hätte[1] – Das müßten die Stadtpfarrer thun, sagt er, die Bauern haben keinen bösen Humor, doch könnts auch nichts schaden zuweilen, es wäre eine Lektion für seine Frau wenigstens, und den Herrn Amtmann. Die Gesellschaft lachte und er herzlich mit, bis er in einen Husten verfiel, der unsern Diskurs eine Zeitlang unterbrach, darauf denn der junge Mensch wieder das Wort nahm: Sie nannten den bösen Humor ein Laster, mich däucht*, das ist übertrieben. – Mit nichten gab ich zur Antwort, wenn das, womit man sich selbst und seinen Nächsten schadet, den Namen verdient. Ist es nicht genug, daß wir einander nicht glüklich machen können, müssen wir auch noch einander das Vergnügen rauben, das jedes Herz sich noch manchmal selbst gewähren kann. Und nennen sie mir den Menschen, der übler Laune ist und so brav dabey sie zu verbergen, sie allein zu tragen, ohne die Freuden um sich her zu zerstören; oder ist sie nicht vielmehr ein innerer Unmuth über unsre eigne Unwürdigkeit, ein Misfallen an uns selbst, das immer mit einem Neide verknüpft ist, der durch eine thörige Eitelkeit aufgehezt wird: wir sehen glükliche Menschen die

hier: Einschränkungen

mir scheint

---

[1] Wir haben nun von ⌈Lavatern⌉ eine trefliche Predigt hierüber unter denen über das Buch Jonas.

wir nicht glüklich machen, und das ist unerträglich! Lotte
lächelte mich an, da sie die Bewegung sah mit der ich redte,
und eine Thräne in Friederikens Auge spornte mich, fortzufahren. Weh denen sagt ich, die sich der Gewalt bedie-
nen, die sie über ein Herz haben, um ihm die einfachen   5
Freuden zu rauben, die aus ihm selbst hervorkeimen. Alle
Geschenke, alle Gefälligkeiten der Welt ersezzen nicht einen Augenblik Vergnügen an sich selbst, den uns eine nei-
dische Unbehaglichkeit unsers Tyrannen vergällt hat.

Mein ganzes Herz war voll in diesem Augenblikke, die Er-   10
innerung so manches Vergangenen drängte sich an meine
Seele, und die Thränen kamen mir in die Augen.

Wer sich das nur täglich sagte, rief ich aus: du vermagst
nichts auf deine Freunde, als ihnen ihre Freude zu lassen
und ihr Glük zu vermehren, indem du es mit ihnen genies- 15
sest. Vermagst du, wenn ihre innre Seele von einer ängsti-
genden Leidenschaft gequält, vom Kummer zerrüttet ist,
ihnen einen Tropfen Linderung zu geben?

schlimmste,
fürchterlichste

Und wenn die lezte bangste* Krankheit dann über das Geschöpf herfällt, das du in blühenden Tagen untergraben   20
hast, und sie nun da liegt in dem erbärmlichen Ermatten,
und das Aug gefühllos gen Himmel sieht, und der Todes-
schweis auf ihrer Stirne abwechselt, und du vor dem Bette
stehst wie ein Verdammter, in dem innigsten Gefühl, daß
du nichts vermagst mit all deinem Vermögen, und die   25
Angst dich inwendig krampft, daß du alles hingeben möchtest, um dem untergehenden Geschöpf einen Tropfen Stärkung, einen Funken Muth einflösen zu können.

Die Erinnerung einer solchen Scene, da ich gegenwärtig
war, fiel mit ganzer Gewalt bey diesen Worten über mich.   30

Taschentuch

Ich nahm das Schnupftuch* vor die Augen, und verlies die
Gesellschaft, und nur Lottens Stimme, die mir rief: wir
wollten fort, brachte mich zu mir selbst. Und wie sie mich
auf dem Wege schalt, über den zu warmen Antheil an allem! und daß ich drüber zu Grunde gehen würde! Daß ich   35

mich schonen sollte! O der Engel! Um deinetwillen muß ich
leben!

am 6. Juli.

Sie ist immer um ihre sterbende Freundinn, und ist immer
dieselbe, immer das gegenwärtige* holde Geschöpf, das,
wo sie hinsieht, Schmerzen lindert und Glückliche macht.
Sie gieng gestern Abend mit Mariannen* und dem kleinen
Malgen* spazieren, ich wußt es und traf sie an, und wir
giengen zusammen. Nach einem Wege von anderthalb
Stunden kamen wir gegen die Stadt zurück, an den Brunnen, der mir so werth ist, und nun tausendmal werther
ward, als Lotte sich auf's Mäuergen sezte. Ich sah umher,
ach! und die Zeit, da mein Herz so allein war, lebte wieder
vor mir auf. Lieber Brunn, sagt ich, seither hab ich nicht
mehr an deiner Kühle geruht, habe in eilendem Vorübergehn dich manchmal nicht angesehn. Ich blikte hinab und
sah, daß Malgen mit einem Glase Wasser sehr beschäftigt
heraufstieg. Ich sahe Lotten an und fühlte alles, was ich an
ihr habe. Indem so kommt Malgen mit einem Glase, Marianne wollt es ihr abnehmen, nein! rufte das Kind mit dem
süßen Ausdrucke: nein, Lottgen, du sollst zuerst trinken!
Ich ward über die Wahrheit, die Güte, womit sie das aus-
rief, so entzükt, daß ich meine Empfindung mit nichts ausdrukken konnte, als ich nahm das Kind von der Erde und
küßte es lebhaft, das sogleich zu schreien und zu weinen
anfieng. Sie haben übel gethan, sagte Lotte! Ich war be-
troffen. Komm Malgen, fuhr sie fort, indem sie es an der
Hand nahm und die Stufen hinabführte; da wasche dich
aus der frischen Quelle geschwind, geschwind, da thut's
nichts. Wie ich so da stund und zusah, mit welcher Emsigkeit das Kleine mit seinen nassen Händgen die Bakken rieb,
mit welchem Glauben, daß durch die Wunderquelle alle
Verunreinigung abgespült, und die Schmach abgethan
würde, einen häslichen Bart zu kriegen. Wie Lotte sagte, es

*hilfsbereite

*Freundin Lot-
tes

*eine der
Schwestern
Lottes

ist genug, und das Kind doch immer eifrig fort wusch, als wenn Viel mehr thäte als Wenig. Ich sage dir, Wilhelm, ich habe mit mehr Respekt nie einer Taufhandlung beygewohnt, und als Lotte herauf kam, hätte ich mich gern vor ihr niedergeworfen wie vor einem Propheten, der die Schulden* einer Nation weggeweiht hat.

Des Abends konnt ich nicht umhin, in der Freude meines Herzens den Vorfall einem Manne zu erzählen, dem ich Menschensinn* zutraute, weil er Verstand hat. Aber wie kam ich an. Er sagte, das wäre sehr übel von Lotten gewesen, man solle die Kinder nichts weis machen, dergleichen gäbe zu unzählichen Irrthümern und Aberglauben Anlaß, man müßte die Kinder frühzeitig davor bewahren. Nun fiel mir ein, daß der Mann vor acht Tagen hatte taufen lassen, drum ließ ich's vorbey gehn, und blieb in meinem Herzen der Wahrheit getreu: wir sollen es mit den Kindern machen, wie Gott mit uns, der uns am glüklichsten macht, wenn er uns im freundlichen Wahne so hintaumeln läßt.

am 8. Juli.

Was man ein Kind ist! Was man nach so einem Blikke geizt*! Was man ein Kind ist! Wir waren nach Wahlheim gegangen, die Frauenzimmer fuhren hinaus, und während unsrer Spaziergänge glaubt ich in Lottens schwarzen Augen – Ich bin ein Thor, verzeih mir's, du solltest sie sehn, diese Augen. Daß ich kurz bin*, denn die Augen fallen mir zu vom Schlaf. Siehe die Frauenzimmer steigen ein, da stunden um die Kutsche der junge W.. Selstadt und Audran, und ich. Da ward aus dem Schlage geplaudert mit den Kerlgens, die freylich leicht und lüftig* genug waren. Ich suchte Lottens Augen! Ach sie giengen von einem zum andern! Aber auf mich! Mich! Mich! der ganz allein auf sie resignirt* dastund, fielen sie nicht! Mein Herz sagte ihr tausend Adieu! Und sie sah mich nicht! Die Kutsche fuhr vorbey und eine Thräne stund mir im Auge. Ich sah ihr nach! Und sah Lottens Kopfputz sich zum Schlag heraus lehnen, und sie wandte sich um zu sehn. Ach! Nach mir? – Lieber! In dieser Ungewißheit schweb ich! Das ist mein Trost. Vielleicht hat sie sich nach mir umgesehen. Vielleicht – Gute Nacht! O was ich ein Kind bin!

am 10. Juli.

Die alberne Figur, die ich mache, wenn in Gesellschaft von ihr gesprochen wird, solltest du sehen. Wenn man mich nun gar fragt, wie sie mir gefällt – Gefällt! das Wort haß ich in Tod. Was muß das für ein Kerl seyn, dem Lotte gefällt, dem sie nicht alle Sinnen, alle Empfindungen ausfüllt. Gefällt! Neulich fragte mich einer, wie mir ⌜Ossian⌝ gefiele.

am 11. Juli.

Frau M.. ist* sehr schlecht, ich bete für ihr Leben, weil ich mit Lotten dulde*. Ich seh sie selten bey einer Freundinn, und heut hat sie mir einen wunderbaren Vorfall erzählt. Der alte M.. ist ein geiziger rangiger* Hund, der seine Frau im Leben was rechts geplagt und eingeschränkt hat. Doch hat sich die Frau immer durchzuhelfen gewußt. Vor wenig Tagen, als der Doktor ihr das Leben abgesprochen hatte*, ließ sie ihren Mann kommen, Lotte war im Zimmer, und redte ihn also an: Ich muß dir eine Sache gestehn, die nach meinem Tode Verwirrung und Verdruß machen könnte. Ich habe bisher die Haushaltung geführt, so ordentlich und sparsam als möglich, allein du wirst mir verzeihen, daß ich dich diese dreyßig Jahre her hintergangen habe. Du bestimmtest im Anfange unserer Heyrath ein geringes für die Bestreitung der Küche und anderer häuslichen Ausgaben. Als unsere Haushaltung stärker wurde, unser Gewerb grösser, warst du nicht zu bewegen, mein Wochengeld nach dem Verhältnisse zu vermehren, kurz du weißt, daß du in den Zeiten, da sie am grösten war, verlangtest, ich solle mit sieben Gulden die Woche auskommen. Die hab

geht es

leide

habgieriger

sie für todgeweiht erklärt hatte

ich denn ohne Widerrede genommen und mir den Ueber-
schuß wöchentlich aus der Loosung* geholt, da niemand
vermuthete, daß die Frau die Casse bestehlen würde. Ich
habe nichts verschwendet, und wäre auch, ohne es zu bekennen, getrost der Ewigkeit entgegen gegangen, wenn
nicht diejenige, die nach mir das Wesen* zu führen hat, sich
nicht zu helfen wissen würde, und du doch immer drauf
bestehen könntest, deine erste Frau sey damit ausgekom-
men.

Ich redete mit Lotten über die unglaubliche Verblendung
des Menschensinns, daß einer nicht argwohnen soll, dahinter müsse was anders stekken, wenn eins mit sieben
Gulden hinreicht, wo man den Aufwand vielleicht um
zweymal so viel sieht. Aber ich hab selbst Leute gekannt,
die ⌈des Propheten ewiges Oelkrüglein⌉ ohne Verwunde-
rung in ihrem Hause statuirt* hätten.

am 13. Juli.

Nein, ich betrüge mich nicht! Ich lese in ihren schwarzen
Augen wahre Theilnehmung an mir, und meinem Schicksaale. Ja ich fühle, und darin darf ich meinem Herzen
trauen, daß sie – O darf ich, kann ich den Himmel in diesen
Worten aussprechen? – daß sie mich liebt.

Und ob das Vermessenheit ist oder Gefühl des wahren Verhältnisses: Ich kenne den Menschen nicht, von dem ich
etwas in Lottens Herzen fürchtete. Und doch – wenn sie
von ihrem Bräutigam spricht mit all der Wärme, all der
Liebe, da ist mir's wie einem, der all seiner Ehren und Würden entsezt*, und dem der Degen abgenommen* wird.

am 16. Juli.

Ach wie mir das durch alle Adern läuft, wenn mein Finger
unversehns den ihrigen berührt, wenn unsere Füsse sich
unter dem Tische begegnen. Ich ziehe zurück wie vom
Feuer, und eine geheime Kraft zieht mich wieder vorwärts,

Bareinnnah-
me beim Ver-
kauf

Haushalt

aufgestellt

enthoben
ein Zeichen
der Degradie-
rung

mir wirds so schwindlich vor allen Sinnen. O und ihre Unschuld, ihre unbefangene Seele fühlt nicht, wie sehr mich
die kleinen Vertraulichkeiten peinigen. Wenn sie gar im
Gespräch ihre Hand auf die meinige legt, und im Interesse
5 der Unterredung näher zu mir rückt, daß der himmlische
Athem ihres Mundes meine Lippen reichen kann. – Ich
glaube zu versinken wie vom Wetter gerührt*. Und Wilhelm, wenn ich mich jemals unterstehe, diesen Himmel,
dieses Vertrauen – Du verstehst mich. Nein, mein Herz ist
10 so verderbt nicht! Schwach! schwach genug! Und ist das
nicht Verderben?

Sie ist mir heilig. Alle Begier schweigt in ihrer Gegenwart.
Ich weis nimmer wie mir ist, wenn ich bey ihr bin, es ist als
wenn die Seele sich mir in allen Nerven umkehrte. Sie hat
15 eine Melodie, die sie auf dem Clavier spielt mit der Kraft
eines Engels, so simpel und so geistvoll*, es ist ihr Leiblied*,
und mich stellt es von aller Pein, Verwirrung und Grillen
her, wenn sie nur die erste Note davon greift.

Kein Wort von der Zauberkraft der alten Musik ist mir
20 unwahrscheinlich, wie mich der einfache Gesang angreift.
Und wie sie ihn anzubringen weis, oft zur Zeit, wo ich mir
eine Kugel vor'n Kopf schiessen möchte. Und all die Irrung
und Finsterniß meiner Seele zerstreut sich, und ich athme
wieder freyer.

25   am 18. Juli.
Wilhelm, was ist unserm Herzen die Welt ohne Liebe! Was
eine ⌈Zauberlaterne⌉ ist, ohne Licht! Kaum bringst Du das
Lämpgen hinein, so scheinen Dir die buntesten Bilder an
deine weiße Wand! Und wenn's nichts wäre als das, als
30 vorübergehende Phantomen*, so machts doch immer unser
Glük, wenn wir wie frische* Bubens davor stehen und uns
über die Wundererscheinungen entzükken. Heut konnt ich
nicht zu Lotten, eine unvermeidliche Gesellschaft hielt
mich ab. Was war zu thun. Ich schikte meinen Buben hin-

vom Blitz ge-
troffen

vergeistigt,
innerlich
liebstes Lied

schattenhafte
Erscheinun-
gen

unerfahrene

aus, nur um einen Menschen um mich zu haben, der ihr
heute nahe gekommen wäre. Mit welcher Ungedult ich den
Buben erwartete, mit welcher Freude ich ihn wieder sah.
Ich hätt' ihn gern bey'm Kopf genommen und geküßt,
wenn ich mich nicht geschämt hätte.   5

Man erzählt von dem ⌐Bononischen Stein⌐, daß er, wenn
man ihn in die Sonne legt, ihre Strahlen anzieht und eine
Weile bey Nacht leuchtet. So war mir's mit dem Jungen.
Das Gefühl, daß ihre Augen auf seinem Gesicht', seinen
Bakken, seinen Rokknöpfen und dem Kragen am Sürtout*   10
geruht hatten, machte mir das all so heilig, so werth, ich
hätte in dem Augenblikke den Jungen nicht vor* tausend
Thaler gegeben*. Es war mir so wohl in seiner Gegenwart –
Bewahre dich Gott, daß du darüber nicht lachst. Wilhelm,
sind das Phantomen, wenn es uns wohl wird?   15

den 19. Juli.

Ich werde sie sehen: ruf ich Morgens aus, wenn ich mich
ermuntere, und mit aller Heiterkeit der schönen Sonne entgegen blikke. Ich werde sie sehen! Und da hab ich für den
ganzen Tag keinen Wunsch weiter. Alles, alles verschlingt   20
sich in dieser Aussicht.

den 20. Juli.

Eure Idee will noch nicht die meinige werden, daß ich mit
dem Gesandten nach *** gehen soll. Ich liebe die Subor-
dination* nicht sehr, und wir wissen alle, daß der Mann   25
noch dazu ein widriger Mensch ist. Meine Mutter möchte
mich gern in Aktivität* haben, sagst du, das hat mich zu
lachen gemacht, bin ich jezt nicht auch aktiv? und ist's im
Grund nicht einerley: ob ich Erbsen zähle oder Linsen?
Alles in der Welt läuft doch auf eine Lumperey hinaus, und   30
ein Kerl, der um anderer willen, ohne daß es seine eigene
Leidenschaft ist, sich um Geld, oder Ehre, oder sonst was,
abarbeitet, ist immer ein Thor.

Überrock,
Jacke

für

hier: hergege-
ben

Unterordnung

hier: in einer
(festen) An-
stellung

Da Dir so viel daran gelegen ist, daß ich mein Zeichnen nicht vernachlässige, möcht ich lieber die ganze Sache übergehn, als Dir sagen: daß zeither wenig gethan wird.

5 Noch nie war ich glüklicher, noch nie meine Empfindung an der Natur, bis auf's Steingen, auf's Gräsgen herunter, voller und inniger, und doch – ich weis nicht, wie ich mich ausdrükken soll, meine vorstellende Kraft ist so schwach, alles schwimmt, schwankt vor meiner Seele, daß ich keinen

10 Umriß pakken kann; aber ich bilde mir ein, wenn ich Thon hätte oder Wachs, so wollt ich's wohl herausbilden, ich werde auch Thon nehmen wenn's länger währt, und kneten, und sollten's Kuchen werden.

Lottens Porträt habe ich dreymal angefangen, und habe

15 mich dreymal prostituirt*, das mich um so mehr verdriest, weil ich vor einiger Zeit sehr glüklich im Treffen war, darauf hab ich denn ihren Schattenriß* gemacht, und damit soll mir genügen.

hier: blamiert, lächerlich gemacht

Abbildung des Kopfprofils als Schattenbild

20 Ich habe mir schon so manchmal vorgenommen, sie nicht so oft zu sehn. Ja wer das halten könnte! Alle Tage unterlieg ich der Versuchung, und verspreche mir heilig: Morgen willst du einmal wegbleiben, und wenn der Morgen kommt, find ich doch wieder eine unwiderstehliche Ursa-

25 che, und eh ich mich's versehe, bin ich bey ihr. Entweder sie hat des Abends gesagt: Sie kommen doch Morgen? – Wer könnte da wegbleiben? Oder der Tag ist gar zu schön, ich gehe nach Wahlheim, und wenn ich so da bin – ist's nur noch eine halbe Stunde zu ihr! Ich bin zu nah in der At-

30 mosphäre, Zuk! so bin ich dort. Meine Großmutter hatte ein Mährgen vom Magnetenberg*. Die Schiffe die zu nahe kamen, wurden auf einmal alles Eisenwerks beraubt, die Nägel flogen dem Berge zu, und die armen Elenden scheiterten zwischen den übereinander stürzenden Brettern.

ein in der Sammlung *Märchen aus Tausendundeine Nacht* enthaltenes Märchen

Albert ist angekommen, und ich werde gehen, und wenn er
der beste, der edelste Mensch wäre, unter den ich mich in
allem Betracht* zu stellen bereit wäre, so wär's unerträglich, ihn vor meinem Angesichte im Besizze so vieler Voll-
kommenheiten zu sehen. Besiz! – Genug, Wilhelm der
Bräutigam ist da. Ein braver lieber Kerl, dem man gut seyn
muß. Glüklicher weise war ich nicht bey'm Empfange! Das
hätte mir das Herz zerrissen. Auch ist er so ehrlich und hat
Lotten in meiner Gegenwart noch nicht einmal geküßt.
Das lohn ihm Gott! Um des Respekts willen, den er vor
dem Mädgen hat, muß ich ihn lieben. Er will mir wohl, und
ich vermuthe, das ist Lottens Werk, mehr als seiner eigenen
Empfindung, denn darinn sind die Weiber fein, und haben
recht. Wenn sie zwey Kerls in gutem Vernehmen mit einander halten können, ist der Vortheil immer ihre, so selten es
auch angeht.

Indeß kann ich Alberten meine Achtung nicht versagen,
seine gelassne Aussenseite, sticht gegen die Unruhe meines
Charakters sehr lebhaft ab, die sich nicht verbergen läßt, er
hat viel Gefühl und weis, was er an Lotten hat. Er scheint
wenig üble Laune zu haben, und du weist, das ist die Sünde,
die ich ärger hasse am Menschen als alle andre.

Er hält mich für einen Menschen von Sinn, und meine Anhänglichkeit an Lotten, meine warme Freude, die ich an all
ihren Handlungen habe, vermehrt seinen Triumph, und er
liebt sie nur desto mehr. Ob er sie nicht manchmal heimlich
mit kleiner Eifersüchteley peinigt, das laß ich dahin gestellt
seyn, wenigstens an seinem Plazze würde ich nicht ganz
sicher vor dem Teufel bleiben.

Dem sey nun wie ihm wolle, meine Freude bey Lotten zu
seyn, ist hin! Soll ich das Thorheit nennen oder Verblendung? – Was braucht's Nahmen! Erzählt die Sache an sich!
– Ich wuste alles, was ich jezt weis, eh Albert kam, ich
wuste, daß ich keine Prätensionen* auf sie zu machen hatte,

in jeder Hin-
sicht

Ansprüche

machte auch keine – Heist das, insofern es möglich ist, bey
so viel Liebenswürdigkeiten nicht zu begehren – Und jezt
macht der Frazze* grosse Augen, da der andere nun wirklich kommt, und ihm das Mädgen wegnimmt.

Schimpfwort
für ein unge-
zogenes Kind

5 Ich beisse die Zähne auf einander und spotte über mein
Elend, und spottete derer doppelt und dreyfach, die sagen
könnten, ich sollte mich resigniren*, und weil's nun einmal
nicht anders seyn könnte. – Schafft mir die Kerls vom Hals!
– Ich laufe in den Wäldern herum, und wenn ich zu Lotten

mich darein
schicken, mich
zurückziehen

10 komme, und Albert so bey ihr sizt im Gärtgen unter der
Laube, und ich nicht weiter kann, so bin ich ausgelassen
närrisch, und fange viel Possen, viel verwirrtes Zeug an.
Um Gottes willen, sagte mir Lotte heute, ich bitte Sie! keine
Scene wie die von gestern Abend! sie sind fürchterlich,
15 wenn Sie so lustig sind. Unter uns, ich passe die Zeit ab,
wenn er zu thun hat, wutsch! bin ich draus, und da ist mir's
immer wohl, wenn ich sie allein finde.

am 8. Aug.

Ich bitte dich, lieber Wilhelm! Es war gewiß nicht auf dich
20 geredt, wenn ich schrieb: schafft mir die Kerls vom Hals,
die sagen, ich sollte mich resigniren. Ich dachte warlich
nicht dran, daß du von ähnlicher Meinung seyn könntest.
Und im Grunde hast du recht! Nur eins, mein Bester, in der
Welt ist's sehr selten mit dem Entweder Oder gethan, es
25 giebt so viel Schattirungen der Empfindungen und Hand-
lungsweisen, als Abfälle* zwischen einer Habichts- und

Abstufungen

Stumpfnase.
Du wirst mir also nicht übel nehmen, wenn ich dir dein
ganzes Argument einräume, und mich doch zwischen dem
30 Entweder Oder durchzustehlen suche.
Entweder sagst du, hast du Hofnung auf Lotten, oder du
hast keine. Gut! Im ersten Falle such sie durchzutreiben,
suche die Erfüllung deiner Wünsche zu umfassen, im andern Falle ermanne dich und suche einer elenden Empfin-

dung los zu werden, die all deine Kräfte verzehren muß.
Bester, das ist wohl gesagt, und – bald gesagt.

Und kannst du von dem Unglüklichen, dessen Leben unter
einer schleichenden Krankheit unaufhaltsam allmählich
abstirbt, kannst du von ihm verlangen, er solle durch einen 5
Dolchstos der Quaal auf einmal ein Ende machen? Und
raubt das Uebel, das ihm die Kräfte wegzehrt, ihm nicht
auch zugleich den Muth, sich davon zu befreyen?

Zwar könntest du mir mit einem verwandten Gleichnisse
antworten: Wer liesse sich nicht lieber den Arm abnehmen, 10
als daß er durch Zaudern und Zagen sein Leben auf's Spiel
sezte – Ich weis nicht – und wir wollen uns nicht in Gleich-
nissen herumbeissen. Genug – Ja, Wilhelm ich habe
manchmal so einen Augenblik aufspringenden, abschüt-
telnden Muths, und da, wenn ich nur wüste wohin, ich 15
gienge wohl.

am 10. Aug.

Ich könnte das beste glüklichste Leben führen, wenn ich
nicht ein Thor wäre. So schöne Umstände vereinigen sich
nicht leicht zusammen, eines Menschen Herz zu ergözzen, 20
als die sind, in denen ich mich jezt befinde. Ach so gewiß
ist's, daß unser Herz allein sein Glük macht! Ein Glied der
liebenswürdigen Familie auszumachen, von dem Alten geliebt zu werden wie ein Sohn, von den Kleinen wie ein Vater und von Lotten – und nun der ehrliche Albert, der durch 25
keine launische Unart mein Glük stört, der mich mit herz-
licher Freundschaft umfaßt, dem ich nach Lotten das liebste auf der Welt bin – Wilhelm, es ist eine Freude uns zu
hören, wenn wir spazieren gehn und uns einander von Lotten unterhalten, es ist in der Welt nichts lächerlichers er- 30
funden worden als dieses Verhältniß, und doch kommen
mir drüber die Thränen oft in die Augen.

Wenn er mir so von ihrer rechtschaffenen Mutter erzählt,
wie die auf ihrem Todbette Lotten ihr Hauß und ihre Kin-

der übergeben, und ihm Lotten anbefohlen habe, wie seit
der Zeit ein ganz anderer Geist Lotten belebt, wie sie in
Sorge für ihre Wirthschaft* und im Ernste eine wahre Mut- Hauswirt-
ter geworden, wie kein Augenblik ihrer Zeit ohne thätige schaft
5 Liebe, ohne Arbeit verstrichen, und wie dennoch all ihre
Munterkeit, all ihr Leichtsinn sie nicht verlassen habe. Ich
gehe so neben ihm hin, und pflükke Blumen am Wege, füge
sie sehr sorgfältig in einen Straus und – werfe sie in den
vorüberfliessenden Strohm, und sehe ihnen nach wie sie
10 leise hinunterwallen. Ich weis nicht, ob ich dir geschrieben
habe, daß Albert hier bleiben, und ein Amt mit einem ar-
tigen Auskommen vom Hofe erhalten wird, wo er sehr be-
liebt ist. In Ordnung und Emsigkeit in Geschäften hab ich
wenig seines gleichen gesehen.

15 am 12. Aug.
Gewiß Albert ist der beste Mensch unter dem Himmel, ich
habe gestern eine wunderbare Scene mit ihm gehabt. Ich
kam zu ihm, um Abschied zu nehmen, denn mich wandelte
die Lust an, in's Gebürg zu reiten, von daher ich dir auch
20 jezt schreibe, und wie ich in der Stube auf und ab gehe,
fallen mir seine Pistolen in die Augen. Borg mir die Pistolen, sagt ich, zu meiner Reise. Meintwegen, sagt er, wenn
du dir die Mühe geben willst sie zu laden, bey mir hängen
sie nur pro forma*. Ich nahm eine herunter, und er fuhr der Form
25 fort: Seit mir meine Vorsicht einen so unartigen Streich ge- wegen
spielt hat, mag ich mit dem Zeuge nichts mehr zu thun
haben. Ich war neugierig, die Geschichte zu wissen. Ich
hielte mich, erzählte er, wohl ein Vierteljahr auf dem Lande
bey einem Freunde auf, hatte ein paar Terzerolen* ohn- kleine Ta-
30 geladen und schlief ruhig. Einmal an einem regnigten schenpistolen
Nachmittage, da ich so müßig sizze, weis ich nicht wie mir
einfällt: wir könnten überfallen werden, wir könnten die
Terzerols nöthig haben, und könnten – du weist ja, wie das
ist. Ich gab sie dem Bedienten, sie zu puzzen, und zu laden,

und der dahlt*, mit den Mädgen, will sie erschröcken, und
Gott weis wie, das Gewehr geht los, da der Ladstok noch
drinn stekt und schießt den Ladstok einem Mädgen zur
Maus* herein, an der rechten Hand, und zerschlägt ihr den
Daumen. Da hatt' ich das Lamentiren*, und den ⌈Barbierer⌉ 5
zu bezahlen oben drein, und seit der Zeit laß ich all das
Gewehr* ungeladen. Lieber Schaz, was ist Vorsicht! die
Gefahr läßt sich nicht auslernen! Zwar – Nun weißt du,
daß ich den Menschen sehr lieb habe bis auf seine Zwar.
Denn versteht sich's nicht von selbst, daß jeder allgemeine 10
Saz Ausnahmen leidet. Aber so rechtfertig* ist der Mensch,
wenn er glaubt, etwas übereiltes, allgemeines, halbwahres
gesagt zu haben; so hört er dir nicht auf zu limitiren, mo-
dificiren*, und ab und zu zu thun, bis zulezt gar nichts mehr
an der Sache ist. Und bey diesem Anlasse kam er sehr tief in 15
⌈Text⌉, und ich hörte endlich gar nicht weiter auf ihn, verfiel
in Grillen*, und mit einer auffahrenden Gebährde drukt ich
mir die Mündung der Pistolen übers rechte Aug an die
Stirn. Pfuy sagte Albert, indem er mir die Pistole herabzog,
was soll das! – Sie ist nicht geladen, sagt ich. – Und auch so! 20
Was soll's? versezt er ungedultig. Ich kann mir nicht vorstellen, wie ein Mensch so thörigt seyn kann, sich zu erschiessen; der blosse Gedanke erregt mir Widerwillen.
Daß ihr Menschen, rief ich aus, um von einer Sache zu
reden, gleich sprechen müßt: Das ist thörig, das ist klug, 25
das ist gut, das ist bös! Und was will das all heissen? Habt
ihr deßwegen die innern Verhältnisse einer Handlung er-
forscht? Wißt ihr mit Bestimmtheit die Ursachen zu ent-
wikkeln, warum sie geschah, warum sie geschehen mußte?
Hättet ihr das, ihr würdet nicht so eilfertig mit euren Ur- 30
theilen seyn.
Du wirst mir zugeben, sagte Albert, daß gewisse Handlungen lasterhaft bleiben, sie mögen aus einem Beweg-
grunde geschehen, aus welchem sie wollen.
Ich zukte die Achseln und gabs ihm zu. Doch, mein Lieber, 35

fuhr ich fort, finden sich auch hier einige Ausnahmen. Es ist
wahr, der Diebstahl ist ein Laster, aber der Mensch, der,
um sich und die Seinigen vom schmäligen Hungertode zu
erretten, auf Raub ausgeht, verdient der Mitleiden oder
5 Strafe? ⌐Wer hebt den ersten Stein auf⌐ gegen den Ehemann,
der im gerechten Zorne sein untreues Weib und ihren
nichtswürdigen Verführer aufopfert? Gegen das Mädgen,
das in einer wonnevollen Stunde, sich in den unaufhaltsa-
men Freuden der Liebe verliert? Unsere Gesetze selbst, die-
10 se kaltblütigen Pedanten, lassen sich rühren, und halten
ihre Strafe zurük.

Das ist ganz was anders, versezte Albert, weil ein Mensch,
den seine Leidenschaften hinreissen, alle Besinnungskraft
verliert, und als ein Trunkener, als ein Wahnsinniger ange-
15 sehen wird. – Ach ihr vernünftigen Leute! rief ich lächelnd
aus. Leidenschaft! Trunkenheit! Wahnsinn! Ihr steht so gelassen, so ohne Theilnehmung da, ⌐ihr sittlichen Menschen,
scheltet den Trinker, verabscheuet den Unsinnigen, geht
vorbey wie der Priester, und dankt Gott wie der Pharisäer,
20 daß er euch nicht gemacht hat, wie einen von diesen⌐. Ich
bin mehr als einmal trunken gewesen, und meine Leidenschaften waren nie weit vom Wahnsinne, und beydes reut
mich nicht, denn ich habe in meinem Maasse begreifen
lernen: Wie man alle ausserordentliche Menschen, die et-
25 was grosses, etwas unmöglich scheinendes würkten, von
jeher für Trunkene und Wahnsinnige ausschreyen müßte.
Aber auch im gemeinen Leben ists unerträglich, einem Kerl
bey halbweg einer freyen, edlen, unerwarteten That nach-
rufen zu hören: Der Mensch ist trunken, der ist närrisch.
30 Schämt euch, ihr Nüchternen. Schämt euch, ihr Weisen.
Das sind nun wieder von deinen Grillen, sagte Albert.
Du überspannst alles, und hast wenigstens hier gewiß unrecht, daß du den Selbstmord, wovon wir jetzo reden, mit
grossen Handlungen vergleichst, da man es doch für nichts
35 anders als eine Schwäche halten kann, denn freylich ist es

leichter zu sterben, als ein qualvolles Leben standhaft zu ertragen.

Ich war im Begriffe abzubrechen, denn kein Argument in der Welt bringt mich so aus der Fassung, als wenn einer mit einem unbedeutenden Gemeinspruche angezogen kommt, da ich aus ganzem Herzen rede. Doch faßt ich mich, weil ich's schon öfter gehört und mich öfter darüber geärgert hatte, und versezte ihm mit einiger Lebhaftigkeit: Du nennst das Schwäche! ich bitte dich, laß dich vom Anscheine nicht verführen. Ein Volk, das unter dem unerträglichen Joche eines Tyrannen seufzt, darfst du das schwach heissen, wenn es endlich aufgährt* und seine Ketten zerreißt. Ein Mensch, der über dem Schrekken, daß Feuer sein Haus ergriffen hat, alle Kräfte zusammen gespannt fühlt, und mit Leichtigkeit Lasten wegträgt, die er bey ruhigem Sinne kaum bewegen kann; einer, der in der Wuth der Beleidigung es mit Sechsen aufnimmt, und sie überwältigt, sind die schwach zu nennen? Und mein Guter, wenn Anstrengung Stärke ist, warum soll die Ueberspannung das Gegentheil seyn? Albert sah mich an und sagte: nimm mirs nicht übel, die Beyspiele die du da giebst, scheinen hierher gar nicht zu gehören. Es mag seyn, sagt ich, man hat mir schon öfter vorgeworfen, daß meine Combinationsart manchmal an's Radotage* gränze! Laßt uns denn sehen, ob wir auf eine andere Weise uns vorstellen können, wie es dem Menschen zu Muthe seyn mag, der sich entschließt, die sonst so angenehme Bürde des Lebens abzuwerfen, denn nur in so fern wir mit empfinden, haben wir Ehre von einer Sache zu reden.

Die menschliche Natur, fuhr ich fort, hat ihre Gränzen, sie kann Freude, Leid, Schmerzen, bis auf einen gewissen Grad ertragen, und geht zu Grunde, sobald der überstiegen ist. Hier ist also nicht die Frage, ob einer schwach oder stark ist, sondern ob er das Maas seines Leidens ausdauren kann; es mag nun moralisch oder physikalisch seyn, und ich finde

(Marginalien:)
in Gärung gerät, aufbegehrt

Geschwätz

es eben so wunderbar zu sagen, der Mensch ist feig, der sich das Leben nimmt, als es ungehörig wäre, den einen Feigen zu nennen, der an einem bösartigen Fieber stirbt.

Paradox! sehr paradox! rief Albert aus. – Nicht so sehr, als 5 du denkst, versezt ich. Du giebst mir zu wir nennen das eine ⌜Krankheit zum Todte⌝, wodurch die Natur so angegriffen wird, daß theils ihre Kräfte verzehrt, theils so ausser Würkung gesezt werden, daß sie sich nicht wieder aufzuhelfen, durch keine glükliche Revolution*, den gewöhnlichen Um- 10 lauf des Lebens wieder herzustellen fähig ist.

hier: Umkehr

Nun mein Lieber, laß uns das auf den Geist anwenden. Sieh den Menschen an in seiner Eingeschränktheit, wie Eindrükke auf ihn würken, Ideen sich bey ihm fest sezzen, bis endlich eine wachsende Leidenschaft ihn aller ruhigen Sin- 15 neskraft beraubt, und ihn zu Grunde richtet.

Vergebens, daß der gelaßne vernünftige Mensch den Zustand des Unglüklichen übersieht, vergebens, daß er ihm zuredet, eben als wie ein Gesunder, der am Bette des Kranken steht, ihm von seinen Kräften nicht das geringste ein- 20 flößen kann.

Alberten war das zu allgemein gesprochen, ich erinnerte ihn an ein Mädgen, das man vor weniger Zeit im Wasser todt gefunden, und wiederholt ihm ihre Geschichte. Ein gutes junges Geschöpf, das in dem engen Kreise häuslicher 25 Beschäftigungen, wöchentlicher bestimmter Arbeit so herangewachsen war, das weiter keine Aussicht von Vergnügen kannte, als etwa Sonntags in einem nach und nach zusammengeschafften Puzze* mit ihres gleichen um die Stadt spazieren zu gehen, vielleicht alle hohe Feste einmal 30 zu tanzen, und übrigens mit aller Lebhaftigkeit des herzlichsten Antheils manche Stunde über den Anlas eines Gezänkes, einer übeln Nachrede, mit einer Nachbarin zu verplaudern; deren feurige Natur fühlt nun endlich innigere Bedürfnisse, die durch die Schmeicheleyen der Männer ver- 35 mehrt werden, all ihre vorige Freuden werden ihr nach und

schmucke Kleidung

nach unschmakhaft, bis sie endlich einen Menschen an-
trifft, zu dem ein unbekanntes Gefühl sie unwiderstehlich
hinreißt, auf den sie nun all ihre Hofnungen wirft, die Welt
rings um sich vergißt, nichts hört, nichts sieht, nichts fühlt
als ihn, den Einzigen, sich nur sehnt nach ihm, dem Einzi- 5
gen. Durch die leere Vergnügen einer unbeständigen Eitelkeit nicht verdorben, zieht ihr Verlangen grad nach dem
Zwecke: Sie will die Seinige werden, sie will in ewiger Verbindung all das Glück antreffen, das ihr mangelt, die Vereinigung aller Freuden geniessen, nach denen sie sich sehn- 10
te. Wiederholtes Versprechen, das ihr die Gewißheit aller

sicher macht

Hofnungen versiegelt*, kühne Liebkosungen, die ihre Be-
gierden vermehren, umfangen ganz ihre Seele, sie schwebt
in einem dumpfen Bewußtseyn, in einem Vorgefühl aller
Freuden, sie ist bis auf den höchsten Grad gespannt, wo sie 15
endlich ihre Arme ausstrekt, all ihre Wünsche zu umfassen

von Sinnen

– und ihr Geliebter verläßt sie – Erstarrt, ohne Sinne* steht
sie vor einem Abgrunde, und alles ist Finsterniß um sie her,
keine Aussicht, kein Trost, keine Ahndung, denn der hat sie
verlassen, in dem sie allein ihr Daseyn fühlte. Sie sieht nicht 20
die weite Welt, die vor ihr liegt, nicht die Vielen, die ihr den
Verlust ersezzen könnten, sie fühlt sich allein, verlassen von
aller Welt, – und blind, in die Enge gepreßt von der entsez-
lichen Noth ihres Herzens stürzt sie sich hinunter, um in
einem rings umfangenden Tode all ihre Quaalen zu erstik- 25
ken. – Sieh, Albert, das ist die Geschichte so manches Menschen, und sag, ist das nicht der Fall der Krankheit? Die
Natur findet keinen Ausweg aus dem Labyrinthe der ver-
worrenen und widersprechenden Kräfte, und der Mensch
muß sterben. 30
Wehe dem, der zusehen und sagen könnte: Die Thörinn!
hätte sie gewartet, hätte sie die Zeit würken lassen, es würde sich die Verzweiflung schon gelegt, es würde sich ein
anderer sie zu trösten schon vorgefunden haben.
Das ist eben, als wenn einer sagte: der Thor! stirbt am Fie- 35

ber! hätte er gewartet, bis sich seine Kräfte erhohlt, seine
Säfte* verbessert, der Tumult seines Blutes gelegt hätten,
alles wäre gut gegangen, und er lebte bis auf den heutigen
Tag!

5 Albert, dem die Vergleichung noch nicht anschaulich war,
wandte noch einiges ein, und unter andern: ich habe nur
von einem einfältigen Mädgen gesprochen, wie denn aber
ein Mensch von Verstande, der nicht so eingeschränkt sey,
der mehr Verhältnisse übersähe, zu entschuldigen seyn
10 möchte, könne er nicht begreifen. Mein Freund rief ich aus,
der Mensch ist Mensch, und das Bißgen Verstand das einer
haben mag, kommt wenig oder nicht in Anschlag, wenn
Leidenschaft wüthet, und die Gränzen der Menschheit* einen drängen. Vielmehr – ein andermal davon, sagt ich, und
15 grif nach meinem Hute. O mir war das Herz so voll – Und
wir giengen auseinander, ohne einander verstanden zu haben. Wie denn auf dieser Welt keiner leicht den andern
versteht.

am 15. Aug.

20 Es ist doch gewiß, daß in der Welt den Menschen nichts
nothwendig macht als die Liebe. Ich fühl's an Lotten, daß
sie mich ungern verlöhre, und die Kinder haben keine
andre Idee, als daß ich immer morgen wiederkommen würde. Heut war ich hinausgegangen, Lottens Clavier zu stim-
25 men, ich konnte aber nicht dazu kommen, denn die Kleinen verfolgten mich um ein Mährgen, und Lotte sagte denn
selbst, ich sollte ihnen den Willen thun. Ich schnitt ihnen
das Abendbrod, das sie nun fast so gerne von mir als von
Lotten annehmen und erzählte ihnen das Hauptstückgen
30 von der ⌐Prinzeßinn, die von Händen bedient wird⌐. Ich
lerne viel dabey, das versichr' ich dich, und ich bin erstaunt, was es auf sie für Eindrükke macht. Weil ich
manchmal einen Inzidenzpunkt* erfinden muß, den ich
bey'm zweytenmal vergesse, sagen sie gleich, das vorigemal

Randnotizen:

Blut, Lebens-
saft

Ein- bzw. Be-
schränkungen
des Mensch-
seins

juristisch: strit-
tiger Neben-
punkt; hier:
Einzelheit in
der Erzählung,
ein Einschub

wär's anders gewest, so daß ich mich jezt übe, sie unverän-
derlich in einem singenden Sylbenfall an einem Schnürgen

aufsagen

weg zu rezitiren*. Ich habe daraus gelernt wie ein Autor,
durch eine zweyte veränderte Auflage seiner Geschichte,
und wenn sie noch so poetisch besser geworden wäre,
nothwendig seinem Buche schaden muß. Der erste Eindruk
findet uns willig, und der Mensch ist so gemacht, daß man
ihm das abenteuerlichste überreden kann, das haftet aber
auch gleich so fest, und wehe dem, der es wieder auskraz-
zen und austilgen will.

                                          am 18. Aug.
Mußte denn das so seyn? daß das, was des Menschen Glükseligkeit macht, wieder die Quelle seines Elends würde.
Das volle warme Gefühl meines Herzens an der lebendigen
Natur, das mich mit so viel Wonne überströmte, das rings
umher die Welt mir zu einem Paradiese schuf, wird mir jezt
zu einem unerträglichen Peiniger, zu einem quälenden Geiste, der mich auf allen Wegen verfolgt. Wenn ich sonst vom
Fels über den Fluß bis zu jenen Hügeln das fruchtbare Thal
überschaute, und alles um mich her keimen und quellen
sah, wenn ich jene Berge, vom Fuße bis auf zum Gipfel, mit
hohen, dichten Bäumen bekleidet, all jene Thäler in ihren
mannichfaltigen Krümmungen von den lieblichsten Wäldern beschattet sah, und der sanfte Fluß zwischen den lispelnden Rohren dahin gleitete, und die lieben Wolken ab-
spiegelte, die der sanfte Abendwind am Himmel herüber
wiegte, wenn ich denn die Vögel um mich, den Wald bele-
ben hörte, und die Millionen Mükkenschwärme im lezten
rothen Strahle der Sonne muthig tanzten, und ihr lezter

das Weben,
die Hinundher-
bewegung

zukkender Blik den summenden Käfer aus seinem Grase
befreyte und das Gewebere* um mich her, mich auf den
Boden aufmerksam machte und das Moos, das meinem

Gestrüpp

harten Felsen seine Nahrung abzwingt, und das Geniste*,
das den dürren Sandhügel hinunter wächst, mir alles das

innere glühende, heilige Leben der Natur eröfnete, wie umfaßt ich das all mit warmen Herzen, verlohr mich in der unendlichen Fülle, und die herrlichen Gestalten der unendlichen Welt bewegten sich alllebend in meiner Seele. Un-
5 geheure Berge umgaben mich, Abgründe lagen vor mir, und Wetterbäche* stürzten herunter, die Flüsse strömten unter mir, und Wald und Gebürg erklang. Und ich sah sie würken und schaffen in einander in den Tiefen der Erde, all die Kräfte unergründlich. Und nun über der Erde und unter
10 dem Himmel wimmeln die Geschlechter der Geschöpfe all, und alles, alles bevölkert mit tausendfachen Gestalten, und die Menschen dann sich in Häuslein zusammen sichern, und sich annisten*, und herrschen in ihrem Sinne über die weite Welt! Armer Thor, der du alles so gering achtest, weil
15 du so klein bist. Vom unzugänglichen Gebürge über die Einöde, die kein Fuß betrat, bis ans Ende des unbekannten Ozeans, weht der Geist des Ewigschaffenden und freut sich jedes Staubs, der ihn vernimmt und lebt. Ach damals, wie oft hab ich mich mit Fittigen eines Kranichs, der über mich
20 hinflog, zu dem Ufer des ungemessenen Meeres gesehnt, aus dem schäumenden Becher des Unendlichen, jene schwellende Lebenswonne zu trinken, und nur einen Augenblick in der eingeschränkten Kraft meines Busens einen Tropfen der Seligkeit des Wesens zu fühlen, das alles in sich
25 und durch sich hervorbringt.

Bruder, nur die Erinnerung jener Stunden macht mir wohl, selbst diese Anstrengung, jene unsäglichen Gefühle zurük zu rufen, wieder auszusprechen, hebt meine Seele über sich selbst, und läßt mir dann das Bange des Zustands doppelt
30 empfinden, der mich jezt umgiebt.

Es hat sich vor meiner Seele wie ein Vorhang weggezogen, und der Schauplatz des unendlichen Lebens verwandelt sich vor mir in den Abgrund des ewig offnen Grabs. Kannst du sagen: Das ist! da alles vorübergeht, da alles mit der
35 Wetterschnelle* vorüber rollt, so selten die ganze Kraft sei-

vom Regen bei einem Gewitter entstandene oder angeschwollene Bäche

hier: sich gegenseitig Schutz und Wärme geben

Schnelligkeit des sich verändernden Wetters

nes Daseyns ausdauert, ach in den Strom fortgerissen, untergetaucht und an Felsen zerschmettert wird. Da ist kein Augenblik, der nicht dich verzehrte und die Deinigen um dich her, kein Augenblik, da du nicht ein Zerstöhrer bist, seyn mußt. Der harmloseste Spaziergang kostet tausend tausend armen Würmgen das Leben, es zerrüttet ein Fustritt die mühseligen Gebäude der Ameisen, und stampft eine kleine Welt in ein schmähliches Grab. Ha! nicht die große seltene Noth der Welt, diese Fluthen, die eure Dörfer wegspülen, diese Erdbeben, die eure Städte verschlingen, rühren mich. Mir untergräbt das Herz die verzehrende Kraft, die im All der Natur verborgen liegt, die nichts gebildet hat, das nicht seinen Nachbar, nicht sich selbst zerstörte. Und so taumele ich beängstet! Himmel und Erde und all die webenden Kräfte um mich her! Ich sehe nichts, als ein ewig verschlingendes, ewig wiederkäuendes Ungeheur.

am 21. Aug.

Umsonst strekke ich meine Arme nach ihr aus, Morgens wenn ich von schweren Träumen aufdämmere, vergebens such ich sie Nachts in meinem Bette, wenn mich ein glüklicher unschuldiger Traum getäuscht hat, als säß ich neben ihr auf der Wiese, und hielte ihre Hand und dekte sie mit tausend Küssen. Ach wenn ich denn noch halb im Taumel des Schlafs nach ihr tappe, und drüber mich ermuntere – Ein Strom von Thränen bricht aus meinem gepreßten Herzen, und ich weine trostlos einer finstern Zukunft entgegen.

am 22. Aug.

Es ist ein Unglük, Wilhelm! all meine thätigen Kräfte sind zu einer unruhigen Lässigkeit verstimmt, ich kann nicht müssig seyn und wieder kann ich nichts thun. Ich hab keine Vorstellungskraft, kein Gefühl an der Natur und die Bücher speien mich alle an. Wenn wir uns selbst fehlen, fehlt uns doch alles. Ich schwöre Dir, manchmal wünschte ich ein Taglöhner zu seyn, um nur des Morgens bey'm Erwachen eine Aussicht auf den künftigen Tag, einen Drang, eine Hofnung zu haben. Oft beneid ich Alberten, den ich über die Ohren in Akten begraben sehe, und bilde mir ein: mir wär's wohl, wenn ich an seiner Stelle wäre! Schon etlichemal ist mir's so aufgefahren*, ich wollte Dir schreiben und dem Minister, und um die Stelle bey der Gesandtschaft anhalten, die, wie Du versicherst, mir nicht versagt werden würde. Ich glaube es selbst, der Minister liebt mich seit lange, hatte lange mir angelegen*, ich sollte mich employiren*, und eine Stunde ist mir's auch wohl drum zu thun; hernach, wenn ich so wieder dran denke, und mir die ⌐Fabel vom Pferde⌐ einfällt, das seiner Freyheit ungedultig, sich Sattel und Zeug auflegen läßt, und zu Schanden geritten wird. Ich weis nicht, was ich soll – Und mein Lieber! Ist nicht vielleicht das Sehnen in mir nach Veränderung des Zustands, eine innre unbehagliche Ungedult, die mich überall hin verfolgen wird?

*eingefallen

*mich darum
gebeten

*anstellen lassen

am 28. Aug.

Es ist wahr, wenn meine Krankheit zu heilen wäre, so würden diese Menschen es thun. Heut ist mein Geburtstag*, und in aller Frühe empfang ich ein Päkgen von Alberten. Mir fällt bey'm Eröfnen sogleich eine der blaßrothen Schleifen in die Augen, die Lotte vorhatte, als ich sie kennen lernte, und um die ich sie seither etlichemal gebeten hatte. Es waren zwey Büchelgen in duodez* dabey, ⌐der kleine Wetsteinische Homer⌐, ein Büchelgen, nach dem ich so oft verlangt, um mich auf dem Spaziergange mit dem ⌐Ernestischen⌐ nicht zu schleppen. Sieh! so kommen sie meinen Wünschen zuvor, so suchen sie all die kleinen Gefälligkeiten der Freundschaft auf, die tausendmal werther sind als jene blendende Geschenke, wodurch uns die Eitel-

Auch Goethe
hatte am
28. August
Geburtstag.

Kleines Buchformat, bei
dem ein
Druckbogen in
12 Blatt (= 24
Seiten) gefalzt
wird

keit des Gebers erniedrigt. Ich küsse diese Schleife tausendmal, und mit jedem Athemzuge schlürfe ich die Erinnerung
jener Seligkeiten ein, mit denen mich jene wenige, glückliche unwiederbringliche Tage überfüllten. Wilhelm es ist so, 5
und ich murre nicht, die Blüthen des Lebens sind nur Erscheinungen! wie viele gehn vorüber, ohne eine Spur hinter
sich zu lassen, wie wenige sezzen Frucht an, und wie wenige dieser Früchte werden reif. Und doch sind deren noch
genug da, und doch – O mein Bruder! können wir gereifte 10
Früchte vernachlässigen, verachten, ungenossen verwel-
ken und verfaulen lassen?

Lebe wohl! Es ist ein herrlicher Sommer, ich sizze oft auf
den Obstbäumen in Lottens Baumstük mit dem Obstbre-
cher* der langen Stange, und hole die Birn aus dem Gipfel. 15
Sie steht unten und nimmt sie ab, wenn ich sie ihr hinunter
lasse.

Birnenpflü-
cker

am 30. Aug.

Unglüklicher! Bist du nicht ein Thor? Betrügst du dich
nicht selbst? Was soll all diese tobende endlose Leidenschaft? Ich habe kein Gebet mehr, als an sie, meiner Ein- 20
bildungskraft erscheint keine andere Gestalt als die ihrige,
und alles in der Welt um mich her, sehe ich nur im Verhältnisse mit ihr. Und das macht mir denn so manche glükliche
Stunde – Bis ich mich wieder von ihr losreißen muß, ach
Wilhelm, wozu mich mein Herz oft drängt! – Wenn ich so 25
bey ihr gesessen bin, zwey, drey Stunden, und mich an der
Gestalt, an dem Betragen, an dem himmlischen Ausdruk
ihrer Worte geweidet habe, und nun so nach und nach alle
meine Sinnen aufgespannt werden, mir's düster vor den
Augen wird, ich kaum was noch höre, und mich's an die 30
Gurgel faßt, wie ein Meuchelmörder, dann mein Herz in
wilden Schlägen den bedrängten Sinnen Luft zu machen
sucht und ihre Verwirrung vermehrt. Wilhelm, ich weis oft
nicht, ob ich auf der Welt bin! Und wenn nicht manchmal

die Wehmuth das Uebergewicht nimmt, und Lotte mir den
elenden Trost erlaubt, auf ihrer Hand meine Beklemmung
auszuweinen, so muß ich fort! Muß hinaus! Und schweife
dann weit im Felde umher. Einen gähen* Berg zu klettern,   steilen
5 ist dann meine Freude, durch einen unwegsamen Wald einen Pfad durchzuarbeiten, durch die Hekken die mich ver-
lezzen, durch die Dornen die mich zerreissen! Da wird
mir's etwas besser! Etwas! Und wenn ich für* Müdigkeit   vor
und Durst manchsmal unterwegs liegen bleibe, manchmal
10 in der tiefen Nacht, wenn der hohe Vollmond über mir
steht, im einsamen Walde auf einem krumgewachsnen
Baum mich sezze, um meinen verwundeten Solen nur einige Linderung zu verschaffen, und dann in einer ermatten-
den Ruhe in dem Dämmerscheine hinschlummre! O Wil-
15 helm! Die einsame Wohnung einer Zelle, das ⌐härne Gewand und der Stachelgürtel⌐, wären Labsale, nach denen
meine Seele schmachtet. Adieu. Ich seh all dieses Elends
kein Ende als das Grab.

                                            am 3. Sept.
20 Ich muß fort! ich danke Dir, Wilhelm, daß Du meinen wankenden Entschluß bestimmt hast. Schon vierzehn Tage geh
ich mit dem Gedanken um, sie zu verlassen. Ich muß. Sie ist
wieder in der Stadt bey einer Freundinn. Und Albert – und –
ich muß fort.

25   am 10. Sept.
Das war eine Nacht! Wilhelm, nun übersteh ich alles. Ich
werde sie nicht wiedersehn. O daß ich nicht an Deinen Hals
fliegen, Dir mit tausend Thränen und Entzükkungen ausdrükken kann, mein Bester, all die Empfindungen, die
30 mein Herz bestürmen. Hier sizz ich und schnappe nach
Luft, suche mich zu beruhigen, und erwarte den Morgen,
und mit Sonnen Aufgang sind die Pferde bestellt.
Ach sie schläft ruhig und denkt nicht, daß sie mich nie

wieder sehen wird. Ich habe mich losgerissen, bin stark genug gewesen, in einem Gespräche von zwey Stunden mein Vorhaben nicht zu verrathen. Und Gott, welch ein Gespräch!

Albert hatte mir versprochen, gleich nach dem Nachtessen mit Lotten im Garten zu seyn. Ich stand auf der Terasse unter den hohen Castanienbäumen, und sah der Sonne nach, die mir nun zum letztenmal über dem lieblichen Thale, über dem sanften Flusse untergieng. So oft hatte ich hier gestanden mit ihr, und eben dem herrlichen Schauspiele zugesehen und nun – Ich gieng in der Allee auf und ab, die mir so lieb war, ein geheimer sympathetischer Zug* hatte mich hier so oft gehalten, eh ich noch Lotten kannte, und wie freuten wir uns, als im Anfange unserer Bekanntschaft wir die wechselseitige Neigung zu dem Pläzgen entdekten, das wahrhaftig eins der romantischten* ist, die ich von der Kunst habe hervorgebracht gesehen.

Erst hast du zwischen den Castanienbäumen die weite Aussicht – – Ach ich erinnere mich, ich habe dir, denk ich, schon viel geschrieben davon, wie hohe Buchenwände einen endlich einschliessen und durch ein daran stoßendes Bosquet* die Allee immer düstrer wird, bis zuletzt alles sich in ein geschlossenes Pläzgen endigt, das alle Schauer der Einsamkeit umschweben. Ich fühl es noch wie heimlich mir's ward, als ich zum erstenmal an einem hohen Mittage hinein trat, ich ahndete ganz leise, was das noch für ein Schauplaz werden sollte von Seligkeit und Schmerz.

Ich hatte mich etwa eine halbe Stunde in denen schmachtenden süssen Gedanken des Abscheidens, des Wiedersehns geweidet; als ich sie die Terasse herauf steigen hörte, ich lief ihnen entgegen, mit einem Schauer faßt ich ihre Hand und küßte sie. Wir waren eben herauf getreten, als der Mond hinter dem büschigen Hügel aufgieng, wir redeten mancherley und kamen unvermerkt dem düstern Cabinette näher. Lotte trat hinein und sezte sich, Albert

aufgrund innerer Anziehung mitfühlender Zug

hier noch: romanhaften

Gruppe von beschnittenen Bäumen und Sträuchern in Parkanlagen (v. a. der Renaissance und des Barock)

neben sie, ich auch, doch, meine Unruhe lies mich nicht
lange sizzen, ich stand auf, trat vor sie, gieng auf und ab,
sezte mich wieder, es war ein ängstlicher Zustand. Sie
machte uns aufmerksam auf die schöne Würkung des
5 Mondenlichts, das am Ende der Buchenwände die ganze
Terasse vor uns erleuchtete, ein herrlicher Anblick, der um
so viel frappanter* war, weil uns rings eine tiefe Dämme-
rung einschloß. Wir waren still, und sie fieng nach einer
Weile an: Niemals geh ich im Mondenlichte spazieren, nie-
10 mals daß mir nicht der Gedanke an meine Verstorbenen
begegnete, daß nicht das Gefühl von Tod, von Zukunft
über mich käme. Wir werden seyn, fuhr sie mit der Stimme
des herrlichsten Gefühls fort, aber Werther, sollen wir uns
wieder finden? und wieder erkennen? Was ahnden sie, was
15 sagen sie?

Lotte, sagt ich, indem ich ihr die Hand reichte und mir die
Augen voll Thränen wurden, wir werden uns wieder sehn!
Hier und dort wieder sehn! – Ich konnte nicht weiter reden
– Wilhelm, mußte sie mich das fragen? da ich diesen ängst-
20 lichen Abschied im Herzen hatte.

Und ob die lieben Abgeschiednen von uns wissen, fuhr sie
fort, ob sie fühlen, wann's uns wohl geht, daß wir mit warmer Liebe uns ihrer erinnern? O die Gestalt meiner Mutter
schwebt immer um mich, wenn ich so am stillen Abend,
25 unter ihren Kindern, unter meinen Kindern sizze, und sie
um mich versammlet sind, wie sie um sie versammlet waren. Wenn ich so mit einer sehnenden Thräne gen Himmel
sehe, und wünsche: daß sie herein schauen könnte einen
Augenblick, wie ich mein Wort halte, das ich ihr in der Stun-
30 de des Todes gab: die Mutter ihrer Kinder zu seyn. Hundertmal ruf ich aus: Verzeih mir's, Theuerste, wenn ich ihnen nicht bin, was du ihnen warst. Ach! thu ich doch alles
was ich kann, sind sie doch gekleidet, genährt, ach und was
mehr ist als das alles, gepflegt und geliebet. Könntest du
35 unsere Eintracht sehn, liebe Heilige! du würdest mit dem

*überraschen-
der

heissesten Danke den Gott verherrlichen, den du mit den
lezten bittersten Thränen um die Wohlfahrt deiner Kinder
batst. Sie sagte das! O Wilhelm! wer kann wiederholen was
sie sagte, wie kann der kalte todte Buchstabe diese himmlische Blüthe des Geistes darstellen. Albert fiel ihr sanft in
die Rede: es greift sie zu stark an, liebe Lotte, ich weis, ihre
Seele hängt sehr nach diesen Ideen, aber ich bitte sie – O
Albert, sagte sie, ich weis, du vergißt nicht die Abende, da
wir zusammen saßen an dem kleinen runden Tischgen,
wenn der Papa verreist war, und wir die Kleinen schlafen
geschikt hatten. Du hattest oft ein gutes Buch, und kamst
so selten dazu etwas zu lesen. War der Umgang dieser herrlichen Seele nicht mehr als alles! die schöne, sanfte, muntere und immer thätige Frau! Gott kennt meine Thränen,
mit denen ich mich oft in meinem Bette vor ihn hinwarf: er
möchte mich ihr gleich machen.
Lotte! rief ich aus, indem ich mich vor sie hinwarf, ihre
Hände nahm und mit tausend Thränen nezte. Lotte, der
Segen Gottes ruht über dir, und der Geist deiner Mutter! –
Wenn sie sie gekannt hätten! sagte sie, indem sie mir die
Hand drükte, – sie war werth, von ihnen gekannt zu seyn. –
Ich glaubte zu vergehen, nie war ein grösseres, stolzeres
Wort über mich ausgesprochen worden, und sie fuhr fort:
und diese Frau mußte in der Blüthe ihrer Jahre dahin, da ihr
jüngster Sohn nicht sechs Monathe alt war. Ihre Krankheit
dauerte nicht lange, sie war ruhig, resignirt, nur ihre Kinder thaten ihr weh, besonders das kleine. Wie es gegen das
Ende gieng, und sie zu mir sagte: Bring mir sie herauf, und
wie ich sie herein führte, die kleinen die nicht wußten, und
die ältesten die ohne Sinne waren, wie sie um's Bett standen, und wie sie die Hände aufhub und über sie betete, und
sie küßte nach einander und sie wegschikte, und zu mir
sagte: Sey ihre Mutter! Ich gab ihr die Hand drauf! Du
versprichst viel, meine Tochter, sagte sie, das Herz einer
Mutter und das Aug einer Mutter! Ich hab oft an deinen

dankbaren Thränen gesehen, daß du fühlst was das sey. Hab es für deine Geschwister, und für deinen Vater, die Treue, den Gehorsam einer Frau. Du wirst ihn trösten. Sie fragte nach ihm, er war ausgegangen, um uns den unerträglichen Kummer zu verbergen, den er fühlte, der Mann war ganz zerrissen.

Albert, du warst im Zimmer! Sie hörte jemand gehn, und fragte, und forderte dich zu ihr. Und wie sie dich ansah und mich, mit dem getrösteten ruhigen Blikke, daß wir glüklich seyn, zusammen glüklich seyn würden. Albert fiel ihr um den Hals und küßte sie, und rief: wir sinds! wir werdens seyn. Der ruhige Albert war ganz aus seiner Fassung, und ich wußte nichts von mir selber.

Werther, fieng sie an, und diese Frau sollte dahin seyn! Gott, wenn ich manchmal so denke, wie man das Liebste seines Lebens so wegtragen läßt, und niemand als die Kinder das so scharf fühlt, die sich noch lange beklagten: die schwarzen Männer hätten die Mamma weggetragen.

Sie stund auf, und ich ward erwekt und erschüttert, blieb sizzen und hielt ihre Hand. Wir wollen fort, sagte sie, es wird Zeit. Sie wollte ihre Hand zurük ziehen und ich hielt sie fester! Wir werden uns wiedersehn, rief ich, wir werden uns finden, unter allen Gestalten werden wir uns erkennen. Ich gehe, fuhr ich fort, ich gehe willig, und doch, wenn ich sagen sollte auf ewig, ich würde es nicht aushalten. Leb wohl, Lotte! Leb wohl, Albert! Wir sehen uns wieder. – Morgen denk ich, versezte sie scherzend, ich fühlte das Morgen! Ach sie wußte nicht als sie ihre Hand aus der meinigen zog – sie giengen die Allee hinaus, ich stand, sah ihnen nach im Mondscheine und warf mich an die Erde und weinte mich aus, und sprang auf, lief auf die Terasse hervor und sah noch dort drunten im Schatten der hohen Lindenbäume ihr weisses Kleid nach der Gartenthüre schimmern, ich strekte meine Arme hinaus, und es verschwand.

Zweyter Theil

unpässlich

daheim bleiben

mürrisch

größere Unbe-
schwertheit

Gestern sind wir hier angelangt. Der Gesandte ist unpaß*, und wird sich also einige Tage einhalten*, wenn er nur nicht so unhold* wäre, wär alles gut. Ich merke, ich merke, das Schiksal hat mir harte Prüfungen zugedacht. Doch gutes Muths! ein leichter Sinn trägt alles! Ein leichter Sinn! das macht mich zu lachen, wie das Wort in meine Feder kommt. O ein Bißgen leichteres Blut* würde mich zum glüklichsten Menschen unter der Sonne machen. Was! Da wo andre, mit ihrem Bißgen Kraft und Talent, vor mir in behaglicher Selbstgefälligkeit herum schwadroniren, verzweifl' ich an meiner Kraft, an meinen Gaben. Guter Gott! der du mir das alles schenktest, warum hieltest du nicht die Hälfte zurük und gabst mir Selbstvertrauen und Genügsamkeit!

Gedult! Gedult! Es wird besser werden. Denn ich sage dir, Lieber, du hast Recht. Seit ich unter dem Volke so alle Tage herumgetrieben werde, und sehe was sie thun und wie sie's treiben, steh ich viel besser mit mir selbst. Gewiß, weil wir doch einmal so gemacht sind, daß wir alles mit uns, und uns mit allem vergleichen; so liegt Glük oder Elend in den Gegenständen, womit wir uns zusammenhalten, und da ist nichts gefährlicher als die Einsamkeit. Unsere Einbildungskraft, durch ihre Natur gedrungen sich zu erheben, durch die phantastische Bilder der Dichtkunst genährt, bildet sich eine Reihe Wesen hinauf, wo wir das unterste sind, und alles ausser uns herrlicher erscheint, jeder andre vollkommner ist. Und das geht ganz natürlich zu: Wir fühlen so oft, daß uns manches mangelt, und eben was uns fehlt scheint uns oft ein anderer zu besizzen, dem wir denn auch alles dazu geben was wir haben, und noch eine gewisse

idealische* Behaglichkeit dazu. Und so ist der Glükliche idealisierte
vollkommen fertig, das Geschöpf unserer selbst.

Dagegen wenn wir mit all unserer Schwachheit und
Mühseligkeit nur gerade fortarbeiten, so finden wir gar oft,
daß wir mit all unserm Schlendern und Laviren* es weiter zunächst: gegen den Wind kreuzen; das geschickte Hindurchwinden durch Schwierigkeiten
bringen als andre mit ihren Segeln und Rudern – und – das
ist doch ein wahres Gefühl seiner selbst, wenn man andern
gleich oder gar vorlauft.

am 10. Nov.

Ich fange an mich in sofern ganz leidlich hier zu befinden.
Das beste ist, daß es zu thun genug giebt, und dann die
vielerley Menschen, die allerley neue Gestalten, machen
mir ein buntes Schauspiel vor meiner Seele. Ich habe den
Grafen C.. kennen lernen, einen Mann, den ich jeden Tag
mehr verehren muß. Einen weiten grossen Kopf, und der
deswegen nicht kalt ist, weil er viel übersieht; aus dessen
Umgange so viel Empfindung für Freundschaft und Liebe
hervorleuchtet. Er nahm Theil an mir, als ich einen Ge-
schäftsauftrag an ihn ausrichtete, und er bey den ersten
Worten merkte, daß wir uns verstunden, daß er mit mir
reden konnte wie nicht mit jedem. Auch kann ich sein offes-
nes Betragen gegen mich nicht genug rühmen. So eine wahre warme Freude ist nicht in der Welt, als eine grosse Seele
zu sehen, die sich gegen einen öffnet.

am 24. Dec.

Der Gesandte macht mir viel Verdruß, ich hab es voraus
gesehn. Es ist der pünktlichste* Narre, den's nur geben pedantischste
kann. Schritt vor Schritt und umständlich wie eine Baase*. hier: alte Jungfer
Ein Mensch, der nie selbst mit sich zufrieden ist, und dem's
daher niemand zu Danke machen kann. Ich arbeite gern
leicht weg, und wie's steht so steht's, da ist er im Stande,
mir einen Aufsaz* zurükzugeben und zu sagen: er ist gut, Schriftstück
aber sehen sie ihn durch, man findet immer ein besser Wort,

eine reinere Partikel*. Da möcht ich des Teufels werden. Kein Und, kein Bindwörtchen sonst darf aussenbleiben, und von allen ⌐Inversionen⌐ die mir manchmal entfahren, ist er ein Todtfeind. Wenn man seinen Period* nicht nach der hergebrachten Melodie heraborgelt; so versteht er gar nichts drinne. Das ist ein Leiden, mit so einem Menschen zu thun zu haben.

Das Vertrauen des Grafen von C.. ist noch das einzige, was mich schadlos hält. Er sagte mir lezthin ganz aufrichtig: wie unzufrieden er über die Langsamkeit und Bedenklichkeit meines Gesandten sey. Die Leute erschweren sich's und andern. Doch, sagt er, man muß sich darein resigniren, wie ein Reisender, der über einen Berg muß. Freylich! wär der Berg nicht da, wäre der Weg viel bequemer und kürzer, er ist nun aber da! und es soll drüber! –

Mein Alter spürt auch wohl den Vorzug, den mir der Graf vor ihm giebt, und das ärgert ihn, und er ergreift jede Gelegenheit, übels gegen mich vom Grafen zu reden, ich halte, wie natürlich, Widerpart, und dadurch wird die Sache nur schlimmer. Gestern gar bracht er mich auf, denn ich war mit gemeint. Zu so Weltgeschäften wäre der Graf ganz gut, er hätte viel Leichtigkeit zu arbeiten, und führte eine gute Feder, doch an gründlicher Gelehrsamkeit mangelt es ihm, wie all den Bellettristen*. Darüber hätt ich ihn gern ausgeprügelt, denn weiter ist mit den Kerls nicht zu raisonniren, da das aber nun nicht angieng, so focht ich mit ziemlicher Heftigkeit, und sagt ihm, der Graf sey ein Mann, vor dem man Achtung haben müßte, wegen seines Charakters sowohl, als seiner Kenntnisse; ich habe, sagt ich, niemand gekannt, dem es so geglükt wäre, seinen Geist zu erweitern, ihn über unzählige Gegenstände zu verbreiten, und doch die Thätigkeit für's gemeine Leben zu behalten. Das waren dem Gehirn spanische Dörfer, und ich empfahl mich, um nicht über ein weiteres Deraisonnement* noch mehr Galle zu schlukken.

gramm.: ein flexionsloses, unveränderliches Wort

Satzgefüge

Schöngeister, Schriftsteller

unvernünftiges Geschwätz

Werther · Zweyter Theil

Und daran seyd ihr all Schuld, die ihr mich in das Joch
geschwazt, und mir so viel von Aktivität vorgesungen habt.
Aktivität! Wenn nicht der mehr thut, der Kartoffeln stekt,
und in die Stadt reitet, sein Korn zu verkaufen, als ich, so
will ich zehn Jahre noch mich auf der Galeere abarbeiten,
auf der ich nun angeschmiedet bin.

Und das glänzende Elend die Langeweile unter dem garstigen Volke das sich hier neben einander sieht. Die Rang-
sucht unter ihnen, wie sie nur wachen und aufpassen, einander ein Schrittgen abzugewinnen, die elendesten er-
bärmlichsten Leidenschaften, ganz ohne Rökgen*! Da ist
ein Weib, zum Exempel, die jederman von ihrem Adel und
ihrem Lande unterhält, daß nun jeder Fremde denken muß:
das ist eine Närrin, die sich auf das Bißgen Adel und auf
den Ruf ihres Landes Wunderstreiche einbildet – Aber es ist
noch viel ärger, eben das Weib ist hier aus der Nachbarschaft eine Amtschreibers Tochter. – Sieh, ich kann das
Menschengeschlecht nicht begreifen, das so wenig Sinn
hat, um sich so platt zu prostituiren*.

Zwar ich merke täglich mehr, mein Lieber, wie thöricht
man ist andre nach sich zu berechnen. Und weil ich so viel
mit mir selbst zu thun habe, und dieses Herz und Sinn so
stürmisch ist, ach ich lasse gern die andern ihres Pfads gehen, wenn sie mich nur auch könnten gehn lassen.

Was mich am meisten nekt, sind die fatalen bürgerlichen
Verhältnisse*. Zwar weis ich so gut als einer, wie nöthig der
Unterschied der Stände ist, wie viel Vortheile er mir selbst
verschafft, nur soll er mir nicht eben grad im Wege stehn,
wo ich noch ein wenig Freude, einen Schimmer von Glük
auf dieser Erden geniessen könnte. Ich lernte neulich auf
dem Spaziergange ein Fräulein von B.. kennen, ein liebens-
würdiges Geschöpf, das sehr viele Natur* mitten in dem
steifen Leben erhalten hat. Wir gefielen uns in unserm Gespräche, und da wir schieden, bat ich sie um Erlaubniß, sie
bey sich sehen zu dürfen. Sie gestattete mir das mit so viel

unverhohlen,
unverhüllt

hier wieder:
bloßzustellen

Unglück brin-
genden, ge-
sellschaftlichen
Verhältnisse

hier: Natürlich-
keit

Freymüthigkeit, daß ich den schiklichen Augenblik kaum erwarten konnte, zu ihr zu gehen. Sie ist nicht von hier, und wohnt bey einer Tante im Hause. Die Physiognomie* der alten Schachtel gefiel mir nicht. Ich bezeigte ihr viel Aufmerksamkeit, mein Gespräch war meist an sie gewandt, und in minder als einer halben Stunde hatte ich so ziemlich weg, was mir das Fräulein nachher selbst gestund: daß die liebe Tante in ihrem Alter, und dem Mangel von allem, vom anständigen Vermögen an bis auf den Geist, keine Stüzze hat, als die Reihe ihrer Vorfahren, keinen Schirm, als den Stand, in dem sie sich verpallisadirt*, und kein Ergözzen, als von ihrem Stokwerk herab über die bürgerlichen Häupter weg zu sehen. In ihrer Jugend soll sie schön gewesen seyn, und ihr Leben so weggegaukelt, erst mit ihrem Eigensinne manchen armen Jungen gequält, und in reifern Jahren sich unter den Gehorsam eines alten Offiziers geduckt haben, der gegen diesen Preis und einen leidlichen Unterhalt das ⌐ehrne Jahrhundert⌐ mit ihr zubrachte, und starb, und nun sieht sie im eisernen sich allein, und würde nicht angesehn, wär ihre Nichte nicht so liebenswürdig.

den 8. Jan. 1772.

Was das für Menschen sind, deren ganze Seele auf dem Ceremoniel* ruht, deren Dichten und Trachten Jahre lang dahin geht, wie sie um einen Stuhl weiter hinauf bey Tische sich einschieben wollen. Und nicht, daß die Kerls sonst keine Angelegenheit hätten, nein, vielmehr häufen sich die Arbeiten, eben weil man über die kleinen Verdrüßlichkeiten, von Beförderung der wichtigen Sachen abgehalten wird. Vorige Woche gabs bey der Schlittenfahrt Händel*, und der ganze Spas wurde verdorben.

Die Thoren, die nicht sehen, daß es eigentlich auf den Plaz gar nicht ankommt, und daß der, der den ersten hat, so selten die erste Rolle spielt! Wie mancher König wird durch seinen Minister, wie mancher Minister durch seinen Sekretär regiert. Und wer ist dann der Erste? der, dünkt mich, der die andern übersieht*, und so viel Gewalt oder List hat, ihre Kräfte und Leidenschaften zu Ausführung seiner Plane anzuspannen.

durchschaut

am 20. Jan.

Ich muß Ihnen schreiben, liebe Lotte, hier in der Stube einer geringen Bauernherberge, in die ich mich vor einem schweren Wetter geflüchtet habe. So lange ich in dem traurigen Neste D.. unter dem fremden, meinem Herzen ganz fremden Volke, herumziehe, hab' ich keinen Augenblik gehabt, keinen, an dem mein Herz mich geheissen hätte Ihnen zu schreiben. Und jezt in dieser Hütte, in dieser Einsamkeit, in dieser Einschränkung, da Schnee und Schlossen* wider mein Fenstergen wüthen, hier waren Sie mein erster Gedanke. Wie ich herein trat, überfiel mich Ihre Gestalt, Ihr Andenken. O Lotte! so heilig, so warm! Guter Gott! der erste glükliche Augenblik wieder.

große Hagel-
körner

Wenn Sie mich sähen meine Beste, in dem Schwall von Zerstreuung! Wie ausgetroknet meine Sinnen werden, nicht Einen Augenblik der Fülle des Herzens, nicht Eine selige thränenreiche Stunde. Nichts! Nichts! Ich stehe wie vor einem ⌈Raritätenkasten⌉, und sehe die Männgen und Gäulgen vor mir herumrükken, und frage mich oft, ob's nicht optischer Betrug ist. Ich spiele mit, vielmehr, ich werde gespielt wie eine Marionette, und fasse manchmal meinen Nachbar an der hölzernen Hand und schaudere zurük.

Ein einzig weiblich Geschöpf hab ich hier gefunden. Eine Fräulein von B.. Sie gleicht Ihnen liebe Lotte, wenn man Ihnen gleichen kann. Ey! werden Sie sagen: der Mensch legt sich auf niedliche Komplimente! Ganz unwahr ist's nicht. Seit einiger Zeit bin ich sehr artig, weil ich doch nicht anders seyn kann, habe viel Wiz, und die Frauenzimmer sagen: es wüste niemand so fein zu loben als ich (und zu lügen, sezzen Sie hinzu, denn ohne das geht's nicht ab, verstehen Sie:) Ich wollte von Fräulein B.. reden! Sie hat viel Seele, die voll aus ihren blauen Augen hervorblikt, ihr Stand ist ihr zur Last, der keinen der Wünsche ihres Herzens befriedigt. Sie sehnt sich aus dem Getümmel, und wir verphantasiren manche Stunde in ländlichen Scenen von ungemischter Glükseligkeit, ach! und von Ihnen! Wie oft muß sie Ihnen huldigen. Muß nicht, thut's freywillig, hört so gern von Ihnen, liebt Sie –

vertrauten   O säs ich zu Ihren Füssen in dem lieben vertraulichen* Zimmergen, und unsere kleinen Lieben wälzten sich miteinander um mich herum, und wenn sie Ihnen zu laut würden, wollt ich sie mit einem schauerlichen Mährgen um mich zur Ruhe versammlen. Die Sonne geht herrlich unter über der schneeglänzenden Gegend, der Sturm ist hinüber gezogen. Und ich – muß mich wieder in meinen Käfig sperren. Adieu! Ist Albert bey Ihnen? Und wie – ? Gott verzeihe mir diese Frage!

am 17. Febr.

Ich fürchte, mein Gesandter und ich, haltens nicht lange mehr zusammen aus. Der Mensch ist ganz und gar unerträglich. Seine Art zu arbeiten und Geschäfte zu treiben ist so lächerlich, daß ich mich nicht enthalten kann ihm zu widersprechen, und oft eine Sache nach meinem Kopfe und Art zu machen, das ihm denn, wie natürlich, niemals recht ist. Darüber hat er mich neulich bey Hofe verklagt, und der Minister gab mir einen zwar sanften Verweis, aber es war doch ein Verweis, und ich stand im Begriffe, meinen Abschied zu begehren, als ich einen Privatbrief[1] von ihm er-

---

[1] Man hat aus Ehrfurcht für diesen trefflichen Mann, gedachten Brief, und einen anderen dessen weiter hinten erwehnt wird, dieser Sammlung entzogen, weil man nicht glaubte, solche Kühnheit durch den wärmsten Dank des Publikums entschuldigen zu können.

hielt, einen Brief, vor dem ich mich niedergekniet, und den hohen, edlen, weisen Sinn angebetet habe, wie er meine allzugrosse Empfindlichkeit zurechte weißt, wie er meine überspannte Ideen von Würksamkeit, von Einfluß auf andre, von Durchdringen in Geschäften als jugendlichen guten Muth zwar ehrt, sie nicht auszurotten, nur zu mildern und dahin zu leiten sucht, wo sie ihr wahres Spiel haben, ihre kräftige Würkung thun können. Auch bin ich auf acht Tage gestärkt, und in mir selbst einig geworden. Die Ruhe der Seele ist ein herrlich Ding, und die Freude an sich selbst, lieber Freund, wenn nur das Ding nicht eben so zerbrechlich wäre, als es schön und kostbar ist.

am 20. Febr.

Gott segne euch, meine Lieben, geb euch all die guten Tage, die er mir abzieht.

Ich danke dir Albert, daß du mich betrogen hast, ich wartete auf Nachricht, wann euer Hochzeittag seyn würde, und hatte mir vorgenommen, feyerlichst an demselben Lottens Schattenriß von der Wand zu nehmen, und sie unter andere Papiere zu begraben. Nun seyd ihr ein Paar, und ihr Bild ist noch hier! Nun so soll's bleiben! Und warum nicht? Ich weis, ich bin ja auch bey euch, bin dir unbeschadet in Lottens Herzen. Habe, ja ich habe den zweyten Plaz drinne, und will und muß ihn behalten. O ich würde rasend werden, wenn sie vergessen könnte – Albert in dem Gedanken liegt eine Hölle. Albert! Leb wohl. Leb wohl, Engel des Himmels, leb wohl, Lotte!

am 15. Merz.

Ich hab einen Verdruß gehabt, der mich von hier wegtreiben wird, ich knirsche mit den Zähnen! Teufel! Er ist nicht zu ersezzen, und ihr seyd doch allein schuld daran, die ihr mich sporntet und triebt und quältet, mich in einen Posten zu begeben, der nicht nach meinem Sinne war. Nun hab

ich's nun habt ihr's. Und daß du nicht wieder sagst: meine
überspannten Ideen verdürben alles; so hast du hier lieber

glatt

Herr, eine Erzählung, plan* und nett, wie ein Chroniken-
schreiber das aufzeichnen würde.

schätzt mich, zeichnet mich aus

Der Graf v. C. liebt mich, distingwirt mich*, das ist be- 5
kannt, das hab ich dir schon hundertmal gesagt. Nun war
ich bey ihm zu Tische gestern, eben an dem Tage, da
Abends die noble Gesellschaft von Herren und Frauen bey
ihm zusammenkommt, an die ich nie gedacht hab, auch

Untergebe- nen, Unter- geordneten

mir nie aufgefallen ist, daß wir Subalternen* nicht hinein 10
gehören. Gut. Ich speise beym Grafen und nach Tische
gehn wir im grossen Saale auf und ab, ich rede mit ihm, mit

Oberst

dem Obrist* B. der dazu kommt, und so rükt die Stunde der
Gesellschaft heran. Ich denke, Gott weis, an nichts. Da tritt
herein die übergnädige Dame von S.. mit Dero Herrn Ge- 15

miederartiges Kleidungs- stück

mahl und wohl ausgebrüteten Gänslein Tochter mit der
flachen Brust und niedlichem Schnürleib*, machen en pas-

im Vorbeige- hen

sant* ihre hergebrachten hochadlichen Augen und Naslö-

hier: Geburts- und Erbadel, Stand

cher, und wie mir die Nation* von Herzen zuwider ist,
wollt ich eben mich empfehlen, und wartete nur, bis der 20
Graf vom garstigen Gewäsche frey wäre, als eben meine
Fräulein B.. herein trat, da mir denn das Herz immer ein
bißgen aufgeht, wenn ich sie sehe, blieb ich eben, stellte
mich hinter ihren Stuhl, und bemerkte erst nach einiger
Zeit, daß sie mit weniger Offenheit als sonst, mit einiger 25
Verlegenheit mit mir redte. Das fiel mir auf. Ist sie auch wie

gereizt

all das Volk, dacht ich, hohl sie der Teufel! und war ange-

neugierig ge- macht

stochen* und wollte gehn, und doch blieb ich, weil ich in-
triguirt* war, das Ding näher zu beleuchten. Ueber dem

unter Berück- sichtigung sei- nes Amtes, sei- ner Stellung

füllt sich die Gesellschaft. Der Baron F.. mit der ganzen 30
Garderobe von den Krönungszeiten ⌈Franz des ersten⌉ her,
der Hofrath R.. hier aber in qualitate* Herr von R.. ge-

dürftig ausge- statteten

nannt mit seiner tauben Frau etc. den übel fournirten* J.
nicht zu vergessen, bey dessen Kleidung, Reste des altfrän-
kischen mit dem neu'st aufgebrachten kontrastiren etc. das 35

kommt all und ich rede mit einigen meiner Bekanntschaft, die alle sehr lakonisch* sind, ich dachte – und gab nur auf meine B.. acht. Ich merkte nicht, daß die Weiber am Ende des Saals sich in die Ohren pisperten*, daß es auf die Män-
5 ner zirkulirte*, daß Frau von S.. mit dem Grafen redte (das alles hat mir Fräulein B.. nachher erzählt) biß endlich der Graf auf mich losgieng und mich in ein Fenster nahm*. Sie wissen sagt er, unsere wunderbaren Verhältnisse, die Ge-sellschaft ist unzufrieden, merk ich, sie hier zu sehn, ich
10 wollte nicht um alles – Ihro Exzellenz, fiel ich ein, ich bitte tausendmal um Verzeihung, ich hätte eher dran denken sollen, und ich weis, Sie verzeihen mir diese Inkonsequenz, ich wollte schon vorhin mich empfehlen, ein böser Genius hat mich zurük gehalten, sezte ich lächelnd hinzu, indem
15 ich mich neigte. Der Graf drükte meine Hände mit einer Empfindung, die alles sagte. Ich machte der vornehmen Gesellschaft mein Compliment*, gieng und sezte mich in ein Cabriolet* und fuhr nach M.. dort vom Hügel die Son-ne untergehen zu sehen, und dabey in meinem Homer den
20 herrlichen Gesang zu lesen, wie Ulyß von dem treflichen Schweinhirten bewirthet wird*. Das war all gut.
Des Abends komm ich zurük zu Tische. Es waren noch wenige in der Gaststube, die würfelten auf einer Ekke, hat-ten das Tischtuch zurük geschlagen. Da kommt der ehrli-
25 che A.. hinein, legt seinen Hut nieder, indem er mich an-sieht, tritt zu mir und sagt leise: Du hast Verdruß gehabt? Ich? sagt ich – der Graf hat dich aus der Gesellschaft ge-wiesen – Hol sie der Teufel, sagt ich, mir war's lieb, daß ich in die freye Luft kam – Gut, sagt er, daß du's auf die leichte
30 Achsel nimmst. Nur verdrießt mich's. Es ist schon überall herum. – Da fieng mir das Ding erst an zu wurmen. Alle die zu Tische kamen und mich ansahen, dacht ich die sehen dich darum an! Das fieng an mir böses Blut zu sezzen.
Und da man nun heute gar wo ich hintrete mich bedauert,
35 da ich höre, daß meine Neider nun triumphiren und sagen:

kurz angebunden

flüsterten

überging

in eine Fenster-nische führte

verabschiede-te mich

zweirädriger Einspänner

Der 14. Ge-sang in Ho-mers Odyssee schildert, wie Odysseus von Eumaios be-wirtet wird (s. 14. und 20. Gesang, Vers 253).

Da sähe man's, wo's mit den Uebermüthigen hinausgieng, die sich ihres bißgen Kopfs überhüben und glaubten, sich darum über alle Verhältnisse hinaussezzen zu dürfen, und was des Hundegeschwäzzes mehr ist. Da möchte man sich ein Messer in's Herz bohren. Denn man rede von Selbstständigkeit was man will, den will ich sehn der dulden kann, daß Schurken über ihn reden, wenn sie eine Prise über ihn haben*. Wenn ihr Geschwätz leer ist, ach! da kann man sie leicht lassen.

am 16. Merz.

Es hezt mich alles! Heut tref ich die Fräulein B.. in der Allee. Ich konnte mich nicht enthalten sie anzureden, und ihr, sobald wir etwas entfernt von der Gesellschaft waren, meine Empfindlichkeit über ihr neuliches Betragen zu zeigen. O Werther, sagte sie mit einem innigen Tone, konnten Sie meine Verwirrung so auslegen, da Sie mein Herz kennen. Was ich gelitten habe um ihrentwillen, von dem Augenblikke an, da ich in den Saal trat. Ich sah' alles voraus, hundertmal saß mir's auf der Zunge, es Ihnen zu sagen, ich wußte, daß die von S.. und T.. mit ihren Männern eher aufbrechen würden, als in Ihrer Gesellschaft zu bleiben, ich wußte, daß der Graf es nicht mit Ihnen verderben darf, und jezo der Lärm – Wie Fräulein? sagt' ich, und verbarg meinen Schrekken, denn alles, was Adelin mir ehgestern* gesagt hatte, lief mir wie siedend Wasser durch die Adern in diesem Augenblikke. – Was hat mich's schon gekostet! sagte das süsse Geschöpf, indem ihr die Thränen in den Augen stunden. Ich war nicht Herr mehr von mir selbst, war im Begriff, mich ihr zu Füssen zu werfen. Erklären sie sich, ruft ich: Die Thränen liefen ihr die Wangen herunter, ich war ausser mir. Sie troknete sie ab, ohne sie verbergen zu wollen. Meine Tante kennen sie, fieng sie an; sie war gegenwärtig, und hat, o mit was für Augen hat sie das angesehn. Werther, ich habe gestern Nacht ausgestanden*, und heute

ihm etwas anhaben können

vorgestern

gestern Abend ausgehalten

früh eine Predigt über meinen Umgang mit Ihnen, und ich habe müssen zuhören Sie herabsezzen, erniedrigen, und konnte und durfte Sie nur halb vertheidigen.

Jedes Wort, das sie sprach, gieng mir wie Schwerder durch's Herz. Sie fühlte nicht, welche Barmherzigkeit es gewesen wäre, mir das alles zu verschweigen, und nun fügte sie noch all dazu, was weiter würde geträtscht* werden, was die schlechten Kerls alle darüber triumphiren würden. Wie man nunmehro meinen Uebermuth und Geringschäzzung andrer, das sie mir schon lange vorwerfen, gestraft, erniedrigt ausschreien würde. Das alles, Wilhelm, von ihr zu hören, mit der Stimme der wahrsten Theilnehmung. Ich war zerstört, und bin noch wüthend in mir. Ich wollte, daß sich einer unterstünde mir's vorzuwerfen, daß ich ihm den Degen durch den Leib stossen könnte! Wenn ich Blut sähe würde mir's besser werden. Ach ich hab hundertmal ein Messer ergriffen, um diesem gedrängten Herzen Luft zu machen. Man erzählt von einer edlen Art Pferde, die, wenn sie schröklich erhizt und aufgejagt sind, sich selbst aus Instinkt eine Ader aufbeissen, um sich zum Athem zu helfen. So ist mir's oft, ich möchte mir eine Ader öfnen, die mir die ewige Freyheit schaffte.

getratscht, geschwatzt

am 24. Merz.

Ich habe meine Dimißion* bey Hofe verlangt, und werde sie, hoff ich erhalten, und ihr werdet mir verzeihen, daß ich nicht erst Permißion* dazu bey euch geholt habe. Ich mußte nun einmal fort, und was ihr zu sagen hattet, um mir das Bleiben einzureden weis ich all, und also – Bring das meiner Mutter in einem Säftgen* bey, ich kann mir selbst nicht helfen, also mag sie sich's gefallen lassen, wenn ich ihr auch nicht helfen kann. Freylich muß es ihr weh tun. Den schönen Lauf, den ihr Sohn grad zum Geheimderath und Gesandten ansezte, so auf einmal Halte zu sehen*, und rükwärts mit dem Thiergen in Stall. Macht nun draus was ihr

Entlassung

Erlaubnis

wie bittere Medizin in einem süßen Saft; schonend

aufgehalten zu sehen

wollt und kombinirt die mögliche Fälle, unter denen ich
hätte bleiben können und sollen. Genug ich gehe. Und damit ihr wißt wo ich hinkomme, so ist hier der Fürst ** der
viel Geschmak an meiner Gesellschaft findet, der hat mich
gebeten, da er von meiner Absicht hörte, mit ihm auf seine
Güter zu gehen, und den schönen Frühling da zuzubringen.
Ich soll ganz mir selbst gelassen seyn, hat er mir versprochen, und da wir uns zusammen bis auf einen gewissen
Punkt verstehn, so will ich's denn auf gut Glük wagen, und
mit ihm gehn.

                                        den 19. April.
Zur Nachricht.
Danke für deine beyden Briefe. Ich antwortete nicht, weil
ich diesen Brief liegen ließ, bis mein Abschied von Hofe da
wäre, weil ich fürchtete, meine Mutter möchte sich an den
Minister wenden und mir mein Vorhaben erschweren. Nun
aber ist's geschehen, mein Abschied ist da. Ich mag euch
nicht sagen, wie ungern man mir ihn gegeben hat, und was
mir der Minister schreibt, ihr würdet in neue Lamentatio-
nen* ausbrechen. Der Erbprinz hat mir zum Abschiede fünf
und zwanzig Dukaten geschikt, mit einem Wort, das mich
bis zu Thränen gerührt hat. Also braucht die Mutter mir
das Geld nicht zu schikken, um das ich neulich schrieb.

                                        am 5. May.
Morgen geh ich von hier ab, und weil mein Geburtsort nur
sechs Meilen vom Wege liegt, so will ich den auch wieder
sehen, will mich der alten glüklich verträumten Tage erinnern. Zu eben dem Thore will ich hineingehn, aus dem
meine Mutter mit mir herausfuhr, als sie nach dem Tode
meines Vaters den lieben vertraulichen Ort verließ, um sich
in ihre unerträgliche Stadt einzusperren. Adieu, Wilhelm,
du sollst von meinem Zuge hören.

Klagen

Ich habe die Wallfahrt nach meiner Heimath mit aller Andacht eines Pilgrims* vollendet, und manche unerwartete   Pilgers
Gefühle haben mich ergriffen. An der grossen Linde, die
5 eine Viertelstunde vor der Stadt nach S.. zu steht, ließ ich
halten, stieg aus und hieß den Postillion* fortfahren, um zu   Fahrer der
Fusse jede Erinnerung ganz neu, lebhaft nach meinem Her-   Postkutsche
zen zu kosten. Da stand ich nun unter der Linde, die ehe-
dessen als Knabe das Ziel und die Gränze meiner Spazier-
10 gänge gewesen. Wie anders! Damals sehnt ich mich in
glüklicher Unwissenheit hinaus in die unbekannte Welt,
wo ich für mein Herz alle die Nahrung, alle den Genuß
hoffte, dessen Ermangeln ich so oft in meinem Busen fühlte. Jezt kam ich zurück aus der weiten Welt – O mein
15 Freund, mit wie viel fehlgeschlagenen Hofnungen, mit wie
viel zerstörten Planen! – Ich sah das Gebürge vor mir liegen, das so tausendmal der Gegenstand meiner Wünsche
gewesen. Stundenlang konnte ich hier sizzen, und mich
hinüber sehnen, mit inniger Seele mich in denen Wäldern,
20 denen Thälern verliehren, die sich meinen Augen so
freundlich dämmernd darstellten – und wenn ich denn nun
die bestimmte Zeit wieder zurück mußte, mit welchem Widerwillen verließ ich nicht den lieben Plaz! Ich kam der
Stadt näher, alle alte bekannte Gartenhäusgen wurden von
25 mir gegrüßt, die neuen waren mir zuwider, so auch alle
Veränderungen, die man sonst vorgenommen hatte. Ich
trat zum Thore hinein, und fand mich doch gleich und ganz
wieder. Lieber, ich mag nicht in's Detail gehn, so reizend
als es mir war, so einförmig würde es in der Erzählung
30 werden. Ich hatte beschlossen auf dem Markte zu wohnen,
gleich neben unserm alten Hause. Im Hingehen bemerkte
ich daß die Schulstube, wo ein ehrlich altes Weib unsere
Kindheit zusammengepfercht hatte, in einen Kram* ver-   Kramladen
wandelt war. Ich erinnerte mich der Unruhe, der Thränen,
35 der Dumpfheit des Sinnes, der Herzensangst, die ich in dem

Loche ausgestanden hatte – Ich that keinen Schritt, der nicht merkwürdig war. Ein Pilger im heiligen Lande trifft nicht so viel Stäten religioser Erinnerung, und seine Seele ist schwerlich so voll heiliger Bewegung. – Noch eins für tausend. Ich gieng den Fluß hinab, bis an einen gewissen Hof, das war sonst auch mein Weg, und die Pläzgen da wir Knaben uns übten, die meisten Sprünge der flachen Steine im Wasser hervorzubringen. Ich erinnere mich so lebhaft, wenn ich manchmal stand, und dem Wasser nachsah, mit wie wunderbaren Ahndungen ich das verfolgte, wie abenteuerlich ich mir die Gegenden vorstellte, wo es nun hinflösse, und wie ich da so bald Grenzen meiner Vorstellungskraft fand, und doch mußte das weiter gehn, immer weiter, bis ich mich ganz in dem Anschauen einer unsichtbaren Ferne verlohr. Siehe mein Lieber, das ist doch eben das Gefühl der herrlichen Altväter! ⌜Wenn Ulyß von dem ungemessenen Meere, und von der unendlichen Erde spricht⌝, ist das nicht wahrer, menschlicher, inniger, als wenn jezzo jeder Schulknabe sich wunder weise dünkt, wenn er nachsagen kann, daß sie rund sey.

Nun bin ich hier auf dem fürstlichen Jagdschlosse. Es läßt sich noch ganz wohl mit dem Herrn leben, er ist ganz wahr, und einfach. Was mir noch manchmal leid thut, ist, daß er oft über Sachen redt, die er nur gehört und gelesen hat, und zwar aus eben dem Gesichtspunkte, wie sie ihm der andere darstellen mochte.

Auch schäzt er meinen Verstand und Talente mehr als dies Herz, das doch mein einziger Stolz ist, das ganz allein die Quelle von allem ist, aller Kraft, aller Seligkeit und alles Elends. Ach was ich weis, kann jeder wissen. – Mein Herz hab ich allein.

Ich hatte etwas im Kopfe, davon ich euch nichts sagen
wollte, bis es ausgeführt wäre, jezt da nichts draus wird,
ist's eben so gut. Ich wollte in Krieg! Das hat mir lang am
5 Herzen gelegen. Vornehmlich darum bin ich dem Fürsten
hieher gefolgt, der General in ***schen Diensten ist. Auf
einem Spaziergange entdekte ich ihm mein Vorhaben, er
widerrieth mir's, und es müßte bey mir mehr Leidenschaft
als Grille gewesen seyn, wenn ich seinen Gründen nicht
10 hätte Gehör geben wollen.

am 11. Juni.

Sag was Du willst, ich kann nicht länger bleiben. Was soll
ich hier? Die Zeit wird mir lang. Der Fürst hält mich wie
seines Gleichen gut, und doch bin ich nicht in meiner La-
15 ge.* Und dann, wir haben im Grunde nichts gemeines* mit
einander. Er ist ein Mann von Verstande, aber von ganz
gemeinem Verstande*, sein Umgang unterhält mich nicht
mehr, als wenn ich ein wohlgeschrieben Buch lese. Noch
acht Tage bleib ich, und dann zieh ich wieder in der Irre
20 herum. Das beste, was ich hier gethan habe, ist mein Zeichnen. Und der Fürst fühlt in der Kunst, und würde noch
stärker fühlen, wenn er nicht durch das garstige, wissen-
schaftliche Wesen, und durch die gewöhnliche Terminologie eingeschränkt wäre. Manchmal knirsch ich mit den
25 Zähnen, wenn ich ihn mit warmer Imagination so an Natur und Kunst herum führe und er's auf einmal recht gut zu
machen denkt, wenn er mit einem gestempelten Kunst-
worte drein tölpelt.

am 18. Juni.

30 Wo ich hin will? Das laß Dir im Vertrauen eröfnen. Vierzehn Tage muß ich doch noch hier bleiben, und dann hab
ich mir weis gemacht, daß ich die Bergwerke in **schen
besuchen wollte, ist aber im Grunde nichts dran, ich will

an meinem rechten Platz

Gemeinsames

durchschnittlichem Verstande

nur Lotten wieder näher, das ist alles. Und ich lache über mein eigen Herz – und thu ihm seinen Willen.

am 29. Juli.

Nein es ist gut! Es ist alles gut! Ich ihr Mann! O Gott, der du mich machtest, wenn du mir diese Seligkeit bereitet hättest, mein ganzes Leben sollte ein anhaltendes Gebet seyn. Ich will nicht rechten, und verzeih mir diese Thränen, verzeih mir meine vergebliche Wünsche. – Sie meine Frau! Wenn ich das liebste Geschöpf unter der Sonne in meine Arme geschlossen hätte – Es geht mir ein Schauder durch den ganzen Körper, Wilhelm, wenn Albert sie um den schlanken Leib faßt.

Und, darf ich's sagen? Warum nicht, Wilhelm, sie wäre mit mir glüklicher geworden als mit ihm! O er ist nicht der Mensch, die Wünsche dieses Herzens alle zu füllen. Ein gewisser Mangel an Fühlbarkeit, ein Mangel – nimm's wie du willst, daß sein Herz nicht sympathetisch* schlägt bey – Oh! – bey der Stelle eines lieben Buchs, wo mein Herz und Lottens in einem zusammen treffen. In hundert andern Vorfällen, wenn's kommt, daß unsere Empfindungen über eine Handlung eines dritten laut werden. Lieber Wilhelm! Zwar er liebt sie von ganzer Seele, und so eine Liebe was verdient die nicht –

Ein unerträglicher Mensch hat mich unterbrochen. Meine Thränen sind getroknet. Ich bin zerstreut. Adieu Lieber.

am 4. August.

Es geht mir nicht allein so. Alle Menschen werden in ihren Hofnungen getäuscht, in ihren Erwartungen betrogen. Ich besuchte mein gutes Weib unter der Linde. Der älteste Bub lief mir entgegen, sein Freudengeschrey führte die Mutter herbey, die sehr niedergeschlagen aussah. Ihr erstes Wort war: Guter Herr! ach mein Hanns ist mir gestorben, es war der jüngste ihrer Knaben, ich war stille, und mein Mann

*mitempfindend

sagte sie, ist aus der Schweiz zurük, und hat nichts mit
gebracht, und ohne gute Leute hätte er sich heraus betteln
müssen. Er hatte das Fieber kriegt unterwegs. Ich konnte
ihr nichts sagen, und schenkte dem kleinen was, sie bat
5 mich einige Aepfel anzunehmen, das ich that und den Ort
des traurigen Andenkens verließ.

am 21. Aug.

Wie man eine Hand umwendet, ist's anders mit mir.
Manchmal will so ein freudiger Blik des Lebens wieder
10 aufdämmern, ach nur für einen Augenblik! Wenn ich mich
so in Träumen verliehre, kann ich mich des Gedankens
nicht erwehren: Wie, wenn Albert stürbe! Du würdest! ja
sie würde – und dann lauf ich dem Hirngespinste nach, bis
es mich an Abgründe führt, vor denen ich zurükbebe.
15 Wenn ich so dem Thore hinaus gehe, den Weg den ich zum
erstenmal fuhr, Lotten zum Tanze zu holen, wie war das all
so anders! Alles, alles ist vorüber gegangen! Kein Wink*
der vorigen Welt, kein Pulsschlag meines damaligen Gefühls. Mir ist's, wie's einem Geiste seyn müßte, der in das
20 versengte verstörte Schloß zurückkehrte, das er als blühen-
der Fürst einst gebaut und mit allen Gaben der Herrlichkeit
ausgestattet, sterbend seinem geliebten Sohne hoffnungsvoll hinterlassen.

am 3. September.

25 Ich begreife manchmal nicht, wie sie ein anderer lieb haben
kann, lieb haben darf, da ich sie so ganz allein, so innig, so
voll liebe, nichts anders kenne, noch weis, noch habe als
sie.

am 6. Sept.

30 Es hat schwer gehalten, bis ich mich entschloß, meinen
⌐blauen einfachen Frak, in dem ich mit Lotten zum erstenmal tanzte, abzulegen, er ward aber zulezt gar unschein-

> *Keine Andeu-
> tung

bar. Auch hab ich mir einen machen lassen, ganz wie den vorigen, Kragen und Aufschlag und auch wieder so gelbe West und Hosen dazu.⌐

Ganz will's es doch nicht thun. Ich weis nicht – Ich denke mit der Zeit soll mir der auch lieber werden.   5

am 15. Sept.

Man möchte sich dem Teufel ergeben, Wilhelm, über all die Hunde, die Gott auf Erden duldet, ohne Sinn und Gefühl an dem wenigen, was drauf noch was werth ist. Du kennst die Nußbäume, unter denen ich bey dem ehrlichen Pfarrer   10 zu St.., mit Lotten gesessen, die herrlichen Nußbäume, die mich, Gott weis, immer mit dem grösten Seelenvergnügen füllten. Wie vertraulich sie den Pfarrhof machten, wie kühl, und wie herrlich die Aeste waren. Und die Erinnerung bis zu den guten Kerls von Pfarrers, die sie vor so viel   15 Jahren pflanzten. Der Schulmeister hat uns den einen Namen oft genannt, den er von seinem Grosvater gehört hatte, und so ein braver Mann soll er gewesen seyn, und sein Andenken war mir immer heilig, unter den Bäumen. Ich sage Dir, dem Schulmeister standen die Thränen in den   20 Augen, da wir gestern davon redeten, daß sie abgehauen worden – Abgehauen! Ich möchte rasend werden, ich könnte den Hund ermorden, der den ersten Hieb dran that.

vor Trauer zu Grunde gehen

Ich, der ich könnte mich vertrauren*, wenn so ein paar Bäume in meinem Hofe stünden, und einer davon stürbe   25 vor Alter ab, ich muß so zusehn. Lieber Schaz, eins ist doch dabey! Was Menschengefühl ist! Das ganze Dorf murrt,

Die Pfarrer bezogen von ihrer Gemeinde ein Naturaliendeputat als Gegenleistung für ihre Pfarrdienste.

und ich hoffe, die Frau Pfarrern soll's an Butter und Eyern* und übrigem Zutragen spüren, was für eine Wunde sie ihrem Orte gegeben hat. Denn sie ist's, die Frau des neuen   30 Pfarrers, unser Alter ist auch gestorben, ein hageres, kränkliches Thier, das sehr Ursache hat an der Welt keinen Antheil zu nehmen, denn niemand nimmt Antheil an ihr. Eine Frazze, die sich abgiebt gelehrt zu seyn, ⌐sich in die Unter-

suchung des Canons melirt⌐, gar viel an der ⌐neumodischen
moralisch kritischen Reformation des Christenthums⌐ ar-
beitet, und über ⌐Lavaters Schwärmereyen⌐ die Achseln
zukt, eine ganz zerrüttete Gesundheit hat, und auf Gottes
5 Erdboden deswegen keine Freude. So ein Ding war's auch
allein, um meine Nußbäume abzuhauen. Siehst du, ich
komme nicht zu mir! Stelle dir vor, die abfallenden Blätter
machen ihr den Hof unrein und dumpfig, die Bäume nehmen ihr das Tageslicht, und wenn die Nüsse reif sind, so
10 werfen die Knaben mit Steinen darnach, und das fällt ihr
auf die Nerven, und das stört sie in ihren tiefen Ueberle-
gungen, wenn sie ⌐Kennikot, Semler und Michaelis⌐, gegen
einander abwiegt. Da ich die Leute im Dorfe, besonders die
Alten, so unzufrieden sah, sagt' ich: warum habt ihr's ge-
15 litten? – Wenn der Schulz* will, hier zu Lande, sagten sie,
was kann man machen. Aber eins ist recht geschehn, der
Schulz und der Pfarrer, der doch auch von seiner Frauen
Grillen, die ihm so die Suppen nicht fett machen, etwas
haben wollte, dachtens mit einander zu theilen, da erfuhr's
20 die Kammer* und sagte: hier herein! und verkaufte die Bäume an den Meistbietenden. Sie liegen! O wenn ich Fürst
wäre! Ich wollt die Pfarrern, den Schulzen und die Kammer
– Fürst! – Ja wenn ich Fürst wäre, was kümmerten mich die
Bäume in meinem Lande.

25   am 10. Oktober.
Wenn ich nur ihre schwarzen Augen sehe, ist mirs schon
wohl! Sieh, und was mich verdrüst, ist, daß Albert nicht so
beglükt zu seyn scheinet, als er – hoffte – als ich – zu seyn
glaubte – wenn – Ich mache nicht gern Gedankenstriche,
30 aber hier kann ich mich nicht anders ausdrukken – und
mich dünkt deutlich genug.

Schultheiß,
Gemeindevor-
steher

fürstliche Fi-
nanzbehörde

Ossian hat in meinem Herzen den Homer verdrängt. Welch eine Welt, in die der Herrliche mich führt. Zu wandern über die Haide, umsaußt vom Sturmwinde, der in dampfenden Nebeln, die Geister der Väter im dämmernden Lichte des Mondes hinführt. Zu hören vom Gebürge her, im Gebrülle des Waldstroms, halb verwehtes Aechzen der Geister aus ihren Hölen, und die Wehklagen des zu Tode gejammerten Mädgens, um die vier moosbedekten, grasbewachsnen Steine des edelgefallnen ihres Geliebten. Wenn ich ihn denn finde, den wandelnden grauen Barden*, der auf der weiten Haide die Fustapfen seiner Väter sucht und ach! ihre Grabsteine findet. Und dann jammernd nach dem lieben Sterne des Abends hinblikt, der sich in's rollende Meer verbirgt, und die Zeiten der Vergangenheit in des Helden Seele lebendig werden, da noch der freundliche Stral den Gefahren der Tapfern leuchtete, und der Mond ihr bekränztes, siegrückehrendes Schiff beschien. Wenn ich so den tiefen Kummer auf seiner Stirne lese, so den lezten verlaßnen Herrlichen in aller Ermattung dem Grabe zu wanken sehe, wie er immer neue schmerzlich glühende Freuden in der kraftlosen Gegenwart der Schatten seiner Abgeschiedenen einsaugt, und nach der kalten Erde dem hohen wehenden Grase niedersieht, und ausruft*: Der Wanderer wird kommen, kommen, der mich kannte in meiner Schönheit und fragen, wo ist der Sänger, Fingals* treflicher Sohn? Sein Fustritt geht über mein Grab hin, und er fragt vergebens nach mir auf der Erde. O Freund! ich möchte gleich einem edlen Waffenträger das Schwerd ziehen und meinen Fürsten von der zükkenden Quaal des langsam absterbenden Lebens auf einmal befreyen, und dem befreyten Halbgott meine Seele nachsenden.

keltischer Dichter und Sänger; hier: Ossian

Zitat aus Ossians Lied *Berrathon*

Fingal ist der Sohn Comhals, König von Morven, Vater des Ossian und der Held in dessen Gesängen.

Ach diese Lükke! Diese entsezliche Lükke, die ich hier in meinem Busen fühle! ich denke oft! – Wenn du sie nur einmal, nur einmal an dieses Herz drükken könntest. All diese Lükke würde ausgefüllt seyn.

am 26. Oktober.

Ja es wird mir gewiß, Lieber! gewiß und immer gewisser, daß an dem Daseyn eines Geschöpfs so wenig gelegen ist, ganz wenig. Es kam eine Freundinn zu Lotten, und ich gieng herein in's Nebenzimmer, ein Buch zu nehmen, und konnte nicht lesen, und dann nahm ich eine Feder zu schreiben. Ich hörte sie leise reden, sie erzählten einander insofern unbedeutende Sachen, Stadtneuigkeiten: wie diese heyrathet, wie jene krank, sehr krank ist. Sie hat einen troknen Husten, die Knochen stehn ihr zum Gesichte heraus, und kriegt Ohnmachten, ich gebe keinen Kreuzer für ihr Leben, sagte die eine. Der N. N. ist auch so übel dran, sagte Lotte. Er ist schon geschwollen, sagte die andre. Und meine lebhafte Einbildungskraft versezte mich an's Bette dieser Armen, ich sah sie, mit welchem Widerwillen sie dem Leben den Rükken wandten, wie sie – Wilhelm, und meine Weibgens redeten davon, wie man eben davon redt: daß ein Fremder stirbt. – Und wenn ich mich umsehe, und seh das Zimmer an, und rings um mich Lottens Kleider, hier ihre Ohrringe auf dem Tischgen, und Alberts Scripturen* und diese Meubels*, denen ich nun so befreundet bin, so gar diesem Dintenfaß; und denke: Sieh, was du nun diesem Hause bist! Alles in allem. Deine Freunde ehren dich! Du machst oft ihre Freude, und deinem Herzen scheint's, als wenn es ohne sie nicht seyn könnte, und doch – wenn du nun giengst? wenn du aus diesem Kreise schiedest, würden sie? wie lange würden sie die Lükke fühlen, die dein Verlust in ihr Schiksal reißt? wie lang? – O so vergänglich ist der Mensch, daß er auch da, wo er seines

Schriftstücke

Möbel

Daseyns eigentliche Gewißheit hat, da, wo er den einzigen wahren Eindruk seiner Gegenwart macht; in dem Andenken in der Seele seiner Lieben, daß er auch da verlöschen, verschwinden muß, und das – so bald!

am 27. Oktober. 5

Ich möchte mir oft die Brust zerreissen und das Gehirn einstoßen, daß man einander so wenig seyn kann. Ach die Liebe und Freude und Wärme und Wonne, die ich nicht hinzu bringe, wird mir der andre nicht geben, und mit einem ganzen Herzen voll Seligkeit, werd ich den andern nicht beglükken der kalt und kraftlos vor mir steht. 10

am 30. Oktober.

Wenn ich nicht schon hundertmal auf dem Punkte gestanden bin ihr um den Hals zu fallen. Weis der große Gott, wie einem das thut, so viel Liebenswürdigkeit vor sich herumkreuzen zu sehn und nicht zugreifen zu dürfen. Und das Zugreifen ist doch der natürlichste Trieb der Menschheit. Greifen die Kinder nicht nach allem was ihnen in Sinn fällt? Und ich? 15

am 3. November. 20

Weis Gott, ich lege mich so oft zu Bette mit dem Wunsche, ja manchmal mit der Hofnung, nicht wieder zu erwachen, und Morgens schlag ich die Augen auf, sehe die Sonne wieder, und bin elend. O daß ich launisch seyn könnte, könnte die Schuld auf's Wetter, auf einen dritten, auf eine fehlgeschlagene Unternehmung schieben; so würde die unerträgliche Last des Unwillens doch nur halb auf mir ruhen. Weh mir, ich fühle zu wahr, daß an mir allein alle Schuld liegt, – nicht Schuld! Genug daß in mir die Quelle alles Elendes verborgen ist, wie es ehemals die Quelle aller Seligkeiten war. Bin ich nicht noch eben derselbe, der ehemals in aller Fülle der Empfindung herumschwebte, dem auf jedem 25 30

Tritte ein Paradies folgte, der ein Herz hatte, eine ganze
Welt liebevoll zu umfassen. Und das Herz ist jezo todt, aus
ihm fließen keine Entzükkungen mehr, meine Augen sind
trocken, und meine Sinnen, die nicht mehr von erquikken-
5 den Thränen gelabt werden, ziehen ängstlich meine Stirne
zusammen. Ich leide viel, denn ich habe verlohren was meines Lebens einzige Wonne war, die heilige belebende Kraft,
mit der ich Welten um mich schuf. Sie ist dahin! – Wenn ich
zu meinem Fenster hinaus an den fernen Hügel sehe, wie
10 die Morgensonne über ihn her den Nebel durchbricht und
den stillen Wiesengrund bescheint, und der sanfte Fluß
zwischen seinen entblätterten Weiden zu mir herschlängelt,
o wenn da diese herrliche Natur so starr vor mir steht wie
ein lakirt Bildgen, und all die Wonne keinen Tropfen Selig-
15 keit aus meinem Herzen herauf in das Gehirn pumpen
kann, und der ganze Kerl vor Gottes Angesicht steht wie
ein versiegter Brunn, wie ein verlechter Eymer*! Ich habe   rissiger, un-
mich so oft auf den Boden geworfen und Gott um Thränen   dichter Eimer
gebeten, wie ein Akkersmann um Regen, wenn der Him-
20 mel ehern über ihm ist, und um ihn die Erde verdürstet.
Aber, ach ich fühls! Gott giebt Regen und Sonnenschein
nicht unserm ungestümen Bitten, und jene Zeiten, deren
Andenken mich quält, warum waren sie so selig? als weil
ich mit Geduld seinen Geist erwartete, und die Wonne, die
25 er über mich ausgoß mit ganzem, innig dankbarem Herzen
aufnahm.

am 8. Nov.

Sie hat mir meine Exzesse vorgeworfen! Ach mit so viel
Liebenswürdigkeit! Meine Exzesse, daß ich mich manch-
30 mal von einem Glas Wein verleiten lasse, eine Bouteille* zu   Flasche
trinken. Thun Sie's nicht! sagte sie, denken Sie an Lotten! –
Denken! sagt' ich, brauchen Sie mir das zu heissen? Ich
denke! – Ich denke nicht! Sie sind immer vor meiner Seelen.
Heut saß ich an dem Flekke, wo Sie neulich aus der Kutsche

stiegen – Sie redte was anders, um mich nicht tiefer in den Text kommen zu lassen. Bester, ich bin dahin! Sie kann mit mir machen was sie will.

am 15. Nov.

Ich danke Dir, Wilhelm, für Deinen herzlichen Antheil, für Deinen wohlmeynenden Rath, und bitte Dich, ruhig zu seyn. Laß mich ausdulden, ich habe bey all meiner Müdseligkeit* noch Kraft genug durchzusezzen. Ich ehre die Religion, das weist Du, ich fühle, daß sie manchem Ermatteten Stab, manchem Verschmachtenden Erquikkung ist. Nur – kann sie denn, muß sie denn das einem jeden seyn? Wenn Du die große Welt ansiehst; so siehst du Tausende, denen sie's nicht war, Tausende denen sie's nicht seyn wird, gepredigt oder ungepredigt, und muß sie mir's denn seyn? ⌜Sagt nicht selbst der Sohn Gottes⌝: daß die um ihn seyn würden, die ihm der Vater gegeben hat. Wenn ich ihm nun nicht gegeben bin! Wenn mich nun der Vater für sich behalten will, wie mir mein Herz sagt! Ich bitte Dich, lege das nicht falsch aus, sieh nicht etwa Spott in diesen unschuldigen Worten, es ist meine ganze Seele, die ich dir vorlege. Sonst wollt ich lieber, ich hätte geschwiegen, wie ich denn über all das, wovon jedermann so wenig weis als ich, nicht gern ein Wort verliehre. Was ist's anders als Menschenschiksal, sein Maas auszuleiden, seinen Becher auszutrinken. – ⌜Und ward der Kelch dem Gott vom Himmel auf seiner Menschenlippe zu bitter⌝, warum soll ich gros thun und mich stellen, als schmekte er mir süsse. Und warum sollte ich mich schämen, in dem schröklichen Augenblikke, da mein ganzes Wesen zwischen Seyn und Nichtseyn zittert, da die Vergangenheit wie ein Bliz über dem finstern Abgrunde der Zukunft leuchtet, und alles um mich her versinkt, und mit mir die Welt untergeht. – Ist es da nicht die Stimme der ganz in sich gedrängten, sich selbst ermangelnden, und unaufhaltsam hinabstürzenden Crea-

Lebensmüdig-keit

tur, in den innern Tiefen ihrer vergebens aufarbeitenden
Kräfte zu knirschen: ⌜Mein Gott! Mein Gott! warum hast
du mich verlassen?⌝ Und sollt ich mich des Ausdruks schämen, sollte mir's vor dem Augenblikke bange seyn, da ihm
5 der nicht entgieng, ⌜der die Himmel zusammenrollt wie ein
Tuch⌝.

am 21. Nov.
Sie sieht nicht, sie fühlt nicht, daß sie einen Gift bereitet,
der mich und sie zu Grunde richten wird. Und ich mit voller
10 Wollust schlurfe den Becher aus, den sie mir zu meinem
Verderben reicht. Was soll der gütige Blik, mit dem sie mich
oft – oft? – nein nicht oft, aber doch manchmal ansieht, die
Gefälligkeit, womit sie einen unwillkührlichen Ausdruk
meines Gefühls aufnimmt, das Mitleiden mit meiner Dul-
15 dung*, das sich auf ihrer Stirne zeichnet.

meinem Lei-
den

Gestern als ich weggieng, reichte sie mir die Hand und
sagte: Adieu, lieber Werther! Lieber Werther! Es war das
erstemal, daß sie mich Lieber hies, und mir giengs durch
Mark und Bein. Ich hab mir's hundertmal wiederholt und
20 gestern Nacht da ich in's Bette gehen wollte, und mit mir
selbst allerley schwazte, sag ich so auf einmal: gute Nacht,
lieber Werther! Und mußte hernach selbst über mich lachen.

am 24. Nov.
25 Sie fühlt, was ich dulde. Heut ist mir ihr Blik tief durch's
Herz gedrungen. Ich fand sie allein. Ich sagte nichts und sie
sah mich an. Und ich sah nicht mehr in ihr die liebliche
Schönheit, nicht mehr das Leuchten des treflichen Geistes;
das war all vor meinen Augen verschwunden. Ein weit
30 herrlicherer Blik würkte auf mich, voll Ausdruk des innigsten Antheils des süßten Mitleidens. Warum durft' ich mich
nicht ihr zu Füssen werfen! warum durft ich nicht an ihrem
Halse mit tausend Küssen antworten – Sie nahm ihre Zu-

flucht zum Claviere und hauchte mit süsser leiser Stimme harmonische Laute zu ihrem Spiele. Nie hab ich ihre Lippen so reizend gesehn, es war, als wenn sie sich lechzend öffneten, jene süsse Töne in sich zu schlürfen, die aus dem Instrumente hervorquollen, und nur der heimliche Wiederschall aus dem süssen Munde zurükklänge – Ja wenn ich dir das so sagen könnte! Ich widerstund nicht länger, neigte mich und schwur: Nie will ich's wagen, einen Kuß euch einzudrücken, Lippen, auf denen die Geister des Himmels schweben – Und doch – ich will – Ha siehst du, das steht wie eine Scheidewand vor meiner Seelen – diese Seligkeit – und da untergegangen, die Sünde abzubüssen – Sünde?

am 30. Nov.

Ich soll, ich soll nicht zu mir selbst kommen, wo ich hintrete, begegnet mir eine Erscheinung, die mich aus aller Fassung bringt. Heut! O Schiksal! O Menschheit!

Ich gehe an dem Wasser hin in der Mittagsstunde, ich hatte keine Lust zu essen. Alles war so öde, ein naßkalter Abendwind blies vom Berge, und die grauen Regenwolken zogen das Thal hinein. Von ferne seh ich einen Menschen in einem grünen schlechten Rokke, der zwischen den Felsen herumkrabelte und Kräuter zu suchen schien. Als ich näher zu ihm kam und er sich auf das Geräusch, das ich machte, herumdrehte, sah ich eine gar interessante Physiognomie, darinn eine stille Trauer den Hauptzug machte, die aber sonst nichts als einen graden guten Sinn ausdrükte, seine schwarzen Haare waren mit Nadeln in zwey Rollen gestekt, und die übrigen in einen starken Zopf geflochten, der ihm den Rücken herunter hieng. Da mir seine Kleidung einen Menschen von geringem Stande zu bezeichnen schien, glaubt' ich, er würde es nicht übel nehmen, wenn ich auf seine Beschäftigung aufmerksam wäre, und daher

Werther · Zweyter Theil

fragte ich ihn, was er suchte? Ich suche, antwortete er mit einem tiefen Seufzer, Blumen – und finde keine – Das ist auch die Jahrszeit nicht, sagt' ich lächelnd. – Es giebt so viel Blumen, sagt er, indem er zu mir herunter kam. In meinem Garten sind Rosen und Je länger je lieber* zweyerley Sorten, eine hat mir mein Vater gegeben, sie wachsen wie's Unkraut, ich suche schon zwey Tage darnach, und kann sie nicht finden. Da haußen sind auch immer Blumen, gelbe und blaue und rothe, und das Tausend Güldenkraut hat ein schön Blümgen. Keines kann ich finden. Ich merkte was unheimliches, und drum fragte ich durch einen Umweg: Was will er denn mit den Blumen? Ein wunderbares zukkendes Lächlen verzog sein Gesicht. Wenn er mich nicht verrathen will, sagt er, indem er den Finger auf den Mund drükte, ich habe meinem Schazze einen Straus versprochen. Das ist brav, sagt ich. O sagt' er, sie hat viel andre Sachen, sie ist reich. Und doch hat sie seinen Straus lieb, versezt ich. O! fuhr er fort, sie hat Juwelen und eine Krone. Wie heißt sie denn? – Wenn mich die Generalstaaten* bezahlen wollten! versezte er, ich wär ein anderer Mensch! Ja es war einmal eine Zeit, da mir's so wohl war. Jezt ist's aus mit mir, ich bin nun – Ein nasser Blik zum Himmel drükte alles aus. Er war also glüklich? fragt ich. Ach ich wollt ich wäre wieder so! sagt' er, da war mir's so wohl, so lustig, so leicht wie ein Fisch im Wasser! Heinrich! rufte eine alte Frau, die den Weg herkam. Heinrich, wo stikst du. Wir haben dich überall gesucht. Komm zum Essen. Ist das euer Sohn? fragt' ich zu ihr tretend. Wohl mein armer Sohn, versezte sie. Gott hat mir ein schweres Kreuz aufgelegt. Wie lang ist er so? fragt ich. So stille, sagte sie, ist er nun ein halb Jahr. Gott sey Dank, daß es nur so weit ist. Vorher war er ein ganz Jahr rasend, da hat er an Ketten im Tollhause* gelegen. Jezt thut er niemand nichts, nur hat er immer mit Königen und Kaysern zu thun. Es war ein so guter stiller Mensch, der mich ernähren half, seine schöne Hand*

Marginal notes:

- (line 5) volkstümlicher Name für lang blühende Pflanzen, z. B. Geißblatt oder Stiefmütterchen
- (line 19) die Vereinigten Niederlande, die als reich galten
- (line 32) Irrenhaus
- (line 35) hier: Handschrift

schrieb, und auf einmal wird er tiefsinnig, fällt in ein hitzig Fieber, daraus in Raserey, und nun ist er, wie sie ihn sehen. Wenn ich ihm erzählen sollt, Herr – Ich unterbrach ihren Strom von Erzählungen mit der Frage: was denn das für eine Zeit wäre von der er so rühmte, daß er so glüklich, so wohl darinn gewesen wäre. Der thörige Mensch, rief sie mit mitleidigem Lächlen, da meint er die Zeit, da er von sich war, das rühmt er immer! Das ist die Zeit, da er im Tollhause war, wo er nichts von sich wußte – Das fiel mir auf wie ein Donnerschlag, ich drükte ihr ein Stük Geld in die Hand und verließ sie eilend.

Da du glüklich warst! rief ich aus, schnell vor mich hin nach der Stadt zu gehend. Da dir's wohl war wie einem Fisch im Wasser! – Gott im Himmel! Hast du das zum Schiksaal der Menschen gemacht, daß sie nicht glüklich sind, als eh sie zu ihrem Verstande kommen, und wenn sie ihn wieder verliehren! Elender und auch wie beneid ich deinen Trübsinn, die Verwirrung deiner Sinne, in der du verschmachtest! Du gehst hoffnungsvoll aus, deiner Königin Blumen zu pflücken – im Winter – und traurest, da du keine findest, und begreifst nicht, warum du keine finden kannst. Und ich – und ich gehe ohne Hoffnung ohne Zwek heraus, und kehr wieder heim wie ich gekommen bin. – Du wähnst, welcher Mensch du seyn würdest wenn die Generalstaaten dich bezahlten. Seliges Geschöpf, das den Mangel seiner Glükseligkeit einer irdischen Hinderniß zuschreiben kann. – Du fühlst nicht! Du fühlst nicht! daß in deinem zerstörten Herzen, in deinem zerrütteten Gehirne dein Elend liegt, wovon alle Könige der Erde dir nicht helfen können.

Müsse der trostlos umkommen, der eines Kranken spottet, der nach der entferntesten Quelle reist die seine Krankheit vermehren, sein Ausleben schmerzhafter machen wird, der sich über das bedrängte Herz erhebt, das, um seine Gewissensbisse los zu werden und die Leiden seiner Seele abzuthun, seine Pilgrimschaft nach dem heiligen Grabe thut! Jeder Fußtritt der seine Solen auf ungebahntem Wege durchschneidet, ist ein Lindrungstropfen der geängsteten Seele, und mit jeder ausgedauerten Tagreise legt sich das Herz um viel Bedrängniß leichter nieder. – Und dürft ihr das Wahn nennen – Ihr Wortkrämer auf euren Polstern – Wahn! – O Gott! du siehst meine Thränen – Mußtest du, der du den Menschen arm genug erschufst, ihm auch Brüder zugeben, die ihm das bisgen Armuth, das bisgen Vertrauen noch raubten, das er auf dich hat, auf dich, du Allliebender, denn das Vertrauen zu einer heilenden Wurzel, zu den Thränen des Weinstoks, was ist's, als Vertrauen zu dir, daß du in alles, was uns umgiebt, Heil und Lindrungskraft gelegt hast, der wir so stündlich bedürfen. – Vater, den ich nicht kenne! Vater, der sonst meine ganze Seele füllte, und nun sein Angesicht von mir gewendet hat! Rufe mich zu dir! Schweige nicht länger! Dein Schweigen wird diese durstende Seele nicht aufhalten – Und würde ein Mensch, ein Vater zürnen können, dem sein unvermuthet rükkehrender Sohn* um den Hals fiele und rief: Ich bin wieder da mein Vater. Zürne nicht, daß ich die Wanderschaft abbreche, die ich nach deinem Willen länger aushalten sollte. Die Welt ist überall einerley, auf Müh und Arbeit, Lohn und Freude; aber was soll mir das? mir ist nur wohl wo du bist, und vor deinem Angesichte will ich leiden und geniessen – Und du, lieber himmlischer Vater, solltest ihn von dir weisen?

am 1. Dez.

Wilhelm! der Mensch, von dem ich dir schrieb, der glükliche Unglükliche, war Schreiber bey Lottens Vater, und eine unglükliche Leidenschaft zu ihr, die er nährte, verbarg, entdekte, und aus dem Dienst geschikt wurde, hat ihn rasend gemacht. Fühle Kerl, bey diesen troknen Worten, mit welchem Unsinne mich die Geschichte ergriffen hat, da

Anspielung auf das Gleichnis vom verlorenen Sohn (s. Luk. 15,11–24)

mir sie Albert eben so gelassen erzählte, als dus' vielleicht liesest.

am 4. Dez.

Ich bitte dich – siehst du, mit mir ist's aus – Ich trag das all nicht länger. Heut sas ich bey ihr – sas, sie spielte auf ihrem Clavier, manchfaltige Melodien und all den Ausdruk! all! all! – Was willst du? – Ihr Schwestergen puzte ihre Puppe auf meinem Knie. Mir kamen die Thränen in die Augen. Ich neigte mich und ihr Trauring fiel mir in's Gesicht – Meine Thränen flossen – Und auf einmal fiel sie in die alte himmelsüsse Melodie* ein, so auf einmal, und mir durch die Seele gehn ein Trostgefühl und eine Erinnerung all des Vergangenen, all der Zeiten, da ich das Lied gehört, all der düstern Zwischenräume des Verdrusses, der fehlgeschlagenen Hoffnungen, und dann – Ich gieng in der Stube auf und nieder, mein Herz erstikte unter all dem. Um Gottes Willen, sagt ich mit einem heftigen Ausbruch hin gegen sie fahrend, um Gottes Willen hören sie auf. Sie hielt, und sah mich starr an. Werther, sagte sie, mit einem Lächlen, das mir durch die Seele gieng, Werther, sie sind sehr krank, ihre Lieblingsgerichte widerstehen ihnen. Gehen sie! Ich bitte sie, beruhigen sie sich. Ich riß mich von ihr weg, und – Gott! du siehst mein Elend, und wirst es enden.

am 6. Dez.

Wie mich die Gestalt verfolgt. Wachend und träumend füllt sie meine ganze Seele. Hier, wenn ich die Augen schliesse, hier in meiner Stirne, wo die innere Sehkraft sich vereinigt, stehen ihre schwarzen Augen. Hier! Ich kann dir's nicht ausdrükken. Mach ich meine Augen zu, so sind sie da, wie ein Meer, wie ein Abgrund ruhen sie vor mir, in mir, füllen die Sinnen meiner Stirne.

Was ist der Mensch? der gepriesene Halbgott! Ermangeln ihm nicht da eben die Kräfte, wo er sie am nöthigsten

s. Brief vom
16. Juli 1771

braucht? Und wenn er in Freude sich aufschwingt, oder im Leiden versinkt, wird er nicht in beyden eben da aufgehalten, eben da wieder zu dem stumpfen kalten Bewustseyn zurück gebracht, da er sich in der Fülle des Unendlichen zu verliehren sehnte.

am 8. Dez.

Lieber Wilhelm, ich bin in einem Zustande, in dem jene Unglüklichen müssen gewesen seyn, von denen man glaubte, sie würden von einem bösen Geiste umher getrieben. Manchmal ergreift mich's, es ist nicht Angst, nicht Begier! es ist ein inneres unbekanntes Toben, das meine Brust zu zerreissen droht, das mir die Gurgel zupreßt! Wehe! Wehe! Und dann schweif ich umher in den furchtbaren nächtlichen Scenen dieser menschenfeindlichen Jahrszeit. Gestern Nacht mußt ich hinaus. Ich hatte noch Abends gehört, der Fluß sey übergetreten und die Bäche all, und von Wahlheim herunter all mein Liebesthal überschwemmt. Nachts nach eilf rannt ich hinaus. Ein fürchterliches Schauspiel. Vom Fels herunter die wühlenden Fluthen in dem Mondlichte wirbeln zu sehn, über Aekker und Wiesen und Hekken und alles, und das weite Thal hinauf und hinab eine stürmende See im Sausen des Windes. Und wenn denn der Mond wieder hervortrat und über der schwarzen Wolke ruhte, und vor mir hinaus die Fluth in fürchterlich herrlichen Wiederschein rollte und klang, da überfiel mich ein Schauer, und wieder ein Sehnen! Ach! Mit offenen Armen stand ich gegen den Abgrund, und athmete hinab! hinab, und verlohr mich in der Wonne, all meine Quaalen all mein Leiden da hinab zu stürmen, dahin zu brausen wie die Wellen. Oh! Und den Fuß vom Boden zu heben, vermochtest du nicht und alle Qualen zu enden! – Meine Uhr ist noch nicht ausgelaufen – ich fühl's! O Wilhelm, wie gern hätt ich all mein Menschseyn drum gegeben, mit jenem Sturmwinde die Wolken zu zerreissen, die

Fluthen zu fassen. Ha! Und wird nicht vielleicht dem Eingekerkerten einmal diese Wonne zu Theil! –

Und wie ich wehmüthig hinab sah auf ein Pläzgen, wo ich mit Lotten unter einer Weide geruht, auf einem heissen Spaziergange*, das war auch überschwemmt, und kaum daß ich die Weide erkannte! Wilhelm. Und ihre Wiesen, dacht ich, und all die Gegend um ihr Jagdhaus, wie jezt vom reissenden Strome verstört unsere Lauben, dacht ich. Und der Vergangenheit Sonnenstrahl blikte herein – Wie einem Gefangenen ein Traum von Heerden, Wiesen und Ährenfeldern. Ich stand! – Ich schelte mich nicht, denn ich habe Muth zu sterben – Ich hätte – Nun siz ich hier wie ein altes Weib, das ihr Holz an Zäunen stoppelt*, und ihr Brod an den Thüren, um ihr hinsterbendes freudloses Daseyn noch einen Augenblick zu verlängern und zu erleichtern.

am 17. Dez.

Was ist das, mein Lieber? Ich erschrekke vor mir selbst! Ist nicht meine Liebe zu ihr die heiligste, reinste, brüderlichste Liebe? Hab ich jemals einen strafbaren Wunsch in meiner Seele gefühlt – ich will nicht betheuren – und nun – Träume! O wie wahr fühlten die Menschen, die so widersprechende Würkungen fremden Mächten zuschrieben. Diese Nacht! Ich zittere es zu sagen, hielt ich sie in meinen Armen, fest an meinen Busen gedrükt und dekte ihren lieben lispelnden Mund mit unendlichen Küssen. Mein Auge schwamm in der Trunkenheit des ihrigen. Gott! bin ich strafbar, daß ich auch jezt noch eine Seligkeit fühle, mir diese glühende Freuden mit voller Innigkeit zurük zu rufen, Lotte! Lotte! – Und mit mir ist's aus! Meine Sinnen verwirren sich. Schon acht Tage hab ich keine Besinnungskraft, meine Augen sind voll Thränen. Ich bin nirgends wohl, und überall wohl. Ich wünsche nichts, verlange nichts. Mir wärs besser ich gienge.

ein Spaziergang bei großer Hitze

aufliest

Der Herausgeber an den Leser.

Die ausführliche Geschichte der lezten merkwürdigen
Tage unsers Freundes zu liefern, seh ich mich genöthiget
seine Briefe durch Erzählung zu unterbrechen, wozu ich
5 den Stof aus dem Munde Lottens, Albertens, seines Bedienten, und anderer Zeugen gesammlet habe.
Werthers Leidenschaft hatte den Frieden zwischen Alberten und seiner Frau allmählig untergraben, dieser liebte sie
mit der ruhigen Treue eines rechtschafnen Manns, und der
10 freundliche Umgang mit ihr subordinirte sich* nach und   ordnete sich
nach seinen Geschäften. Zwar wollte er sich nicht den Un-   unter
terschied gestehen, der die gegenwärtige Zeit den Bräuti-
gams-Tagen so ungleich machte: doch fühlte er innerlich
einen gewissen Widerwillen gegen Werthers Aufmerksam-
15 keiten für Lotten, die ihm zugleich ein Eingriff in seine
Rechte und ein stiller Vorwurf zu seyn scheinen mußten.
Dadurch ward der üble Humor vermehrt, den ihm seine
überhäuften, gehinderten, schlecht belohnten Geschäfte
manchmal gaben, und da denn Werthers Lage auch ihn
20 zum traurigen Gesellschafter machte, indem die Beängstigung seines Herzens, die übrige Kräfte seines Geistes, seine
Lebhaftigkeit, seinen Scharfsinn aufgezehrt hatte; so konnte es nicht fehlen daß Lotte zulezt selbst mit angestekt wurde, und in eine Art von Schwermuth verfiel, in der Albert
25 eine wachsende Leidenschaft für ihren Liebhaber, und
Werther einen tiefen Verdruß über das veränderte Betragen
ihres Mannes zu entdekken glaubte. Das Mistrauen, womit die beyden Freunde einander ansahen, machte ihnen
ihre wechselseitige Gegenwart höchst beschwerlich. Albert
30 mied das Zimmer seiner Frau, wenn Werther bey ihr war,
und dieser, der es merkte, ergriff nach einigen fruchtlosen
Versuchen ganz von ihr zu lassen, die Gelegenheit, sie in
solchen Stunden zu sehen, da ihr Mann von seinen Ge-

schäften gehalten wurde. Daraus entstund neue Unzufriedenheit, die Gemüther verhezten sich immer mehr gegen einander, bis zulezt Albert seiner Frau mit ziemlich troknen Worten sagte: sie möchte, wenigstens um der Leute willen, dem Umgange mit Werthern eine andere Wendung geben, und seine allzuöfteren Besuche abschneiden.

Ohngefähr um diese Zeit hatte sich der Entschluß, diese Welt zu verlassen, in der Seele des armen Jungen näher bestimmt. Es war von jeher seine Lieblingsidee gewesen, mit der er sich, besonders seit der Rükkehr zu Lotten, immer getragen.

Doch sollte es keine übereilte, keine rasche That seyn, er wollte mit der besten Ueberzeugung, mit der möglichsten ruhigen Entschlossenheit diesen Schritt thun.

Seine Zweifel, sein Streit mit sich selbst, blikken aus einem Zettelgen hervor, das wahrscheinlich ein angefangener Brief an Wilhelmen ist, und ohne Datum, unter seinen Papieren gefunden worden.

Ihre Gegenwart, ihr Schiksal, ihr Theilnehmen an dem meinigen, preßt noch die lezten Thränen aus meinem versengten Gehirn.

Den Vorhang aufzuheben und dahinter zu treten, das ist's all! Und warum das Zaudern und Zagen? – Weil man nicht weis, wie's dahinten aussieht? – und man nicht zurükkehrt? – Und daß das nun die Eigenschaft unseres Geistes ist, da Verwirrung und Finsterniß zu ahnden, wovon wir nichts Bestimmtes wissen.

Den Verdruß, den er bey der Gesandtschaft gehabt, konnte er nicht vergessen. Er erwähnte dessen selten, doch wenn es auch auf die entfernteste Weise geschah, so konnte man fühlen, daß er seine Ehre dadurch unwiederbringlich gekränkt hielte, und daß ihm dieser Vorfall eine Abneigung gegen alle Geschäfte und politische* Wirksamkeit gegeben

juristisch-
praktische,
diplomatische

hatte. Daher überließ er sich ganz der wunderbaren Empfind- und Denkensart, die wir aus seinen Briefen kennen, und einer endlosen Leidenschaft, worüber noch endlich alles, was thätige Kraft an ihm war, verlöschen mußte. Das ewige einerley eines traurigen Umgangs mit dem liebenswürdigen und geliebten Geschöpfe, dessen Ruhe er störte, das stürmende Abarbeiten seiner Kräfte, ohne Zwek und Aussicht, drängten ihn endlich zu der schröklichen That.

am 20. Dec.

Ich danke Deiner Liebe, Wilhelm, daß Du das Wort so aufgefangen hast. Ja Du hast recht: Mir wäre besser, ich gienge. Der Vorschlag, den Du zu einer Rükkehr zu euch thust, gefällt mir nicht ganz, wenigstens möcht ich noch gern einen Umweg machen, besonders da wir anhaltenden Frost und gute Wege zu hoffen haben. Auch ist mir's sehr lieb, daß Du kommen willst, mich abzuholen, verzieh* nur noch vierzehn Tage, und erwarte noch einen Brief von mir mit dem weitern. Es ist nöthig, daß nichts gepflükt werde, eh es reif ist. Und vierzehn Tage auf oder ab thun viel. Meiner Mutter sollst Du sagen: daß sie für ihren Sohn beten soll und daß ich sie um Vergebung bitte, wegen all des Verdrusses, den ich ihr gemacht habe. Das war nun mein Schiksal, die zu betrüben, denen ich Freude schuldig war. Leb wohl, mein Theuerster. Allen Segen des Himmels über Dich! Leb wohl!

An eben dem Tage, es war der Sonntag vor Weihnachten, kam er Abends zu Lotten, und fand sie allein. Sie beschäftigte sich, einige Spielwerke in Ordnung zu bringen, die sie ihren kleinen Geschwistern zum Christgeschenke zurecht gemacht hatte. Er redete von dem Vergnügen, das die Kleinen haben würden, und von den Zeiten, da einen die unerwartete Oeffnung der Thüre, und die Erscheinung eines aufgepuzten* Baums mit Wachslichtern, Zukkerwerk und

warte

geschmückten

Aepfeln, in paradisische Entzükkung sezte. Sie sollen, sagte
Lotte, indem sie ihre Verlegenheit unter ein liebes Lächeln
verbarg: Sie sollen auch bescheert kriegen, wenn Sie recht
geschikt* sind, ein Wachsstökgen* und noch was. Und was
heißen Sie geschikt seyn? rief er aus, wie soll ich seyn, wie   5
kann ich seyn, beste Lotte? Donnerstag Abend, sagte sie, ist
Weyhnachtsabend, da kommen die Kinder, mein Vater
auch, da kriegt jedes das seinige, da kommen Sie auch –
aber nicht eher. – Werther stuzte! – Ich bitte Sie, fuhr sie
fort, es ist nun einmal so, ich bitte Sie um meiner Ruhe   10
willen, es kann nicht, es kann nicht so bleiben! – Er wendete seine Augen von ihr, gieng in der Stube auf und ab,
und murmelte das: es kann nicht so bleiben! zwischen den
Zähnen. Lotte, die den schröklichen Zustand fühlte, wor-
inn ihn diese Worte versezt hatten, suchte durch allerley   15
Fragen seine Gedanken abzulenken, aber vergebens: Nein,
Lotte, rief er aus, ich werde Sie nicht wieder sehn! – Warum
das? versezte sie, Werther, Sie können, Sie müssen uns wieder sehen, nur mässigen Sie sich. O! warum mußten Sie mit
dieser Heftigkeit, dieser unbezwinglich haftenden Leiden-   20
schaft für alles, das Sie einmal anfassen, gebohren werden.
Ich bitte Sie, fuhr sie fort, indem sie ihn bey der Hand
nahm, mässigen Sie sich, Ihr Geist, Ihre Wissenschaft, Ihre
Talente, was bieten die Ihnen für mannigfaltige Ergözzun-
gen dar! seyn Sie ein Mann, wenden Sie diese traurige An-   25
hänglichkeit von einem Geschöpfe, das nichts thun kann
als Sie bedauren. – Er knirrte* mit den Zähnen, und sah sie
düster an. Sie hielt seine Hand: Nur einen Augenblik ruhigen Sinn, Werther, sagte sie. Fühlen Sie nicht, daß Sie sich
betrügen, sich mit Willen zu Grunde richten? Warum denn   30
mich! Werther! Just mich! das Eigenthum eines andern.
Just das! Ich fürchte, ich fürchte, es ist nur die Unmöglichkeit mich zu besizzen, die Ihnen diesen Wunsch so reizend
macht. Er zog seine Hand aus der ihrigen, indem er sie mit
einem starren unwilligen Blikke ansah. Weise! rief er, sehr   35

weise! hat vielleicht Albert diese Anmerkung gemacht? Po-   hier: schlau
litisch*! sehr politisch! – Es kann sie jeder machen, versetzte
sie drauf. Und sollte denn in der weiten Welt kein Mädgen
seyn, das die Wünsche Ihres Herzens erfüllte. Gewinnen
5 Sie's über sich, suchen Sie darnach, und ich schwöre Ihnen,
Sie werden sie finden. Denn schon lange ängstet mich für
Sie und uns die Einschränkung, in die Sie sich diese Zeit her
selbst gebannt haben. Gewinnen Sie's über sich! Eine Reise
wird Sie, muß Sie zerstreuen! Suchen Sie, finden Sie einen
10 werthen Gegenstand all Ihrer Liebe, und kehren Sie zurük,
und lassen Sie uns zusammen die Seligkeit einer wahren
Freundschaft genießen.
Das könnte man, sagte er mit einem kalten Lachen, drukken lassen, und allen Hofmeistern empfehlen. Liebe Lotte,
15 lassen Sie mir noch ein klein wenig Ruh, es wird alles werden. – Nur das Werther! daß Sie nicht eher kommen als
Weyhnachtsabend! – Er wollte antworten, und Albert trat
in die Stube. Man bot sich einen frostigen guten Abend,
und gieng verlegen im Zimmer neben einander auf und
20 nieder. Werther fieng einen unbedeutenden Diskurs an, der
bald aus war, Albert desgleichen, der sodann seine Frau
nach einigen Aufträgen fragte, und als er hörte, sie seyen
noch nicht ausgerichtet, ihr spizze Reden gab, die Werthern durch's Herz giengen. Er wollte gehn, er konnte nicht
25 und zauderte bis Acht, da sich denn der Unmuth und Un-
willen an einander immer vermehrte, bis der Tisch gedekt
wurde und er Huth und Stok nahm, da ihm denn Albert ein
unbedeutend Kompliment, ob er nicht mit ihnen vorlieb
nehmen wollte? mit auf den Weg gab.
30 Er kam nach Hause, nahm seinem Burschen, der ihm
leuchten wollte, das Licht aus der Hand, und gieng allein in
sein Zimmer, weinte laut, redete aufgebracht mit sich
selbst, gieng heftig die Stube auf und ab, und warf sich
endlich in seinen Kleidern auf's Bette, wo ihn der Bediente
35 fand, der es gegen Eilf wagte hinein zu gehn, um zu fragen,

ob er dem Herrn die Stiefel ausziehen sollte, das er denn
zuließ und dem Diener verbot, des andern Morgens nicht
in's Zimmer zu kommen, bis er ihm rufte.

Montags früh, den ein und zwanzigsten December, schrieb
er folgenden Brief an Lotten, den man nach seinem Tode
versiegelt auf seinem Schreibtische gefunden und ihr über-
bracht hat, und den ich Absazweise hier einrükken will, so
wie aus den Umständen erhellet, daß er ihn geschrieben
habe.

Es ist beschlossen, Lotte, ich will sterben, und das schreib
ich Dir ohne romantische* Ueberspannung gelassen, an
dem Morgen des Tags, an dem ich Dich zum lezten mal
sehn werde. Wenn Du dieses liesest, meine Beste, dekt
schon das kühle Grab die erstarrten Reste des Unruhigen,
Unglüklichen, der für die lezten Augenblikke seines Lebens
keine grössere Süssigkeit weis, als sich mit Dir zu unterhalten. Ich habe eine schrökliche Nacht gehabt, und ach
eine wohlthätige Nacht, sie ist's, die meinen wankenden
Entschluß befestiget, bestimmt hat: ich will sterben. Wie
ich mich gestern von Dir riß, in der fürchterlichen Empörung meiner Sinnen, wie sich all all das nach meinem Herzen drängte, und mein hoffnungloses, freudloses Daseyn
neben Dir, in gräßlicher Kälte mich anpakte; ich erreichte
kaum mein Zimmer, ich warf mich ausser mir auf meine
Knie, und o Gott! du gewährtest mir das lezte Labsal der
bittersten Thränen, und tausend Anschläge, tausend Aussichten wütheten durch meine Seele, und zuletzt stand er
da, fest ganz der lezte einzige Gedanke: Ich will sterben! –
Ich legte mich nieder, und Morgens, in all der Ruh des
Erwachens, steht er noch fest, noch ganz stark in meinem
Herzen: Ich will sterben! – Es ist nicht Verzweiflung, es ist
Gewißheit, daß ich ausgetragen* habe, und daß ich mich
opfere für Dich, ja Lotte, warum sollt ich's verschweigen:
eins von uns dreyen muß hinweg, und das will ich seyn. O

auch hier
noch: roman-
haft

ausgelitten

meine Beste, in diesem zerrissenen Herzen ist es wüthend herum geschlichen, oft – Deinen Mann zu ermorden! – Dich! – mich! – So sey's denn! – Wenn du hinauf steigst auf den Berg, an einem schönen Sommerabende, dann erinnere Dich meiner, wie ich so oft das Thal herauf kam, und dann blikke nach dem Kirchhofe hinüber nach meinem Grabe, wie der Wind das hohe Gras im Schein der sinkenden Sonne, hin und her wiegt. – Ich war ruhig da ich anfieng, und nun wein ich wie ein Kind, da mir all das so lebhaft um mich wird. –

Gegen zehn Uhr rufte Werther seinem Bedienten, und unter dem Anziehen sagte er ihm: wie er in einigen Tagen verreisen würde, er solle daher die Kleider auskehren*, und alles zum Einpakken zurechte machen, auch gab er ihm Befehl, überall Contis* zu fordern, einige ausgeliehene Bücher abzuholen, und einigen Armen, denen er wöchentlich etwas zu geben gewohnt war, ihr Zugetheiltes auf zwey Monathe voraus zu bezahlen.

Er ließ sich das Essen auf die Stube bringen, und nach Tische ritt er hinaus zum Amtmanne, den er nicht zu Hause antraf. Er gieng tiefsinnig im Garten auf und ab, und schien noch zulezt alle Schwermuth der Erinnerung auf sich häufen zu wollen.

Die Kleinen ließen ihn nicht lange in Ruhe, sie verfolgten ihn, sprangen an ihn hinauf, erzählten ihm: daß, wenn Morgen und wieder Morgen, und noch ein Tag wäre, daß sie die Christgeschenke bey Lotten holten, und erzählten ihm Wunder, die sich ihre kleine Einbildungskraft versprach. Morgen! rief er aus, und wieder Morgen, und noch ein Tag! Und küßte sie alle herzlich, und wollte sie verlassen, als ihm der kleine noch was in's Ohr sagen wollte. Der verrieth ihm, daß die großen Brüder hätten schöne Neujahrswünsche geschrieben, so gros, und einen für den Papa, für Albert und Lotte einen, und auch einen für Herrn Werther. Die wollten sie des Neujahrstags früh überreichen.

reinigen, ausbürsten

Abrechnungen

Das übermannte ihn, er schenkte jedem was, sezte sich zu Pferde, ließ den Alten grüßen, und ritt mit Thränen in den Augen davon.

Gegen fünfe kam er nach Hause, befahl der Magd nach dem Feuer zu sehen, und es bis in die Nacht zu unterhalten. 5 Dem Bedienten hieß er Bücher und Wäsche unten in den Coffer pakken, und die Kleider einnähen*. Darauf schrieb er wahrscheinlich folgenden Absaz seines lezten Briefes an Lotten.

für die Reise Kleider in Tücher einnähen, um sie zu schonen

Du erwartest mich nicht. Du glaubst, ich würde gehorchen, 10 und erst Weyhnachtsabend Dich wieder sehn. O Lotte! Heut, oder nie mehr. Weyhnachtsabend hältst Du dieses Papier in Deiner Hand, zitterst und benezt es mit Deinen lieben Thränen. Ich will, ich muß! O wie wohl ist mir's, daß ich entschlossen bin. 15

Um halb sieben gieng er nach Albertens Hause, und fand Lotten allein, die über seinen Besuch sehr erschrokken war. Sie hatte ihrem Manne im Diskurs gesagt, daß Werther vor Weyhnachtsabend nicht wiederkommen würde. Er ließ bald darauf sein Pferd satteln, nahm von ihr Abschied und 20 sagte, er wolle zu einem Beamten in der Nachbarschaft reiten, mit dem er Geschäfte abzuthun habe, und so machte er sich truz der übeln Witterung fort. Lotte, die wohl wußte, daß er dieses Geschäft schon lange verschoben hatte, daß es ihn eine Nacht von Hause halten würde, verstund 25 die Pantomime nur allzu wohl und ward herzlich betrübt darüber. Sie saß in ihrer Einsamkeit, ihr Herz ward weich, sie sah das Vergangene, fühlte all ihren Werth, und ihre Liebe zu ihrem Manne, der nun statt des versprochenen Glüks anfieng das Elend ihres Lebens zu machen. Ihre Ge- 30 danken fielen auf Werthern. Sie schalt ihn, und konnte ihn nicht hassen. Ein geheimer Zug hatte ihr ihn vom Anfange ihrer Bekanntschaft theuer gemacht, und nun, nach so viel

Zeit, nach so manchen durchlebten Situationen, mußte sein Eindruk unauslöschlich in ihrem Herzen seyn. Ihr gepreßtes Herz machte sich endlich in Thränen Luft und gieng in eine stille Melancholie über, in der sie sich je länger je tiefer verlohr.

Aber wie schlug ihr Herz, als sie Werthern die Treppe herauf kommen und außen nach ihr fragen hörte. Es war zu spät, sich verläugnen zu lassen, und sie konnte sich nur halb von ihrer Verwirrung ermannen, als er ins Zimmer trat. Sie haben nicht Wort gehalten! rief sie ihm entgegen. Ich habe nichts versprochen, war seine Antwort. So hätten Sie mir wenigstens meine Bitte gewähren sollen, sagte sie, es war Bitte um unserer beyder Ruhe willen. Indem sie das sprach, hatte sie bey sich überlegt, einige ihrer Freundinnen zu sich rufen zu lassen. Sie sollten Zeugen ihrer Unterredung mit Werthern seyn, und Abends, weil er sie nach Hause führen mußte, ward sie ihn zur rechten Zeit los. Er hatte ihr einige Bücher zurük gebracht, sie fragte nach einigen andern, und suchte das Gespräch in Erwartung ihrer Freundinnen, allgemein zu erhalten, als das Mädgen zurük kam und ihr hinterbrachte, wie sie sich beyde entschuldigen ließen, die eine habe unangenehmen Verwandtenbesuch, und die andere möchte sich nicht anziehen, und in dem schmuzigen Wetter nicht gerne ausgehen.

Darüber ward sie einige Minuten nachdenkend, bis das Gefühl ihrer Unschuld sich mit einigem Stolze empörte. Sie bot Albertens Grillen Truz, und die Reinheit ihres Herzens gab ihr eine Festigkeit, daß sie nicht, wie sie anfangs vorhatte, ihr Mädgen in die Stube rief, sondern, nachdem sie einige Menuets auf dem Clavier gespielt hatte, um sich zu erholen, und die Verwirrung ihres Herzens zu stillen, sich gelassen zu Werthern auf's Canapee* sezte. Haben Sie   Sofa
nichts zu lesen, sagte sie. Er hatte nichts. Da drinne in meiner Schublade, fieng sie an, liegt ⌐ihre Uebersezzung einiger Gesänge Ossians⌐, ich habe sie noch nicht gelesen, denn ich

hoffte immer, sie von Ihnen zu hören, aber zeither sind Sie zu nichts mehr tauglich. Er lächelte, holte die Lieder, ein Schauer überfiel ihn, als er sie in die Hand nahm, und die Augen stunden ihm voll Thränen, als er hinein sah, er sezte sich nieder und las:

⌜Stern der dämmernden Nacht⌝, schön funkelst du in Westen. Hebst dein strahlend Haupt aus deiner Wolke. Wandelst stattlich deinen Hügel hin. Wornach blikst du auf die Haide? Die stürmende Winde haben sich gelegt. Von ferne kommt des Giesbachs Murmeln. Rauschende Wellen spielen am Felsen ferne. Das Gesumme der Abendfliegen schwärmet über's Feld. Wornach siehst du, schönes Licht? Aber du lächelst und gehst, freudig umgeben dich die Wellen und baden dein liebliches Haar. Lebe wohl ruhiger Strahl. Erscheine du herrliches Licht von Ossians Seele. Und es erscheint in seiner Kraft. Ich sehe meine geschiedene Freunde, sie sammeln sich auf Lora, wie in den Tagen, die vorüber sind. – Fingal kommt wie eine feuchte Nebelsäule; um ihn sind seine Helden. Und sieh die Barden des Gesangs! grauer Ullin! statlicher Ryno! Alpin lieblicher Sänger! Und du sanft klagende Minona! – Wie verändert seyd ihr meine Freunde seit den festlichen Tagen auf Selma! da wir buhlten* um die Ehre des Gesangs, wie Frühlingslüfte den Hügel hin wechselnd beugen das schwach lispelnde Gras.

Da trat Minona hervor in ihrer Schönheit, mit niedergeschlagenem Blik und thränenvollem Auge. Ihr Haar floß schwer im unsteten Winde der von dem Hügel hersties. – Düster wards in der Seele der Helden als sie die liebliche Stimme erhub; denn oft hatten sie das Grab Salgars gesehen, oft die finstere Wohnung der weissen Colma. Colma verlassen auf dem Hügel, mit all der harmonischen Stimme. Salgar versprach zu kommen; aber rings um zog sich die Nacht. Höret Colmas Stimme, da sie auf dem Hügel allein saß.

wetteiferten

COLMA.

Es ist Nacht; – ich bin allein, verlohren auf dem stürmischen Hügel. Der Wind saust im Gebürg, der Strohm heult
den Felsen hinab. Keine Hütte schüzt mich vor dem Regen,
5 verlassen auf dem stürmischen Hügel.

Tritt, o Mond, aus deinen Wolken; erscheinet Sterne der
Nacht! Leite mich irgend ein Strahl zu dem Orte wo meine
Liebe ruht von den Beschwerden der Jagd, sein Bogen neben ihm abgespannt, seine Hunde schnobend* um ihn!   schnuppernd
10 Aber hier muß ich sizzen allein auf dem Felsen des ver-   mit Pflanzen
wachsenen* Strohms. Der Strohm und der Sturm saust, ich   zugewachse-
höre nicht die Stimme meines Geliebten.   nen

Warum zaudert mein Salgar? Hat er sein Wort vergessen? –
Da ist der Fels und der Baum und hier der rauschende
15 Strohm. Mit der Nacht versprachst du hier zu seyn. Ach!
wohin hat sich mein Salgar verirrt? Mit dir wollt ich fliehen, verlassen Vater und Bruder! die Stolzen! Lange sind
unsere Geschlechter Feinde, aber wir sind keine Feinde,
o Salgar.

20 Schweig eine Weile o Wind, still eine kleine Weile o Strohm,
daß meine Stimme klinge durch's Thal, daß mein Wandrer
mich höre. Salgar! Ich bin's die ruft. Hier ist der Baum und
der Fels. Salgar, mein Lieber, hier bin ich. Warum zauderst
du zu kommen?

25 Sieh, der Mond erscheint. Die Fluth glänzt im Thale. Die
Felsen stehn grau den Hügel hinauf. Aber ich seh ihn nicht
auf der Höhe. Seine Hunde vor ihm her verkündigen nicht
seine Ankunft. Hier muß ich sizzen allein.

Aber wer sind die dort unten liegen auf der Haide – Mein
30 Geliebter? Mein Bruder? – Redet o meine Freunde! Sie antworten nicht. Wie geängstet ist meine Seele – Ach sie sind
todt! – Ihre Schwerdte roth vom Gefecht. O mein Bruder,
mein Bruder, warum hast du meinen Salgar erschlagen? O
mein Salgar, warum hast du meinen Bruder erschlagen? –
35 Ihr wart mir beyde so lieb! O du warst schön an dem Hügel

unter Tausenden; er war schröklich in der Schlacht. Antwortet mir! Hört meine Stimme, meine Geliebten. Aber ach sie sind stumm. Stumm vor ewig. Kalt wie die Erde ist ihr Busen.

O von dem Felsen des Hügels, von dem Gipfel des stürmenden Berges, redet Geister der Todten! Redet! mir soll es nicht grausen! – Wohin seyd ihr zur Ruhe gegangen? In welcher Gruft des Gebürges soll ich euch finden! – Keine schwache Stimme vernehm ich im Wind, keine wehende Antwort im Sturme des Hügels.

Ich sizze in meinem Jammer, ich harre auf den Morgen in meinen Thränen. Wühlet das Grab, ihr Freunde der Todten, aber schließt es nicht, bis ich komme. Mein Leben schwindet wie ein Traum, wie sollt ich zurük bleiben. Hier will ich wohnen mit meinen Freunden an dem Strohme des klingenden Felsen – Wenns Nacht wird auf dem Hügel, und der Wind kommt über die Haide, soll mein Geist im Winde stehn und trauren den Tod meiner Freunde. Der Jäger hört mich aus seiner Laube, fürchtet meine Stimme und liebt sie, denn süß soll meine Stimme seyn um meine Freunde, sie waren mir beyde so lieb.

Das war dein Gesang, o Minona, Tormans sanfte erröthende Tochter. Unsere Thränen flossen um Colma, und unsere Seele ward düster – Ullin trat auf mit der Harfe und gab uns Alpins Gesang – Alpins Stimme war freundlich, Rynos Seele ein Feuerstrahl. Aber schon ruhten sie im engen Hause, und ihre Stimme war verhallet in Selma – Einst kehrt Ullin von der Jagd zurük, eh noch die Helden fielen, er hörte ihren Wettegesang auf dem Hügel, ihr Lied war sanft, aber traurig, sie klagten Morars Fall, des ersten der Helden. Seine Seele war wie Fingals Seele; sein Schwerdt wie das Schwerdt Oskars – Aber er fiel und sein Vater jammerte und seiner Schwester Augen waren voll Thränen – Minonas Augen waren voll Thränen, der Schwester des herrlichen Morars. Sie trat zurük vor Ullins Gesang, wie

der Mond in Westen, der den Sturmregen voraussieht und
sein schönes Haupt in eine Wolke verbirgt. – Ich schlug die
Harfe mit Ullin zum Gesange des Jammers.

RYNO.

5 Vorbey sind Wind und Regen, der Mittag ist so heiter, die
Wolken theilen sich. Fliehend bescheint den Hügel die un-
beständge Sonne. So röthlich fließt der Strohm des Bergs
im Thale hin. Süß ist dein Murmeln Strohm, doch süsser
die Stimme, die ich höre. Es ist Alpin's Stimme, er bejam-
10 mert den Todten. Sein Haupt ist vor Alter gebeugt, und
roth sein thränendes Auge. Alpin treflicher Sänger, warum
allein auf dem schweigenden Hügel, warum jammerst du
wie ein Windstos im Wald, wie eine Welle am fernen Ge-
stade.

15 ALPIN.

Meine Thränen Ryno, sind für den Todten, meine Stimme
für die Bewohner des Grabs. Schlank bist du auf dem Hügel, schön unter den Söhnen der Haide. Aber du wirst fallen wie Morar, und wird der traurende sizzen auf deinem
20 Grabe. Die Hügel werden dich vergessen, dein Bogen in der
Halle liegen ungespannt.
Du warst schnell o Morar, wie ein Reh auf dem Hügel,
schreklich wie die Nachtfeuer am Himmel, dein Grimm
war ein Sturm. Dein Schwerdt in der Schlacht wie Wetter-
25 leuchten über der Haide. Deine Stimme glich dem Wald-
strohme nach dem Regen, dem Donner auf fernen Hügeln.
Manche fielen von deinem Arm, die Flamme deines
Grimms verzehrte sie. Aber wenn du kehrtest vom Kriege,
wie friedlich war deine Stirne! Dein Angesicht war gleich
30 der Sonne nach dem Gewitter, gleich dem Monde in der
schweigenden Nacht. Ruhig deine Brust wie der See, wenn
sich das Brausen des Windes gelegt hat.
Eng ist nun deine Wohnung, finster deine Stäte. Mit drey

Schritten meß ich dein Grab, o du, der du ehe so gros warst! Vier Steine mit mosigen Häuptern sind dein einzig Gedächtniß. Ein entblätterter Baum, lang Gras, das wispelt im Winde, deutet dem Auge des Jägers das Grab des mächtigen Morars. Keine Mutter hast du, dich zu beweinen, kein Mädgen mit Thränen der Liebe. Todt ist, die dich gebahr. Gefallen die Tochter von Morglan.

Wer auf seinem Stabe ist das? Wer ist's, dessen Haupt weis ist vor Alter, dessen Augen roth sind von Thränen? – Er ist dein Vater, o Morar! Der Vater keines Sohns ausser dir! Er hörte von deinem Rufe in der Schlacht; er hörte von zerstobenen Feinden. Er hörte Morars Ruhm! Ach nichts von seiner Wunde? Weine, Vater Morars! Weine! aber dein Sohn hört dich nicht. Tief ist der Schlaf der Todten, niedrig ihr Küssen von Staub. Nimmer achtet er auf die Stimme, nie erwacht er auf deinen Ruf. O wann wird es Morgen im Grabe? zu bieten dem Schlummerer: Erwache!

Lebe wohl, edelster der Menschen, du Eroberer im Felde! Aber nimmer wird dich das Feld sehn, nimmer der düstere Wald leuchten vom Glanze deines Stahls. Du hinterliesest keinen Sohn, aber der Gesang soll deinen Nahmen erhalten. Künftige Zeiten sollen von dir hören, hören sollen sie von dem gefallenen Morar.

Laut ward die Trauer der Helden, am lautesten Armins berstender Seufzer. Ihn erinnert's an den Todt seines Sohns, der fiel in den Tagen seiner Jugend. Carmor sas nah bey dem Helden, der Fürst des hallenden Galmal. Warum schluchset der Seufzer Armins? sprach er, was ist hier zu weinen? Klingt nicht Lied und Gesang, die Seele zu schmelzen und zu ergözzen. Sind wie sanfter Nebel der steigend vom See auf's Thal sprüht, und die blühenden Blumen füllet das Naß, aber die Sonne kommt wieder in ihrer Kraft und der Nebel ist gangen. Warum bist du so jammervoll, Armin, Herr des seeumflossenen Gorma?

Jammervoll! Wohl das bin ich, und nicht gering die Ursach

meines Wehs. – Carmor, du verlohrst keinen Sohn; verlohrst keine blühende Tochter! Colgar der Tapfere lebt;
und Amira, die schönste der Mädgen. Die Zweige deines
Hauses blühen, o Carmor, aber Armin ist der lezte seines
5 Stamms. Finster ist dein Bett, o Daura! Dumpf ist dein
Schlaf in dem Grabe – Wann erwachst du mit deinen Gesängen, mit deiner melodischen Stimme? Auf! ihr Winde
des Herbst, auf! Stürmt über die finstre Haide! Waldströh-
me braust! Heult Stürme in dem Gipfel der Eichen! Wandle
10 durch gebrochene Wolken o Mond, zeige wechselnd dein
bleiches Gesicht! Erinnere mich der schröklichen Nacht,
da meine Kinder umkamen, Arindal der mächtige fiel,
Daura, die liebe, vergieng.

Daura, meine Tochter, du warst schön! schön wie der
15 Mond auf den Hügeln von Fura, weiß wie der gefallene
Schnee, süß wie die athmende Luft. Arindal, dein Bogen
war stark, dein Speer schnell auf dem Felde, dein Blik wie
Nebel auf der Welle, dein Schild eine Feuerwolke im Sturme. Armar berühmt im Krieg, kam und warb um Dauras
20 Liebe, sie widerstund nicht lange, schön waren die Hoffnungen ihrer Freunde.

Erath, der Sohn Odgals, grollte, denn sein Bruder lag erschlagen von Armar. Er kam in einen Schiffer verkleidet,
schön war sein Nachen auf der Welle, weiß seine Lokken
25 vor Alter, ruhig sein ernstes Gesicht. Schönste der Mädgen,
sagt er, liebliche Tochter von Armin. Dort am Fels nicht
fern in der See, wo die rothe Frucht vom Baume herblinkt,
dort wartet Armar auf Daura. Ich komme, seine Liebe zu
führen über die rollende See.

30 Sie folgt ihm, und rief nach Armar. Nichts antwortete als
die Stimme des Felsens. Armar mein Lieber, mein Lieber,
warum ängstest du mich so? Höre, Sohn Arnats, höre.
Daura ist's, die dich ruft!

Erath, der Verräther, floh lachend zum Lande. Sie erhub
35 ihre Stimme, rief nach ihrem Vater und Bruder. Arindal!
Armin! Ist keiner, seine Daura zu retten?

Ihre Stimme kam über die See. Arindal mein Sohn, stieg vom Hügel herab rauh in der Beute der Jagd. Seine Pfeile rasselten an seiner Seite. Seinen Bogen trug er in der Hand. Fünf schwarzgraue Dokken waren um ihn. Er sah den küh- nen Erath am Ufer, faßt und band ihn an die Eiche. Fest umflocht er seine Hüften, er füllt mit Aechzen die Winde. Arindal betritt die Welle in seinem Boote, Daura herüber zu bringen. Armar kam in seinem Grimm, drükt ab den grau befiederten Pfeil, er klang, er sank in dein Herz, o Arindal, mein Sohn! Statt Erath des Verräthers kamst du um, das Boot erreicht den Felsen, er sank dran nieder und starb. Welch war dein Jammer, o Daura, da zu deinen Füssen floß deines Bruders Blut.

Die Wellen zerschmettern das Boot. Armar stürzt sich in die See, seine Daura zu retten oder zu sterben. Schnell stürmt ein Stos vom Hügel in die Wellen, er sank und hub sich nicht wieder.

Allein auf dem seebespülten Felsen hört ich die Klage mei- ner Tochter. Viel und laut war ihr Schreyen; doch konnt sie ihr Vater nicht retten. Die ganze Nacht stund ich am Ufer, ich sah sie im schwachen Strahle des Monds, die ganze Nacht hört ich ihr Schreyn. Laut war der Wind, und der Regen schlug scharf nach der Seite des Bergs. Ihre Stimme ward schwach, eh der Morgen erschien, sie starb weg wie die Abendluft zwischen dem Grase der Felsen. Beladen mit Jammer starb sie und ließ Armin allein! dahin ist meine Stärke im Krieg, gefallen mein Stolz unter den Mädgen.

Wenn die Stürme des Berges kommen, wenn der Nord die Wellen hoch hebt, siz ich am schallenden Ufer, schaue nach dem schröklichen Felsen. Oft im sinkenden Mond seh ich die Geister meiner Kinder, halb dämmernd, wandeln sie zusammen in trauriger Eintracht.

Ein Strohm von Thränen, der aus Lottens Augen brach und ihrem gepreßten Herzen Luft machte, hemmte Werthers

Gesang, er warf das Papier hin, und faßte ihre Hand und weinte die bittersten Thränen. Lotte ruhte auf der andern und verbarg ihre Augen in's Schnupftuch, die Bewegung beyder war fürchterlich. Sie fühlten ihr eigenes Elend in dem Schiksal der Edlen, fühlten es zusammen, und ihre Thränen vereinigten sie. Die Lippen und Augen Werthers glühten an Lottens Arme, ein Schauer überfiel sie, sie wollte sich entfernen und es lag all der Schmerz, der Antheil betäubend wie Bley auf ihr. Sie athmete sich zu erholen, und bat ihn schluchsend, fortzufahren, bat mit der ganzen Stimme des Himmels, Werther zitterte, sein Herz wollte bersten, er hub das Blatt auf und las halb gebrochen:

Warum wekst du mich Frühlingsluft, du buhlst und sprichst: ich bethaue mit Tropfen des Himmels. Aber die Zeit meines Welkens ist nah, nah der Sturm, der meine Blätter herabstört! Morgen wird der Wandrer kommen, kommen der mich sah in meiner Schönheit, rings wird sein Aug im Felde mich suchen, und wird mich nicht finden. –*
Die ganze Gewalt dieser Worte fiel über den Unglüklichen, er warf sich vor Lotten nieder in der vollen Verzweiflung, faßte ihre Hände, drukte sie in seine Augen, wider seine Stirn, und ihr schien eine Ahndung seines schröklichen Vorhabens durch die Seele zu fliegen. Ihre Sinnen verwirrten sich, sie drukte seine Hände, drukte sie wider ihre Brust, neigte sich mit einer wehmüthigen Bewegung zu ihm, und ihre glühenden Wangen berührten sich. Die Welt vergieng ihnen, er schlang seine Arme um sie her, preßte sie an seine Brust, und dekte ihre zitternde stammelnde Lippen mit wüthenden Küssen. Werther! rief sie mit erstikter Stimme sich abwendend, Werther! und drükte mit schwacher Hand seine Brust von der ihrigen! Werther! rief sie mit dem gefaßten Tone des edelsten Gefühls; er widerstund nicht, lies sie aus seinen Armen, und warf sich unsinnig vor sie hin. Sie riß sich auf, und in ängstlicher Verwirrung, bebend

Dieser Passus stammt aus Ossians *Berrathon*, steht dort also in keinem Zusammenhang mit dem Vorhergehenden.

zwischen Liebe und Zorn sagte sie: Das ist das leztemal! Werther! Sie sehn mich nicht wieder. Und mit dem vollsten Blik der Liebe auf den Elenden eilte sie in's Nebenzimmer, und schloß hinter sich zu. Werther strekte ihr die Arme nach, getraute sich nicht sie zu halten. Er lag an der Erde, den Kopf auf dem Canapee, und in dieser Stellung blieb er über eine halbe Stunde, biß ihn ein Geräusch zu sich selbst rief. Es war das Mädgen, das den Tisch dekken wollte. Er gieng im Zimmer auf und ab, und da er sich wieder allein sah, gieng er zur Thüre des Cabinets*, und rief mit leiser Stimme, Lotte! Lotte! nur noch ein Wort, ein Lebe wohl! – Sie schwieg, er harrte – und bat – und harrte, dann riß er sich weg und rief, Leb wohl, Lotte! auf ewig leb wohl!

Er kam an's Stadtthor. Die Wächter die ihn schon gewohnt waren, ließen ihn stillschweigend hinaus, es stübte* zwischen Regen und Schnee, und erst gegen eilfe klopfte er wieder. Sein Diener bemerkte, als Werther nach Hause kam, daß seinem Herrn der Huth fehlte. Er getraute sich nichts zu sagen, entkleidete ihn, alles war naß. Man hat nachher den Huth auf einem Felsen, der an dem Abhange des Hügels in's Thal sieht gefunden, und es ist unbegreiflich, wie er ihn in einer finstern feuchten Nacht ohne zu stürzen erstiegen hat.

Er legte sich zu Bette und schlief lange. Der Bediente fand ihn schreiben, als er ihm den andern Morgen auf sein Rufen den Caffee brachte. Er schrieb folgendes am Briefe an Lotten:

Zum leztenmale denn, zum leztenmale schlag ich diese Augen auf, sie sollen ach die Sonne nicht mehr sehen, ein trüber neblichter Tag hält sie bedeckt. So traure denn, Natur, dein Sohn, dein Freund, dein Geliebter naht sich seinem Ende. Lotte, das ist ein Gefühl ohne gleichen, und doch kommt's dem dämmernden Traume am nächsten, zu sich zu sagen: das ist der lezte Morgen. Der lezte! Lotte, ich

habe keinen Sinn vor das Wort, der lezte! Steh ich nicht da in meiner ganzen Kraft, und Morgen lieg ich ausgestreckt und schlaff am Boden. Sterben! Was heist das? Sieh wir träumen, wenn wir vom Tode reden. Ich hab manchen ster-
5 ben sehen, aber so eingeschränkt ist die Menschheit, daß sie für ihres Daseyns Anfang und Ende keinen Sinn hat. Jezt noch mein, dein! dein! o Geliebte, und einen Augenblick – getrennt, geschieden – vielleicht auf ewig. – Nein, Lotte, nein – Wie kann ich vergehen, wie kannst du vergehen, wir
10 sind ja! – Vergehen! – Was heißt das? das ist wieder ein Wort! ein leerer Schall ohne Gefühl für mein Herz. – – Todt, Lotte! Eingescharrt der kalten Erde, so eng, so fin-ster! – Ich hatte eine Freundin*, die mein Alles war meiner hülflosen Jugend, sie starb und ich folgte ihrer Leiche, und
15 stand an dem Grabe. Wie sie den Sarg hinunter ließen und die Seile schnurrend unter ihm weg und wieder herauf schnellten, dann die erste Schaufel hinunter schollerte* und die ängstliche Lade* einen dumpfen Ton wiedergab, und dumpfer und immer dumpfer und endlich bedeckt war! –
20 Ich stürzte neben das Grab hin – Ergriffen erschüttert geängstet zerrissen mein innerstes, aber ich wuste nicht wie mir geschah, – wie mir geschehen wird – Sterben! Grab! Ich verstehe die Worte nicht!

O vergieb mir! vergieb mir! Gestern! Es hätte der lezte Au-
25 genblick meines Lebens seyn sollen. O du Engel! zum er-stenmale, zum erstenmale ganz ohne Zweifel durch mein innig innerstes durchglühte mich das Wonnegefühl: Sie liebt mich! Sie liebt mich. Es brennt noch auf meinen Lip-pen das heilige Feuer das von den deinigen ströhmte, neue
30 warme Wonne ist in meinem Herzen. Vergieb mir, vergieb mir.

Ach ich wuste, daß du mich liebtest, wuste es an den ersten seelenvollen Blikken, an dem ersten Händedruk, und doch wenn ich wieder weg war, wenn ich Alberten an deiner
35 Seite sah, verzagt' ich wieder in fieberhaften Zweifeln.

wohl die Freundin aus dem Brief vom 17. Mai 1771

dumpf rollte

Angst erregen-der Sarg

Erinnerst du dich der Blumen die du mir schiktest, als du in jener fatalen* Gesellschaft mir kein Wort sagen, keine Hand reichen konntest, o ich habe die halbe Nacht davor gekniet, und sie versiegelten mir deine Liebe. Aber ach! diese Eindrükke gingen vorüber, wie das Gefühl der Gnade seines Gottes allmählig wieder aus der Seele des Gläubigen weicht, die ihm mit ganzer Himmelsfülle im heiligen sichtbaren Zeichen gereicht ward.

widrigen, peinlichen, verhängnisvollen

Alles das ist vergänglich, keine Ewigkeit soll das glühende Leben auslöschen, das ich gestern auf deinen Lippen genoß, das ich in mir fühle. Sie liebt mich! Dieser Arm hat sie umfast, diese Lippen auf ihren Lippen gezittert, dieser Mund am ihrigen gestammelt. Sie ist mein! du bist mein! ja Lotte auf ewig!

Und was ist das? daß Albert dein Mann ist! Mann? – das wäre denn für diese Welt – und für diese Welt Sünde, daß ich dich liebe, daß ich dich aus seinen Armen in die meinigen reissen möchte? Sünde? Gut! und ich strafe mich davor: Ich hab sie in ihrer ganzen Himmelswonne geschmekt diese Sünde, habe Lebensbalsam und Kraft in mein Herz gesaugt, du bist von dem Augenblikke mein! Mein, o Lotte. Ich gehe voran! Geh zu meinem Vater, zu deinem Vater, dem will ich's klagen und er wird mich trösten biß du kommst, und ich fliege dir entgegen und fasse dich und bleibe bey dir vor dem Angesichte des Unendlichen in ewigen Umarmungen.

ich befinde mich nicht im Wahn

Ich träume nicht, ich wähne nicht*! nah am Grabe ward mir's heller. Wir werden seyn, wir werden uns wieder sehn! Deine Mutter sehn! ich werde sie sehen, werde sie finden, ach und vor ihr all mein Herz ausschütten. Deine Mutter. Dein Ebenbild.

Gegen eilfe fragte Werther seinen Bedienten, ob wohl Albert zurük gekommen sey. Der Bediente sagte: ja er habe dessen Pferd dahin führen sehn. Drauf giebt ihm der Herr ein offenes Zettelgen des Inhalts:

Wollten Sie mir wohl zu einer vorhabenden Reise ihre Pistolen leihen? Leben Sie recht wohl.

Die liebe Frau hatte die lezte Nacht wenig geschlafen, ihr Blut war in einer fieberhaften Empörung, und tausenderley Empfindungen zerrütteten ihr Herz. Wider ihren Willen fühlte sie tief in ihrer Brust das Feuer von Werthers Umarmungen, und zugleich stellten sich ihr die Tage ihrer unbefangenen Unschuld, des sorglosen Zutrauens auf sich selbst in doppelter Schöne dar, es ängstigten sie schon zum voraus die Blikke ihres Manns, und seine halb verdrüßlich halb spöttische Fragen, wenn er Werthers Besuch erfahren würde; sie hatte sich nie verstellt, sie hatte nie gelogen, und nun sah sie sich zum erstenmal in der unvermeidlichen Nothwendigkeit; der Widerwillen, die Verlegenheit die sie dabey empfand, machte die Schuld in ihren Augen grösser, und doch konnte sie den Urheber davon weder hassen, noch sich versprechen, ihn nie wieder zu sehn. Sie weinte bis gegen Morgen, da sie in einen matten Schlaf versank, aus dem sie sich kaum aufgeraft und angekleidet hatte, als ihr Mann zurükkam, dessen Gegenwart ihr zum erstenmal ganz unerträglich war; denn indem sie zitterte, er würde das verweinte überwachte ihrer Augen und ihrer Gestalt entdekken, ward sie noch verwirrter, bewillkommte ihn mit einer heftigen Umarmung, die mehr Bestürzung und Reue, als eine auffahrende Freude ausdrükte, und eben dadurch machte sie die Aufmerksamkeit Albertens rege, der, nachdem er einige Briefe und Pakets erbrochen[*], sie ganz trokken fragte, ob sonst nichts vorgefallen, ob niemand da gewesen wäre? Sie antwortete ihm stokkend, Werther seye gestern eine Stunde gekommen. – Er nimmt[*] seine Zeit gut, versezt er, und ging nach seinem Zimmer. Lotte war ein Viertelstunde allein geblieben. Die Gegenwart des Mannes, den sie liebte und ehrte, hatte einen neuen Eindruk in ihr Herz gemacht. Sie erinnerte sich all seiner Güte, seines

durch das Erbrechen der Siegel geöffnet hatte

hier: wählt

Edelmuths, seiner Liebe, und schalt sich, daß sie es ihm so
übel gelohnt habe. Ein unbekannter Zug reizte sie ihm zu
folgen, sie nahm ihre Arbeit, wie sie mehr* gethan hatte,
ging nach seinem Zimmer und fragte, ob er was bedürfte?
er antwortete: nein! stellte sich an Pult zu schreiben, und sie
sezte sich nieder zu strikken. Eine Stunde waren sie auf
diese Weise neben einander, und als Albert etlichemal in
der Stube auf und ab ging, und Lotte ihn anredete, er aber
wenig oder nichts drauf gab und sich wieder an Pult stellte,
so verfiel sie in eine Wehmuth, die ihr um desto ängstlicher
ward, als sie solche zu verbergen und ihre Thränen zu verschlukken suchte.

Die Erscheinung von Werthers Knaben* versezte sie in die
gröste Verlegenheit, er überreichte Alberten das Zettelgen,
der sich ganz kalt nach seiner Frau wendete, und sagte: gieb
ihm die Pistolen. – Ich laß ihm glükliche Reise wünschen,
sagt er zum Jungen. Das fiel auf sie wie ein Donnerschlag.
Sie schwankte aufzustehn. Sie wußte nicht wie ihr geschah.
Langsam ging sie nach der Wand, zitternd nahm sie sie
herunter, puzte den Staub ab und zauderte, und hätte noch
lang gezögert, wenn nicht Albert durch einen fragenden
Blik: was denn das geben sollte? sie gedrängt hätte. Sie gab
das unglükliche Gewehr dem Knaben, ohne ein Wort vorbringen zu können, und als der zum Hause draus war,
machte sie ihre Arbeit zusammen, ging in ihr Zimmer in
dem Zustand des unaussprechlichsten Leidens. Ihr Herz
weissagte ihr alle Schröknisse. Bald war sie im Begriff sich
zu den Füssen ihres Mannes zu werfen, ihm alles zu entdekken, die Geschichte des gestrigen Abends, ihre Schuld
und ihre Ahndungen. Dann sah sie wieder keinen Ausgang
des Unternehmens, am wenigsten konnte sie hoffen ihren
Mann zu einem Gange nach Werthern zu bereden. Der
Tisch ward gedekt, und eine gute Freundinn, die nur etwas
zu fragen kam und die Lotte nicht wegließ, machte die
Unterhaltung bey Tische erträglich, man zwang sich, man
redete, man erzählte, man vergaß sich.

hier: oftmals

Werthers jun-
gem Diener

Der Knabe kam mit den Pistolen zu Werthern, der sie ihm mit Entzükken abnahm, als er hörte, Lotte habe sie ihm gegeben. Er ließ sich ein Brod und Wein* bringen, hies den Knaben zu Tisch gehn, und sezte sich nieder zu schreiben.

Bestandteile des Abendmahls

5 Sie sind durch deine Hände gegangen, du hast den Staub davon gepuzt, ich küsse sie tausendmal, du hast sie berührt. Und du Geist des Himmels begünstigst meinen Entschluß! Und du Lotte reichst mir das Werkzeug, du, von deren Händen ich den Tod zu empfangen wünschte, und 10 ach nun empfange. O ich habe meinen Jungen ausgefragt, du zittertest, als du sie ihm reichtest, du sagtest kein Lebe wohl; – Weh! Weh! – kein Lebe wohl! – Solltest du dein Herz für mich verschlossen haben, um des Augenbliks willen der mich auf ewig an dich befestigte. Lotte, kein Jahr-15 tausend vermag den Eindruk auszulöschen! Und ich fühl's, du kannst den nicht hassen, der so für dich glüht.

Nach Tische hieß er den Knaben alles vollends einpakken, zerriß viele Papiere, ging aus, und brachte noch kleine Schulden in Ordnung. Er kam wieder nach Hause, ging 20 wieder aus, vor's Thor ohngeachtet des Regens, in den gräflichen Garten, schweifte weiter in der Gegend umher, und kam mit einbrechender Nacht zurük und schrieb.

Wilhelm, ich habe zum leztenmale Feld und Wald und den Himmel gesehn. Leb wohl auch du! Liebe Mutter, verzeiht 25 mir! Tröste sie, Wilhelm. Gott segne euch! Meine Sachen sind all in Ordnung. Lebt wohl! Wir sehen uns wieder und freudiger.

Ich habe dir übel gelohnt, Albert, und du vergiebst mir. Ich habe den Frieden deines Hauses gestört, ich habe Mißtrau-30 en zwischen euch gebracht. Leb wohl, ich will's enden. O daß ihr glüklich wäret durch meinen Tod! Albert! Albert!

mache den Engel glüklich. Und so wohne Gottes Seegen über dir!

Er kramte den Abend noch viel in seinen Papieren, zerriß vieles und warf's in Ofen, versiegelte einige Päkke mit den Addressen an Wilhelmen. Sie enthielten kleine Aufsäzze, abgerissene Gedanken, deren ich verschiedene gesehen habe; und nachdem er um zehn Uhr im Ofen nachlegen, und sich einen Schoppen Wein geben lassen, schikte er den Bedienten, dessen Kammer wie auch die Schlafzimmer der Hausleute weit hinten hinaus waren, zu Bette, der sich denn in seinen Kleidern niederlegte um früh bey der Hand zu seyn, denn sein Herr hatte gesagt, die Postpferde würden vor sechse vor's Haus kommen.

nach eilfe.

Alles ist so still um mich her, und so ruhig meine Seele, ich danke dir Gott, der du diesen lezten Augenblikken diese Wärme, diese Kraft schenkest.

Ich trete an's Fenster, meine Beste, und seh und sehe noch durch die stürmenden vorüberfliehenden Wolken einzelne Sterne des ewigen Himmels! Nein, ihr werdet nicht fallen! Der Ewige trägt euch an seinem Herzen, und mich. Ich sah die Deichselsterne des Wagens, des liebsten unter allen Gestirnen. Wenn ich Nachts von dir ging, wie ich aus deinem Thore trat, stand er gegen über! Mit welcher Trunkenheit hab ich ihn oft angesehen! Oft mit aufgehabenen* Händen ihn zum Zeichen, zum heiligen Merksteine meiner gegenwärtigen Seligkeit gemacht, und noch – O Lotte, was erinnert mich nicht an dich! Umgiebst du mich nicht, und hab ich nicht gleich einem Kinde, ungenügsam allerley Kleinigkeiten zu mir gerissen, die du Heilige berührt hattest! Liebes Schattenbild*! Ich vermache dir's zurück, Lotte, und bitte dich es zu ehren. Tausend, tausend Küsse hab ich drauf gedrükt, tausend Grüße ihm zugewinkt, wenn ich ausgieng, oder nach Hause kam.

erhobenen

der früher mehrfach erwähnte Schattenriss

Ich habe deinen Vater in einem Zettelgen gebeten, meine
Leiche zu schüzzen*. Auf dem Kirchhofe sind zwey Lindenbäume, hinten im Ekke nach dem Felde zu, dort wünsch ich
zu ruhen. Er kann, er wird das für seinen Freund thun. Bitt
ihn auch. Ich will frommen Christen nicht zumuthen, ihren
Körper neben einem armen Unglüklichen niederzulegen.
Ach ich wollte, ihr begrübt mich am Wege, oder im einsamen Thale, daß ⌜Priester und Levite vor dem bezeichnenden Steine sich segnend vorüberging, und der Samariter⌝
eine Thräne weinte.

Hier Lotte! Ich schaudere nicht den kalten schröklichen
⌜Kelch zu fassen⌝, aus dem ich den Taumel des Todes trinken
soll! Du reichtest mir ihn, und ich zage nicht. All! All! so
sind all die Wünsche und Hoffnungen meines Lebens erfüllt! So kalt, so starr an der ehernen Pforte des Todes an-
zuklopfen.

Daß ich des Glüks hätte theilhaftig werden können! Für
dich zu sterben, Lotte, für dich mich hinzugeben. Ich wollte
muthig, ich wollte freudig sterben, wenn ich dir die Ruhe,
die Wonne deines Lebens wieder schaffen könnte; aber ach
das ward nur wenig Edlen gegeben, ihr Blut für die Ihrigen
zu vergiessen, und durch ihren Tod ein neues hundertfäl-
tiges Leben ihren Freunden anzufachen.

In diesen Kleidern, Lotte, will ich begraben seyn. Du hast
sie berührt, geheiligt. Ich habe auch darum deinen Vater
gebeten. Meine Seele schwebt über dem Sarge. Man soll
meine Taschen nicht aussuchen. Diese blaßrothe Schleife,
die du am Busen hattest, als ich dich zum erstenmale unter
deinen Kindern fand. O küsse sie tausendmal und erzähl
ihnen das Schiksal ihres unglüklichen Freunds. Die Lieben,
sie wimmeln um mich. Ach wie ich mich an dich schloß!
Seit dem ersten Augenblikke dich nicht lassen konnte! Diese Schleife soll mit mir begraben werden. An meinem Ge-
burtstage schenktest du mir sie! Wie ich das all verschlang –
Ach ich dachte nicht, daß mich der Weg hierher führen
sollte! – – Sey ruhig! ich bitte dich, sey ruhig! –

Die »Sünde«
des Freitods
verhinderte ein
christliches Be-
gräbnis. Der
Leichnam wur-
de häufig nicht
auf dem Fried-
hof der Ge-
meinde bestat-
tet.

Sie sind geladen – es schlägt zwölfe! – So sey's denn – Lotte!
Lotte leb wohl! Leb wohl!

Blitz Ein Nachbar sah den Blik* vom Pulver und hörte den
Schuß fallen, da aber alles still blieb achtete er nicht weiter
drauf.   5

Morgens um sechse tritt der Bediente herein mit dem Lich-
te, er findet seinen Herrn an der Erde, die Pistole und Blut.
Er ruft, er faßt ihn an, keine Antwort, er röchelt nur noch.
Er lauft nach den Aerzten, nach Alberten. Lotte hörte die
Schelle ziehen, ein Zittern ergreift all ihre Glieder, sie wekt 10
ihren Mann, sie stehen auf, der Bediente bringt heulend
und stotternd die Nachricht, Lotte sinkt ohnmächtig vor
Alberten nieder.

Als der Medikus zu dem Unglüklichen kam, fand er ihn an
der Erde ohne Rettung, der Puls schlug, die Glieder waren 15
alle gelähmt, über dem rechten Auge hatte er sich durch
den Kopf geschossen, das Gehirn war herausgetrieben.

der sog. Ader-
lass, bei dem
aus einer
(Arm-)Vene
Blut entnom-
men wurde,
um so den
Blutdruck zu
senken Man ließ ihm zum Ueberflusse eine Ader am Arme*, das
Blut lief, er holte noch immer Athem.

Aus dem Blut auf der Lehne des Sessels konnte man schlies- 20
sen, er habe sizzend vor dem Schreibtische die That vollbracht. Dann ist er herunter gesunken, hat sich konvulsi-
in Zuckungen visch* um den Stuhl herum gewälzt, er lag gegen das Fenster entkräftet auf dem Rükken, war in völliger Kleidung
gestiefelt, im blauen Frak mit gelber Weste.   25

Das Haus, die Nachbarschaft, die Stadt kam in Aufruhr.
Albert trat herein. Werthern hatte man auf's Bett gelegt, die
Stirne verbunden, sein Gesicht schon wie eines Todten, er
rührte kein Glied, die Lunge röchelte noch fürchterlich
bald schwach bald stärker, man erwartete sein Ende.   30

Lessings 1772
erschienenes
Drama, in dem
die Heldin am
Ende ihren Va-
ter darum bit-
tet, dass er sie
töten möge Von dem Weine hatte er nur ein Glas getrunken. Emilia
Galotti* lag auf dem Pulte aufgeschlagen.

Von Alberts Bestürzung, von Lottens Jammer laßt mich
nichts sagen.

Der alte Amtmann kam auf die Nachricht hereingesprengt, er küßte den Sterbenden unter den heissesten Thränen. Seine ältsten Söhne kamen bald nach ihm zu Fusse, sie fielen neben dem Bette nieder im Ausdruk des unbändigsten Schmerzens, küßten ihm die Hände und den Mund, und der ältste, den er immer am meisten geliebt, hing an seinen Lippen, bis er verschieden war und man den Knaben mit Gewalt wegriß. Um zwölfe Mittags starb er. Die Gegenwart des Amtmanns und seine Anstalten tischten* einen Auflauf. ⌜Nachts gegen eilfe⌝ ließ er ihn an die Stätte begraben, die er sich erwählt hatte, der Alte folgte der Leiche und die Söhne. Albert vermochts nicht. Man fürchtete für Lottens Leben. Handwerker trugen ihn. Kein Geistlicher hat ihn begleitet.

*beschwichtigten

Anhang

Die Fassungen des *Werther*

Die erste Fassung des *Werther* erschien anonym 1774 zur Michaelismesse bei der Weygandschen Buchhandlung in Leipzig. Im selben Jahr folgten noch bei demselben Verlag zwei weitere, um einige Druckfehler berichtigte Nachdrucke. Eine »zweyte ächte Auflage« wurde, ebenfalls bei Weygand, im Jahr 1775 publiziert. In dieser Ausgabe wurde in den Brief vom 13. Juli 1771 ein kleiner Absatz eingefügt. Insbesondere aber war nun den beiden Teilen je ein Vierzeiler als Motto vorangestellt:

Jeder Jüngling sehnt sich so zu lieben,
Jedes Mädchen so geliebt zu sein;
Ach, der heiligste von unsern Trieben,
Warum quillt aus ihm die grimme Pein?

Du beweinst, du liebst ihn, liebe Seele,
Rettest sein Gedächtnis von der Schmach;
Sieh, dir winkt sein Geist aus seiner Höhle:
Sei ein Mann, und folge mir nicht nach.

Weil der *Werther* ein großes verlegerisches Geschäft versprach, folgten viele Raubdrucke. Einer von ihnen bedarf der besonderen Erwähnung: Der Berliner Buchhändler Christian Friedrich Himburg gab 1775 *J. W. Goethens Schriften* heraus. Der erste Teil enthielt den *Werther*, leicht verändert und dem Berliner Sprachgebrauch etwas angeglichen. Die folgenden Ausgaben von 1777 und 1779 vermehrten noch die Anzahl der Druckfehler, und als Goethe 1782 sich an die Umarbeitung seines *Werther* machen wollte, aber in Weimar kein Exemplar zur Verfügung hatte, behalf er sich mit der Ausgabe seiner engen Freundin Charlotte von Stein (1742–1827). Es handelte sich dabei um die dritte Auflage des Himburgschen *Werther*. Der zweiten Fassung des *Werther*, die 1787 als erster Band von *Goethes's Schriften* bei Göschen in Leipzig erschien, liegt also nicht der Erstdruck, sondern ein Raubdruck als Textvorlage zu Grunde. Goethe ließ das Exemplar, mit dem ihm Frau von Stein ausgeholfen hatte, abschreiben, um dann in das Manuskript Korrekturen und Ergänzungen einzubringen.

In einigen Briefen Goethes aus der Zeit zwischen 1782 und 1786 finden sich verstreute Hinweise auf die Bearbeitung des *Werther*. In einem Schreiben an Ludwig von Knebel (1744–1834) vom 21. November 1782 heißt es etwa:

Meinen *Werther* hab ich durchgegangen und lasse ihn wieder in's Manuskript schreiben; er kehrt in seiner Mutter Leib zurück; Du sollst ihn nach seiner Wiedergeburt sehen. Da ich sehr gesammelt bin, so fühle ich mich zu so einer delikaten und gefährlichen Arbeit geschickt.

An Johann Christian Kestner schrieb Goethe am 2. Mai 1783:

Ich habe in ruhigen Stunden meinen *Werther* wieder vorgenommen und denke, ohne die Hand an das zu legen, was so viel Sensation gemacht hat, ihn noch einige Stufen höher zu schrauben. Dabei war unter andern meine Intention, Alberten so zu stellen, daß ihn wohl der leidenschaftliche Jüngling, aber doch der Leser nicht verkennt. Dies wird den gewünschten und besten Effekt tun. Ich hoffe, Ihr werdet zufrieden sein.

Eine Tendenz der Bearbeitung lässt sich festhalten: Goethe kam es vornehmlich darauf an, die Apostrophierungen und Verkürzungen der Erstfassung (Elisionsstil) rückgängig zu machen, auf üblichere Schreibweisen zurückzugreifen, schon damals »veraltete« Worte dem herrschenden Sprachgebrauch anzugleichen, die für den Sturm und Drang typischen Inversionen aufzuheben und die Kraftausdrücke und Modewörter zu eliminieren.

Weitere Änderungen betreffen die Umstellung von Briefen. Die Briefe vom 8. und 17. Dezember, die in der Erstfassung von 1774 unmittelbar dem Herausgeberbericht vorausgehen, erscheinen nun unter dem Datum 12. und 14. Dezember 1772 und sind dem Herausgeberbericht nachgestellt.

Eingefügt wurden folgende Briefe:

30. Mai 1771

26. Juli 1771

8. August 1771 (Abends.)

Eine weitere Hinzufügung erfuhr der Brief vom 20. Januar 1772. Außerdem wurden noch folgende Briefe nach dem Herausgeberbericht in der zweiten Fassung hinzugefügt:

8. Februar 1772

16. Juni 1772

4. September 1772

5. September 1772

12. September 1772

27. Oktober 1772 (Abends.)

22. November 1772

26. November 1772

Die hinzugefügten bzw. erweiterten Briefe werden im Folgenden wiedergegeben:

am 30. May.

Was ich dir neulich von der Mahlerei sagte, gilt gewiß auch von der Dichtkunst; es ist nur daß man das vortreffliche erkenne und es auszusprechen wage, und das ist freylich mit wenigem viel gesagt. Ich habe heut eine Scene gehabt, die, rein abgeschrieben die schönste Idylle von der Welt gäbe; doch was soll Dichtung, Scene und Idylle? muß es denn immer geboßelt* seyn, wenn wir Theil an einer Naturerscheinung nehmen sollen?

künstlich gemacht

Wenn du auf diesen Eingang viel Hohes und Vornehmes erwartest, so bist du wieder übel betrogen; es ist nichts als ein Bauerbursch, der mich zu dieser lebhaften Theilnehmung hingerissen hat – ich werde, wie gewöhnlich, schlecht erzählen, und du wirst mich, wie gewöhnlich, denk ich, übertrieben finden; es ist wieder Wahlheim, und immer Wahlheim das diese Seltenheiten hervorbringt.

Es war eine Gesellschaft draussen unter den Linden Caffee zu trinken. Weil sie mir nicht ganz anstand, so blieb ich unter einem Vorwande zurück.

Ein Bauerbursch kam aus einem benachbarten Hause und beschäftigte sich an dem Pfluge, den ich neulich gezeichnet hatte, etwas zurecht zu machen. Da mir sein Wesen gefiel, redete ich ihn an, fragte nach seinen Umständen, wir waren bald bekannt, und wie mir's gewöhnlich mit dieser Art Leuten geht, bald vertraut. Er erzählte mir, daß er bey einer Wittwe in Diensten sey und von ihr gar wohl gehalten werde. Er sprach so vieles von ihr und lobte sie dergestalt, daß ich bald merken konnte, er sey ihr mit Leib und Seele zugethan. Sie sey nicht mehr jung, sagte er, sie sey von ihrem ersten Mann übel gehalten worden, wolle nicht mehr heirathen und aus seiner Erzählung leuchtete so merklich hervor, wie schön, wie reizend sie für ihn sey, wie sehr er wünsche, daß sie ihn wählen möchte, um das Andenken der Fehler ihres ersten Mannes auszulöschen, daß ich Wort für Wort wiederhohlen müßte, um dir die reine Neigung, die Liebe und Treue dieses Menschen anschaulich zu machen. Ja ich müßte die Gabe des größten Dichters besitzen, um dir zugleich den Ausdruck seiner Geberden, die Harmonie seiner Stimme, das heimliche Feuer seiner Blicke lebendig darstellen zu können. Nein, es sprechen keine Worte die Zartheit aus, die in seinem ganzen Wesen und Ausdruck war; es ist alles nur plump, was ich wieder vorbringen könnte. Besonders rührte mich, wie er fürchtete, ich möchte über sein Verhältniß zu ihr ungleich* denken und an ihrer guten Aufführung zweifeln. Wie reizend es war, wenn er von ihrer Gestalt, von ihrem Körper sprach, der ihn ohne jugendliche Reize gewaltsam an sich zog und fesselte, kann ich mir nur in meiner innersten Seele wiederhohlen. Ich hab in meinem Leben die dringende Begierde und das heiße sehnliche Verlangen nicht in dieser Reinheit gesehen, ja wohl kann ich sagen, in dieser Reinheit nicht gedacht und geträumt. Schelte mich nicht, wenn ich dir sage, daß bey

etwas Unehrbares

der Erinnerung dieser Unschuld und Wahrheit mir die innerste Seele glüht und daß mich das Bild dieser Treue und Zärtlichkeit überall verfolgt, und daß ich, wie selbst davon entzündet, lechze und schmachte.

Ich will nun suchen, auch sie ehstens zu sehn, oder vielmehr, wenn ichs recht bedenke, ich wills vermeiden. Es ist besser, ich sehe sie durch die Augen ihres Liebhabers; vielleicht erscheint sie mir vor meinen eignen Augen nicht so, wie sie jetzt vor mir steht, und warum soll ich mir das schöne Bild verderben?

In den Brief vom 13. Juli 1771 sind zwischen die beiden Abschnitte folgende Zeilen eingefügt:

Mich liebt! – Und wie werth ich mir selbst werde, wie ich – dir darf ich's wohl sagen, du hast Sinn für so etwas – wie ich mich selbst anbethe, seitdem sie mich liebt!

                                                    am 26. Julius.
Ja, liebe Lotte, ich will alles besorgen und bestellen; geben Sie nur mehr Aufträge, nur recht oft. Um eins bitte ich Sie: Keinen Sand* mehr auf die Zettelchen die Sie mir schreiben. Heute führte ich es schnell nach der Lippe und die Zähne knisterten mir.

*Streusand zum Löschen der Tinte

Der Brief vom 8. August 1771 erhält unten stehende Ergänzung:

                                                    Abends.
Mein Tagebuch, das ich seit einiger Zeit vernachlässiget, fiel mir heut wieder in die Hände, und ich bin erstaunt wie ich so wissentlich in das alles Schritt vor Schritt hinein gegangen bin! Wie ich über meinen Zustand immer so klar gesehen und doch gehandelt habe wie ein Kind, jetzt noch so klar sehe, und es noch keinen Anschein zur Besserung hat.

Im Brief vom 20. Januar 1772 folgt auf die Stelle »und schaudere zurük«:

Des Abends nehme ich mir vor, den Sonnenaufgang zu genießen und komme nicht aus dem Bette; am Tage hoffe ich mich des Mondscheins zu erfreuen und bleibe in meiner Stube. Ich weiß nicht recht, warum ich aufstehe, warum ich schlafen gehe.

Der Sauerteig*, der mein Leben in Bewegung setzte, fehlt; der Reiz, der mich in tiefen Nächten munter erhielt, ist hin, der mich des Morgens aus dem Schlafe weckte, ist weg.

Gärender alter Brotteig, der als Treib- und Lockerungsmittel neuem Teig zugesetzt wird

Folgende Briefe wurden hinzugefügt:

den 8. Febr

Wir haben seit acht Tagen das abscheulichste Wetter und mir ist es wohlthätig. Denn solang ich hier bin ist mir noch kein schöner Tag am Himmel erschienen, den mir nicht jemand verdorben oder verleidet hätte. Wenn's nun recht regnet und stöbert und fröstelt und thaut; ha! denk ich, kanns doch zu Hause nicht schlimmer werden als es draussen ist, oder umgekehrt, und so ist's gut. Geht die Sonne des Morgens auf und verspricht einen feinen Tag; erwehr ich mir niemals auszurufen: da haben sie doch wieder ein himmlisches Gut worum sie einander bringen können. Es ist nichts worum sie einander nicht bringen. Gesundheit, guter Nahme, Freudigkeit, Erholung! Und meist aus Albernheit, Unbegriff* und Enge und wenn man sie anhört mit der besten Meinung. Manchmal möcht' ich sie auf den Knieen bitten, nicht so rasend in ihre eigne Eingeweide zu wüthen.

Unverstand

am 16. Junius.

Ja wohl bin ich nur ein Wandrer, ein Waller* auf der Erde! Seyd ihr denn mehr?

Pilger

Ja, es ist so. Wie die Natur sich zum Herbste neigt, wird
es Herbst in mir und um mich her. Mein Blätter werden
gelb und schon sind die Blätter der benachbarten Bäume
abgefallen. Hab ich dir nicht einmal von einem Bauer-
burschen geschrieben gleich da ich herkam? [s. Brief
vom 30.5.71] Jetzt erkundigte ich mich wieder nach ihm
in Wahlheim; es hieß, er sey aus dem Dienste gejagt worden, und niemand wollte was weiter von ihm wissen.
Gestern traf ich ihn von ohngefähr* auf dem Wege nach   zufällig
einem andern Dorfe, ich redete ihn an und er erzählte
mir seine Geschichte, die mich doppelt und dreyfach gerührt hat wie du leicht begreifen wirst, wenn ich dir sie
wieder erzähle. Doch wozu das alles, warum behalt' ich
nicht für mich, was mich ängstigt und kränkt? warum
betrüb' ich noch dich? warum geb' ich dir immer Gelegenheit, mich zu bedauren und mich zu schelten. Seys
denn, auch das mag zu meinem Schicksal gehören!
Mit einer stillen Traurigkeit, in der ich ein wenig scheues
Wesen zu bemerken schien, antwortete der Mensch mir
erst auf meine Fragen; aber gar bald offner als wenn er
sich und mich auf einmal wieder erkennte, gestand er
mir seine Fehler, klagte er mir sein Unglück. Könnt' ich
dir, mein Freund, jedes seiner Worte vor Gericht stellen!
Er bekannte, ja er erzählte mit einer Art von Genuß und
Glück der Wiedererinnerung, daß die Leidenschaft zu
seiner Hausfrau* sich in ihm tagtäglich vermehrt, daß er   Hausherrin
zuletzt nicht gewußt habe was er thue, nicht, wie er sich
ausdruckte, wo er mit dem Kopfe hin gesollt? Er habe
weder essen noch trinken, noch schlafen können, es
habe ihm an der Kehle gestockt, er habe gethan, was er
nicht thun sollen, was ihm aufgetragen worden hab' er
vergessen, er sey als wie von einem bösen Geist verfolgt
gewesen, bis er eins Tags, als er sie in einer obern Kammer gewußt, ihr nachgegangen, ja vielmehr ihr nachge-

zogen worden sey; da sie seinen Bitten kein Gehör gegeben, hab' er sich ihrer mit Gewalt bemächtigen wollen, er wisse nicht wie ihm geschehen sey, und nehme
Gott zum Zeugen, daß seine Absichten gegen sie immer
redlich gewesen, und daß er nichts sehnlicher gewünscht, als daß sie ihn heirathen, daß sie mit ihm ihr
Leben zubringen möchte. Da er eine Zeitlang geredet
hatte, fing er an zu stocken, wie einer, der noch etwas zu
sagen hat, und sich es nicht herauszusagen getraut; endlich gestand er mir auch mit Schüchternheit, was sie ihm
für kleine Vertraulichkeiten erlaubt, und welche Nähe
sie ihm vergönnet. Er brach zwey- dreymal ab und wie-
derhohlte die lebhaftesten Protestationen*, daß er das

Beteuerungen

nicht sage, um sie schlecht zu machen, wie er sich aus-
drückte, daß er sie liebe und schätze wie vorher, daß so
etwas nicht über seinen Mund gekommen sey, und daß
er es mir nur sage um mich zu überzeugen, daß er kein
ganz verkehrter und unsinniger Mensch sey – Und hier,
mein Bester fang' ich mein altes Lied wieder an, das ich
ewig anstimmen werde: könnt' ich dir den Menschen
vorstellen, wie er vor mir stand, wie er noch vor mir
steht! Könnt' ich dir alles recht sagen, damit du fühltest
wie ich an seinem Schicksale Theil nehme, Theil nehmen
muß! Doch genug, da du auch mein Schicksal kennst,
auch mich kennst, so weißt du nur zu wohl, was mich zu
allen Unglücklichen, was mich besonders zu diesem Unglücklichen hinzieht. Da ich das Blatt wieder durchlese
seh' ich, daß ich das Ende der Geschichte zu erzählen
vergessen habe, das sich aber leicht hinzu denken läßt.
Sie erwehrte sich sein; ihr Bruder kam dazu, der ihn
schon lange gehaßt, der ihn schon lange aus dem Hause
gewünscht hatte, weil er fürchtet, durch eine neue Hei-
rath der Schwester werde seinen Kindern die Erbschaft
entgehn, die ihnen jetzt, da sie kinderlos ist, schöne
Hoffnungen gibt; dieser habe ihn gleich zum Hause hin-

aus gestoßen und einen solchen Lärm von der Sache gemacht, daß die Frau, auch selbst wenn sie gewollt, ihn nicht wieder hätte aufnehmen können. Jetzt habe sie wieder einen andern Knecht genommen, auch über den, sage man, sei sie mit dem Bruder zerfallen und man behaupte für gewiß, sie werde ihn heirathen, aber er sey fest entschlossen das nicht zu erleben.

Was ich dir erzähle, ist nicht übertrieben, nichts verzärtelt, ja ich darf wohl sagen, schwach schwach hab' ich's erzählt und vergröbert hab ichs, indem ichs mit unsern hergebrachten sittlichen* Worten vorgetragen habe. Diese Liebe, diese Treue, diese Leidenschaft, ist also keine dichterische Erfindung. Sie lebt, sie ist in ihrer größten Reinheit unter der Classe von Menschen, die wir ungebildet, die wir roh nennen. Wir gebildeten – zu nichts verbildeten, lies die Geschichte mit Andacht, ich bitte dich. Ich bin heute still, indem ich das hinschreibe; du siehst an meiner Hand, daß ich nicht so strudele und sudele wie sonst. Lies mein Geliebter und denke dabey, daß es auch die Geschichte deines Freundes ist. Ja, so ist mirs gegangen, so wird mirs gehn, und ich bin nicht halb so brav, nicht halb so entschlossen, als der arme Unglückliche, mit dem ich mich zu vergleichen mich fast nicht getraue.

hier: gewöhnlichen

am 5. Sept.

Sie hatte ein Zettelchen an ihren Mann auf's Land geschrieben, wo er sich Geschäfte wegen aufhielt. Es fing an: Bester, Liebster, komme so bald du kannst, ich erwarte dich mit tausend Freuden. – Ein Freund, der herein kam, brachte Nachricht, daß er wegen gewisser Umstände so bald noch nicht zurückkehren würde. Das Billett* blieb liegen, und fiel mir Abends in die Hände. Ich las es und lächelte; sie fragte worüber? – Was die Einbildungskraft für ein göttliches Geschenk ist, rief ich

Briefchen

aus, ich konnte mir einen Augenblick vorspiegeln, als wäre es an mich geschrieben. Sie brach ab, es schien ihr zu mißfallen, und ich schwieg.

am 12. Sept.

Sie war einige Tage verreist, Alberten abzuholen. Heute trat ich in ihre Stube, sie kam mir entgegen und ich küßte ihre Hand mit tausend Freuden.

Ein Kanarienvogel flog von dem Spiegel ihr auf die Schulter. Einen neuen Freund, sagte sie und lockte ihn auf ihre Hand, er ist meinen Kleinen zugedacht. Er thut gar zu lieb! Sehen Sie ihn! Wenn ich ihm Brod gebe flattert er mit den Flügeln und pickt so artig. Er küßt mich auch, sehen Sie!

Als sie dem Thierchen den Mund hinhielt, druckte es sich so lieblich in die süßen Lippen als wenn es die Seligkeit hätte fühlen können die es genoß.

Er soll Sie auch küssen, sagte sie, und reichte den Vogel herüber. Das Schnäbelchen machte den Weg von ihrem Munde zu dem meinigen, und die pickende Berührung war wie ein Hauch, eine Ahndung liebevollen Genusses.

Sein Kuß sagte ich, ist nicht ganz ohne Begierde, er sucht Nahrung und kehrt unbefriedigt von der leeren Liebkosung zurück.

Er ißt mir auch aus dem Munde, sagte sie. Sie reichte ihm einige Brosamen mit ihren Lippen, aus denen die Freuden unschuldig theilnehmender Liebe in aller Wonne lächelten.

Ich kehrte das Gesicht weg. Sie sollte es nicht thun! sollte nicht meine Einbildungskraft mit diesen Bildern himmlischer Unschuld und Seligkeit reizen und mein Herz aus dem Schlafe, in den es manchmal die Gleichgültigkeit des Lebens wiegt, nicht wecken! – Und warum nicht? – Sie traut mir so! sie weiß wie ich sie liebe!

am 27. Oct. Ab.

Ich habe so viel und die Empfindung an ihr verschlingt alles, ich habe so viel und ohne sie wird mir alles zu nichts.

am 22. Nov.

Ich kann nicht bethen: Laß mir sie! und doch kommt sie mir oft als die Meine vor; Ich kann nicht bethen: Gib mir sie! denn sie ist eines andern. Ich witzle* mich mit meinen Schmerzen herum; wenn ich mirs nachließe* es gäbe eine ganze Litaney von Antithesen.

vernünftle
gestattete

am 26. Nov.

Manchmal sag' ich mir: Dein Schicksal ist einzig; preise die übrigen glücklich – so ist noch keiner gequält worden; dann lese ich einen Dichter der Vorzeit, und es ist mir als säh' ich in mein eignes Herz. Ich habe so viel auszustehen! Ach sind denn Menschen vor mir schon so elend gewesen?

Die wesentlichste Veränderung dürfte die Erweiterung des Herausgeberberichtes in der hier wiedergegebenen Neufassung sein:

Der Herausgeber an den Leser.

Wie sehr wünscht' ich daß uns von den letzten merkwürdigen Tagen unsers Freundes so viel eigenhändige Zeugnisse übrig geblieben wären, daß ich nicht nöthig hätte, die Folge seiner hinterlaßnen Briefe durch Erzählung zu unterbrechen.

Ich habe mir angelegen seyn lassen, genaue Nachrichten aus dem Munde derer zu sammlen, die von seiner Geschichte wohl unterrichtet seyn konnten; sie ist einfach und es kommen alle Erzählungen davon bis auf wenige Kleinigkeiten miteinander überein; nur über die Sinnesarten der handlenden Personen sind die Meinungen verschieden und die Urtheile getheilt.

Was bleibt uns übrig, als dasjenige was wir mit wieder-
hohlter Mühe erfahren können, gewissenhaft zu erzählen; die von dem Abscheidenden hinterlaßnen Briefe ein-
zuschalten und das kleinste aufgefundene Blättchen
nicht gering zu achten; zumal da es so schwer ist, die
eigensten wahren Triebfedern auch nur einer einzelnen
Handlung zu entdecken, wenn sie unter Menschen vor-
geht, die nicht gemeiner* Art sind.

gewöhnlicher

Unmuth und Unlust hatten in Werthers Seele immer tiefer Wurzel geschlagen, sich fester unter einander verschlungen und sein ganzes Wesen nach und nach eingenommen. Die Harmonie seines Geistes war völlig zerstört, eine innerliche Hitze und Heftigkeit, die alle Kräfte seiner Natur durcheinander arbeitete, brachte die
widrigsten Wirkungen hervor und ließ ihm zuletzt nur
eine Ermattung übrig, aus der er noch ängstlicher empor
strebte als er mit allen Übeln bisher gekämpft hatte. Die
Beängstigung seines Herzens zehrte die übrigen Kräfte
seines Geistes, seine Lebhaftigkeit, seinen Scharfsinn
auf, er ward ein trauriger Gesellschafter, immer unglücklicher und immer ungerechter, je unglücklicher er
ward. Wenigstens sagen dieß Alberts Freunde; sie behaupten, daß Werther einen reinen, ruhigen Mann der
nun eines langgewünschten Glückes theilhaftig geworden und sein Betragen sich dieses Glück auch auf die
Zukunft zu erhalten, nicht habe beurtheilen können, er,
der gleichsam mit jedem Tage sein ganzes Vermögen verzehrte, um an dem Abend zu leiden und zu darben. Albert, sagen sie, hatte sich in so kurzer Zeit nicht verändert, er war noch immer derselbige, den Werther so vom
Anfang her kannte, so sehr schätzte und ehrte. Er liebte
Lotten über alles, er war stolz auf sie und wünschte sie
auch von jedermann als das herrlichste Geschöpf aner-
kannt zu wissen. War es ihm daher zu verdenken, wenn
er auch jeden Schein des Verdachtes abzuwenden

wünschte, wenn er in dem Augenblicke mit niemand diesen köstlichen Besitz auch auf die unschuldigste Weise zu theilen, Lust hatte? Sie gestehen ein, daß Albert oft das Zimmer seiner Frau verlassen, wenn Werther bey ihr war, aber nicht aus Haß noch Abneigung gegen seinen Freund, sondern nur weil er gefühlt habe, daß dieser von seiner Gegenwart gedruckt sey.

Lottens Vater war von einem Übel befallen worden, das ihn in der Stube hielt, er schickte ihr seinen Wagen, und sie fuhr hinaus. Es war ein schöner Wintertag, der erste Schnee war stark gefallen und deckte die ganze Gegend.

Werther ging ihr den andern Morgen nach, um wenn Albert sie nicht abzuhohlen käme, sie herein zu begleiten.

Das klare Wetter konnte wenig auf sein trübes Gemüth wirken, ein dumpfer Druck lag auf seiner Seele, die traurigen Bilder hatten sich bey ihm festgesetzt und sein Gemüth kannte keine Bewegung als von einem schmerzlichen Gedanken zum andern.

Wie er mit sich in ewigem Unfrieden lebte, schien ihm auch der Zustand andrer nur bedenklicher und verworrener, er glaubte das schöne Verhältniß zwischen Albert und seiner Gattinn gestört zu haben, er machte sich Vorwürfe darüber, in die sich ein heimlicher Unwille gegen den Gatten mischte.

Seine Gedanken fielen auch unterwegs auf diesen Gegenstand. Ja, ja, sagte er zu sich selbst, mit heimlichem Zähnknirschen: das ist der vertraute, freundliche, zärtliche an allem theilnehmende Umgang, die ruhige daurende Treue! Sattigkeit ists und Gleichgültigkeit! Zieht ihn nicht jedes elende Geschäft mehr an als die theure, köstliche Frau? Weiß er sein Glück zu schätzen? Weiß er sie zu achten wie sie es verdient? Er hat sie, nun gut er hat sie – Ich weiß das, wie ich was anders auch weiß, ich glaube an den Gedanken gewöhnt zu seyn, er wird mich noch rasend machen, er wird mich noch umbringen – Und hat denn die Freundschaft zu mir Stich gehalten? Sieht er nicht in meiner Anhänglichkeit an Lotten schon einen Eingriff in seine Rechte, in meiner Aufmerksamkeit für sie einen stillen Vorwurf? Ich weiß es wohl, ich fühl' es, er sieht mich ungern, er wünscht meine Entfernung, meine Gegenwart ist ihm beschwerlich.

Oft hielt er seinen raschen Schritt an, oft stand er stille, und schien umkehren zu wollen; allein er richtete seinen Gang immer wieder vorwärts und war mit diesen Gedanken und Selbstgesprächen endlich gleichsam wider Willen bey dem Jagdhause angekommen.

Er trat in die Thür, fragte nach dem Alten und nach Lotten, er fand das Haus in einiger Bewegung. Der älteste Knabe sagte ihm, es sey drüben in Wahlheim ein Unglück geschehn, es sey ein Bauer erschlagen worden! – Es machte das weiter keinen Eindruck auf ihn. – Er trat in die Stube und fand Lotten beschäftigt, dem Alten zuzureden, der ohngeachtet seiner Krankheit hinüber wollte, um an Ort und Stelle die That zu untersuchen. Der Thäter war noch unbekannt, man hatte den Erschlagenen des Morgens vor der Hausthür gefunden, man hatte Muthmaßungen: der Entleibte war Knecht einer Wittwe, die vorher einen andern im Dienste gehabt, der mit Unfrieden aus dem Hause gekommen war. Da Werther dieses hörte, fuhr er mit Heftigkeit auf. Ists möglich! rief er aus, ich muß hinüber, ich kann nicht einen Augenblick ruhn. Er eilte nach Wahlheim zu, jede Erinnerung ward ihm lebendig und er zweifelte nicht einen Augenblick, daß jener Mensch die That begangen, den er so manchmal gesprochen, der ihm so werth geworden war.

Da er durch die Linden mußte, um nach der Schenke zu kommen, wo sie den Körper hingelegt hatten, entsetzt' er sich vor dem sonst so geliebten Platze. Jene Schwelle worauf die Nachbarskinder so oft gespielt hatten, war mit Blut besudelt. Liebe und Treue, die schönsten menschlichen Empfindungen hatten sich in Gewalt und Mord verwandelt. Die starken Bäume standen ohne Laub und bereift, die schönen Hecken, die sich über die niedrige Kirchhofmauer wölbten, waren entblättert und die Grabsteine sahen mit Schnee bedeckt durch die Lücken hervor.

Als er sich der Schenke näherte, vor welcher das ganze Dorf versammlet war, entstand auf einmal ein Geschrey. Man erblickte von fern einen Trupp bewaffneter Männer, und ein jeder rief, daß man den Thäter herbeyführe. Werther sah hin und blieb nicht lange zweifelhaft. Ja! es war der Knecht, der jene Wittwe so sehr liebte, den er vor einiger Zeit mit dem stillen Grimme, mit der heimlichen Verzweiflung umhergehend, angetroffen hatte.

Was hast du begangen, Unglücklicher! rief Werther aus, indem er auf den Gefangnen losging. Dieser sah ihn still an, schwieg und versetzte endlich ganz gelassen: Keiner wird sie haben, sie wird keinen haben. Man brachte den Gefangnen in die Schenke und Werther eilte fort.

Durch die entsetzliche gewaltige Berührung war alles, was in seinem Wesen lag, durcheinander geschüttelt worden. Aus seiner Trauer, seinem Mißmuth, seiner gleichgültigen Hingegebenheit, wurde er auf einen Augenblick herausgerissen; unüberwindlich bemächtigte sich die Theilnehmung seiner und es ergriff ihn eine unsägliche Begierde den Menschen zu retten. Er fühlte ihn so unglücklich, er fand ihn als Verbrecher selbst so schuldlos, er setzte sich so tief in seine Lage, daß er gewiß glaubte auch andere davon zu überzeugen. Schon wünschte er für ihn sprechen zu können, schon drängte sich der lebhafteste Vortrag nach seinen Lippen, er eilte nach dem Jagdhause, und konnte sich unterwegs nicht enthalten alles das was er dem Amtmann vorstellen wollte, schon halb laut auszusprechen.

Als er in die Stube trat, fand er Alberten gegenwärtig, dieß verstimmte ihn einen Augenblick; doch faßte er sich bald wieder und trug dem Amtmanne feurig seine Gesinnungen vor. Dieser schüttelte einigemal den Kopf, und obgleich Werther mit der größten Lebhaftigkeit, Leidenschaft und Wahrheit, alles vorbrachte, was ein Mensch zur Entschuldigung eines Menschen sagen kann; so war doch, wie sichs leicht denken läßt, der Amtmann dadurch nicht gerührt. Er ließ vielmehr unsern Freund nicht ausreden, widersprach ihm eifrig und tadelte ihn, daß er einen Meuchelmörder* in Schutz nehme! er zeigte ihm daß auf diese Weise jedes Gesetz aufgehoben, alle Sicherheit des Staats zu Grund gerichtet werde, auch, setzte er hinzu, daß er in einer solchen Sache nichts thun könne ohne sich die größte Verantwortung aufzuladen, es müsse alles in der Ordnung, in dem vorgeschriebenen Gang gehen.

Werther ergab sich noch nicht, sondern bat nur, der Amtmann möchte durch die Finger sehn, wenn man dem Menschen zur Flucht behülflich wäre! Auch damit wies ihn der Amtmann ab. Albert, der sich endlich ins Gespräch mischte, trat auch auf des Alten Seite: Werther wurde überstimmt und mit einem entsetzlichen Leiden machte er sich auf den Weg, nachdem ihm der Amtmann einigemal gesagt hatte: Nein, er ist nicht zu retten!

Wie sehr ihm diese Worte aufgefallen seyn müssen, sehn wir aus einem Zettelchen, das sich unter seinen Papieren fand, und das gewiß an dem nähmlichen Tage geschrieben worden:

»Du bist nicht zu retten Unglücklicher! ich sehe wohl daß wir nicht zu retten sind.«

heimtücki-
schen Mörder

Was Albert zuletzt über die Sache des Gefangenen in Gegenwart des Amtmanns gesprochen, war Werthern höchst zuwider gewesen: er glaubte einige Empfindlichkeit gegen sich darin bemerkt zu haben, und wenn gleich bey mehrerem Nachdenken seinem Scharfsinne nicht entging, daß beyde Männer Recht haben möchten, so war es ihm doch als ob er seinem innersten Daseyn entsagen müßte, wenn er es gestehen, wenn er es zugeben sollte.

Ein Blättchen, das sich darauf bezieht, das vielleicht sein ganzes Verhältniß zu Albert ausdrückt, finden wir unter seinen Papieren.

»Was hilft es, daß ich mirs sage und wieder sage, er ist brav und gut, aber es zerreißt mir mein inneres Eingeweide; ich kann nicht gerecht seyn.«

Weil es ein gelinder Abend war und das Wetter anfing sich zum Thauen zu neigen, ging Lotte mit Alberten zu Fuße zurück. Unterwegs sah sie sich hier und da um, eben, als wenn sie Werthers Begleitung vermißte. Albert fing von ihm an zu reden, er tadelte ihn, indem er ihm Gerechtigkeit widerfahren ließ. Er berührte seine unglückliche Leidenschaft und wünschte, daß es möglich seyn möchte ihn zu entfernen. Ich wünsch' es auch um unsertwillen, sagt' er, und ich bitte dich, fuhr er fort, siehe zu, seinem Betragen gegen dich eine andere Richtung zu geben, seine öftern Besuche zu vermindern. Die Leute werden aufmerksam, und ich weiß, daß man hier und da drüber gesprochen hat. Lotte schwieg und Albert schien ihr Schweigen empfunden zu haben, wenigstens seit der Zeit erwähnte er Werthers nicht mehr gegen sie und wenn sie seiner erwähnte, ließ er das Gespräch fallen oder lenkte es wo anders hin.

Der vergebliche Versuch, den Werther zur Rettung des Unglücklichen gemacht hatte, war das letzte Auflodern

der Flamme eines verlöschenden Lichtes; er versank nur
desto tiefer in Schmerz und Unthätigkeit; besonders
kam er fast außer sich, als er hörte, daß man ihn vielleicht gar zum Zeugen gegen den Menschen, der sich
nun aufs Läugnen legte, auffordern könnte.

Alles was ihm Unangenehmes jemals in seinem wirksa-
men* Leben begegnet war, der Verdruß bey der Gesandtschaft, alles was ihm sonst mißlungen war, was ihn je
gekränkt hatte, ging in seiner Seele auf und nieder. Er
fand sich durch alles dieses wie zur Unthätigkeit berechtigt, er fand sich abgeschnitten von aller Aussicht, un-
fähig, irgend eine Handlung zu ergreifen mit denen man
die Geschäfte des gemeinen* Lebens anfaßt, und so
ruckte er endlich, ganz seiner wunderbaren Empfindung, Denkart und einer endlosen Leidenschaft hinge-
geben, in dem ewigen Einerley eines traurigen Umgangs
mit dem liebenswürdigen und geliebten Geschöpfe, dessen Ruhe er störte, in seine Kräfte stürmend, sie ohne
Zweck und Aussicht abarbeitend immer einem traurigen Ende näher.

Von seiner Verworrenheit, Leidenschaft, von seinem
rastlosen Treiben und Streben, von seiner Lebensmüde
sind einige hinterlaßne Briefe die stärksten Zeugnisse,
die wir hier einrücken wollen.

In der Zweitfassung von 1787 schließt sich nun der Brief vom
12. Dezember an, der in der Erstfassung unter dem Datum 8.
Dezember steht. Der in der Zweitfassung unmittelbar folgende
Brief vom 14. Dezember entspricht dem Brief vom 17. Dezember
in der Erstfassung. Die anschließend interpolierte Weiterfüh-
rung des Herausgeberberichts stimmt weitgehend mit der Passage aus dem ersten Bericht überein (S. 98,7–18). Der Brief vom
20. Dezember wird in die Zweitfassung übernommen. Neu hinzugefügt sind folgende Abschnitte:

Was in dieser Zeit in Lottens Seele vorging, wie ihre
Gesinnungen gegen ihren Mann, gegen ihren unglück-

lichen Freund gewesen, getrauen wir uns kaum mit
Worten auszudrücken, ob wir uns gleich davon, nach
der Kenntniß ihres Charakters, wohl einen stillen Begriff machen können und eine schöne weibliche Seele
sich in die ihrige denken und mit ihr empfinden kann.
So viel ist gewiß, sie war fest bey sich entschlossen alles
zu thun, um Werthern zu entfernen und wenn sie zauderte, so war es eine herzliche freundschaftliche Schonung, weil sie wußte, wie viel es ihm kosten, ja daß es
ihm beynahe unmöglich seyn würde. Doch ward sie in
dieser Zeit mehr gedrängt Ernst zu machen; es schwieg
ihr Mann ganz über dieß Verhältniß, wie sie auch immer
darüber geschwiegen hatte und um so mehr war ihr angelegen, ihm durch die That zu beweisen, wie ihre Gesinnungen der seinigen werth seyen.

Eine Umarbeitung erfährt die Textpassage »Um halb sieben [...]
auf's Canapee sezte.« (S. 104,16–105,32). Sie lautet nun:

Lotte war indeß in einen sonderbaren Zustand gera-
then. Nach der letzten Unterredung mit Werthern hatte
sie empfunden, wie schwer es ihr fallen werde sich von
ihm zu trennen, was er leiden würde, wenn er sich von
ihr entfernen sollte.
Es war wie im Vorübergehn in Alberts Gegenwart gesagt
worden, daß Werther vor Weihnachtsabend nicht wieder kommen werde und Albert war zu einem Beamten
in der Nachbarschaft geritten, mit dem er Geschäfte
abzuthun hatte, und wo er über Nacht ausbleiben
mußte.
Sie saß nun allein, keins von ihren Geschwistern war um
sie, sie überließ sich ihren Gedanken, die stille über ihren
Verhältnissen herumschweiften. Sie sah sich nun mit
dem Mann auf ewig verbunden, dessen Liebe und Treue
sie kannte, dem sie von Herzen zu gethan war, dessen
Ruhe, dessen Zuverlässigkeit recht vom Himmel dazu

bestimmt zu seyn schien, daß eine wackere Frau das Glück ihres Lebens darauf gründen sollte, sie fühlte was er ihr und ihren Kindern auf immer seyn würde. Auf der andern Seite war ihr Werther so theuer geworden, gleich von dem ersten Augenblick ihrer Bekanntschaft an hatte sich die Übereinstimmung ihrer Gemüther so schön gezeigt, der lange dauernde Umgang mit ihm, so manche durchlebte Situationen hatten einen unauslöschlichen Eindruck auf ihr Herz gemacht. Alles, was sie interessantes fühlte und dachte, war sie gewohnt mit ihm zu theilen und seine Entfernung drohete in ihr ganzes Wesen eine Lücke zu reissen, die nicht wieder ausgefüllt werden konnte. O, hätte sie ihn in dem Augenblick zum Bruder umwandeln können! wie glücklich wäre sie gewesen! – Hätte sie ihn einer ihrer Freundinnen verheirathen dürfen, hätte sie hoffen können, auch sein Verhältniß gegen Albert ganz wieder herzustellen!

Sie hatte ihre Freundinnen der Reihe nach durchgedacht, und fand bey einer jeglichen etwas auszusetzen, fand keine der sie ihn gegönnt hätte.

Über allen diesen Betrachtungen fühlte sie erst tief, ohne sich es deutlich zu machen, daß ihr herzliches heimliches Verlangen sey, ihn für sich zu behalten und sagte sich daneben daß sie ihn nicht behalten könne, behalten dürfe; ihr reines, schönes, sonst so leichtes und leicht sich helfendes Gemüth empfand den Druck einer Schwermuth, dem die Aussicht zum Glück verschlossen ist. Ihr Herz war gepreßt und eine trübe Wolke lag über ihrem Auge.

So war es halb sieben geworden, als sie Werthern die Treppe herauf kommen hörte und seinen Tritt, seine Stimme die nach ihr fragte, bald erkannte. Wie schlug ihr Herz, und wir dürfen fast sagen zum erstenmal, bey seiner Ankunft. Sie hätte sich gern vor ihm verläugnen lassen, und als er hereintrat, rief sie ihm mit einer Art von leidenschaftlicher Verwirrung entgegen: Sie haben nicht Wort gehalten. – Ich habe nichts versprochen, war seine Antwort. So hätten Sie wenigstens meiner Bitte Statt geben sollen, versetzte sie, ich bat Sie um unsrer beyder Ruhe.

Sie wußte nicht recht, was sie sagte, eben so wenig was sie that, als sie nach einigen Freundinnen schickte um nicht mit Werthern allein zu seyn. Er legte einige Bücher hin die er gebracht hatte, fragte nach andern, und sie wünschte, bald daß ihre Freundinnen kommen, bald daß sie wegbleiben möchten. Das Mädchen kam zurück und brachte die Nachricht, daß sich beyde entschuldigen ließen.

Sie wollte das Mädchen mit ihrer Arbeit in das Nebenzimmer sitzen lassen; dann besann sie sich wieder anders. Werther ging in der Stube auf und ab, sie trat an's Clavier und fing einen Menuet an, er wollte nicht fließen. Sie nahm sich zusammen und setzte sich gelassen zu Werthern, der seinen gewöhnlichen Platz auf dem Kanapee eingenommen hatte.

Eine wesentliche Veränderung und Erweiterung erfährt auch die Erzählpartie »Die liebe Frau [...] zu verschlukken suchte.« (S. 117,3–118,12):

Die liebe Frau hatte die letzte Nacht wenig geschlafen, was sie gefürchtet hatte, war entschieden, auf eine Weise entschieden, die sie weder ahnden[*] noch fürchten konnte; ihr sonst so rein und leicht fließendes Blut war in einer fieberhaften Empörung, tausenderley Empfindungen zerrütteten das schöne Herz. War es das Feuer von Werthers Umarmungen, das sie in ihrem Busen fühlte? war es Unwille über seine Verwegenheit? war es eine unmuthige Vergleichung[*] ihres gegenwärtigen Zustandes mit jenen Tagen ganz unbefangener freyer Unschuld und sorglosen Zutrauens an sich selbst? Wie sollte sie

ahnen

schwermütiger Vergleich

ihrem Manne entgegen gehen? wie ihm eine Scene bekennen, die sie so gut gestehen durfte und die sie sich doch zu gestehen nicht getraute. Sie hatten so lange gegen einander geschwiegen, und sollte sie die erste seyn, die das Stillschweigen bräche und eben zur unrechten Zeit ihrem Gatten eine so unerwartete Entdeckung machte? Schon fürchtete sie, die bloße Nachricht von Werthers Besuch werde ihm einen unangenehmen Eindruck machen, und nun gar diese unerwartete Katastrophe! Konnte sie wohl hoffen daß ihr Mann sie ganz im rechten Lichte sehen, ganz ohne Vorurtheil aufnehmen würde? und konnte sie wünschen, daß er in ihrer Seele lesen möchte? Und doch wieder konnte sie sich verstellen gegen den Mann, vor dem sie immer wie ein krystallhelles Glas offen und frey gestanden, und dem sie keine ihrer Empfindungen jemals verheimlicht noch verheimlichen können. Eins und das andre machte ihr Sorgen und setzte sie in Verlegenheit; und immer kehrten ihre Gedanken wieder zu Werthern, der für sie verlohren war, den sie nicht lassen konnte, den sie leider! sich selbst überlassen mußte, und dem, wenn er sie verlohren hatte, nichts mehr übrig blieb.

Wie schwer lag jetzt, was sie sich in dem Augenblick nicht deutlich machen konnte, die Stockung* auf ihr, die sich unter ihnen festgesetzt hatte! So verständige so gute Menschen, fingen wegen gewisser heimlicher Verschiedenheiten unter einander zu schweigen an, jedes dachte seinem Recht und dem Unrechte des andern nach, und die Verhältnisse verwickelten und verhetzten sich dergestalt, daß es unmöglich ward den Knoten eben in dem kritischen Momente, von dem alles abhing, zu lösen. Hätte ein glückliche Vertraulichkeit sie früher wieder einander näher gebracht, wäre Liebe und Nachsicht wechselsweise unter ihnen lebendig worden, und hätte ihre Herzen aufgeschlossen; vielleicht wäre unser Freund noch zu retten gewesen.

Noch ein sonderbarer Umstand kam dazu. Werther hatte, wie wir aus seinen Briefen wissen, nie ein Geheimniß daraus gemacht, daß er sich, diese Welt zu verlassen, sehnte. Albert hatte ihn oft bestritten*, auch war zwischen Lotten und ihrem Mann manchmal die Rede davon gewesen. Dieser, wie er einen entschiedenen Widerwillen gegen die That empfand, hatte auch gar oft mit einer Art von Empfindlichkeit, die sonst ganz außer seinem Charakter lag, zu erkennen gegeben, daß er an dem Ernst eines solchen Vorsatzes sehr zu zweifeln Ursach finde, er hatte sich sogar darüber einigen Scherz erlaubt, und seinen Unglauben Lotten mitgetheilt. Dieß beruhigte sie zwar von Einer Seite wenn ihre Gedanken ihr das traurige Bild vorführten, von der andern aber fühlte sie sich auch dadurch gehindert ihrem Manne die Besorgnisse mitzutheilen, die sie in dem Augenblicke quälten. Albert kam zurück, und Lotte ging ihm mit einer verlegnen Hastigkeit entgegen, er war nicht heiter, sein Geschäft war nicht vollbracht, er hatte an dem benachbarten Amtmanne einen unbiegsamen kleinsinnigen Menschen gefunden. Der üble Weg auch hatte ihn verdrießlich gemacht.

Er fragte, ob nichts vorgefallen sey, und sie antwortete mit Übereilung: Werther sey gestern Abends da gewesen. Er fragte, ob Briefe gekommen, und er erhielt zur Antwort, daß ein Brief und Packet auf seiner Stube lägen. Er ging hinüber und Lotte blieb allein. Die Gegenwart des Mannes den sie liebte und ehrte, hatte einen neuen Eindruck in ihr Herz gemacht. Das Andenken seines Edelmuths seiner Liebe und Güte hatte ihr Gemüth mehr beruhigt, sie fühlte einen heimlichen Zug ihm zu folgen, sie nahm ihre Arbeit und ging auf sein Zimmer, wie sie mehr zu thun pflegte. Sie fand ihn beschäftigt die Packete zu erbrechen* und zu lesen. Einige schienen nicht das angenehmste zu enthalten. Sie that einige Fra-

gegen ihn eingeredet

öffnen

gen an ihn, die er kurz beantwortete und sich an den Pult
stellte zu schreiben.

Sie waren auf diese Weise eine Stunde neben einander
gewesen und es ward immer dunkler in Lottens Gemüth. Sie fühlte, wie schwer es ihr werden würde, ihrem
Mann, auch wenn er bey dem besten Humor wäre, das
zu entdecken was ihr auf dem Herzen lag: sie verfiel in
eine Wehmuth, die ihr um desto ängstlicher ward, als sie
solche zu verbergen und ihre Thränen zu verschlucken
suchte.

Kommentar

Entstehung

Von Ende Mai bis 11. September 1772 hielt sich der junge
Rechtsanwalt Goethe (1749–1832)in Wetzlar als Praktikant am
Reichskammergericht auf. Er sollte bei dieser hohen Gerichts-
behörde, nachdem er in Straßburg sein juristisches Examen ab-
gelegt und in Frankfurt schon für kurze Zeit als Rechtsanwalt
praktiziert hatte, seine juristische Praxis vervollkommnen und –
nach dem biografischen Vorbild des Vaters und auf dessen Anraten hin – Verfahren der Reichsprozesse kennen lernen. Am 25.
Mai trug sich Goethe in die Wetzlarer Gerichtsmatrikel ein. Die
sogenannten Auscultanten, zu denen er gehörte, also diejenigen,
die sich in Wetzlar ohne Amt aufhielten und für ihre Ausbildung
selber zu sorgen hatten, ließen sich meist von in der Kameral-
praxis erfahrenen Advokaten unterweisen. Goethe hatte sich,
wie sein späterer Freund Albrecht von Kielmannsegg (1748–
1811), bei dem Assessor von Harpprecht und den Anwälten
Werner und Ludolf eingeschrieben.

Was Goethe nach Wetzlar trieb, war seiner eigenen Aussage nach
wohl eher, »den [Frankfurter] Zustand zu verändern« (*Dichtung und Wahrheit*; im Folgenden: DuW) und Zeit für eigene
Beschäftigung zu finden, als sich ganz der Juristerei zuzuwen-
den, denn Goethe wusste, dass ihm der Aufenthalt bei Gericht
»unmöglich viel Freude« (ebd.) bereiten könne, da die Effizienz
des Gerichts in schlechtem Ruf stand. Die personelle Ausstat-
tung war schlecht, Prozesse wurden unverhältnismäßig lange
hinausgezögert, Bestechung hatte sich eingeschlichen, um so die
Prozessreihenfolge zu beeinflussen.

So suchte Goethe vornehmlich den Umgang mit den Schriftstel-
lern und Juristen Friedrich Wilhelm Gotter (1746–1797) und
August Siegfried von Goué (1742–1789) und mehreren jüngeren
Juristen am Reichskammergericht. In Wetzlar traf er auch den
Braunschweigischen Gesandtschaftssekretär Carl Wilhelm Jerusalem (1747–1772) wieder, den er noch aus seiner Studentenzeit
in Leipzig kannte. Auch in Wetzlar gehörte Goethe einem Mit-
tagstisch an, an dem sich Bürgerliche und Adelige vereinten und
der sich als Ritterorden verstand. Es war eine harmlos ausgelas-

sene Runde von 26 Mitgliedern, die durch Ritternamen und Ritterschlag die »alte Ritterschaft« imitierte. Goethe selbst führte den Namen »Götz von Berlichingen«. Mitglieder dieses Kreises waren es auch, die Goethe mit auf einen Ball nach Volpertshausen nahmen, wo er am 9. Juni 1772 Charlotte Buff (1753–1828) kennen lernen sollte. Die neunzehnjährige Tochter des Deutschordenshauptmannes Heinrich Adam Buff (1710–1795) führte nach dem Tode der Mutter den Haushalt und versorgte die elf Geschwister. Ihr Verlobter war der zwölf Jahre ältere Hannoversche Legationssekretär Johann Christian Kestner (1741–1800), dem Goethe ebenfalls auf dem Ball begegnete. Goethe freundete sich mit beiden an. In einem Brief an seinen Freund August von Hennings (1746–1826) schildert Kestner Goethe wie folgt:

Bekanntschaft mit Charlotte Buff

Kestner über Goethe

Im Frühjahr kam hier ein gewisser Goethe aus Frankfurt, seiner Hantierung nach Dr. Juris, 23 Jahr alt, einziger Sohn eines sehr reichen Vaters, um sich hier – dies war seines Vaters Absicht – in Praxi umzusehen, der seinigen nach aber, den Homer, Pindar usw. zu studieren, und was sein Genie, seine Denkungsart und sein Herz ihm weiter für Beschäftigungen eingeben würden. [. . .]

Ball in Volpertshausen

Den 9. Juni 1772 fügte es sich, daß Goethe mit bei einem Ball auf dem Lande war, wo mein Mädchen und auch ich waren. Ich konnte erst nachkommen und ritt dahin. Mein Mädchen fuhr also in einer andern Gesellschaft hin. Der Dr. Goethe war mit im Wagen und lernte Lottchen hier zuerst kennen. [. . .] Er wußte nicht, daß sie nicht mehr frei war. Ich kam ein paar Stunden später. Und es ist nie unsere Gewohnheit, an öffentlichen Orten mehr als Freundschaft gegen einander zu äußern. Er war den Tag ausgelassen lustig – dieses ist er manchmal, dagegen zur andern Zeit melancholisch –, Lottchen eroberte ihn ganz, um desto mehr, da sie sich keine Mühe gab, sondern sich nur dem Vergnügen überließ. Andern Tags konte es nicht fehlen, daß Goethe sich nach Lottchens Befinden nach dem Ball erkundigte. Vorhin hatte er in ihr ein fröhliches Mädchen kennen gelernt, das den Tanz und das ungetrübte Vergnügen liebt; nun lernte er sie auch erst von der Seit, wo sie ihre Stärke hat, von der häuslichen Seite kennen. [. . .]

Es konnte ihm nicht lange unbekannt bleiben, daß sie ihm nichts als Freundschaft geben konnte; und ihr Betragen gegen ihn gab wiederum ein Muster ab. Dieser gleiche Geschmack, und da wir uns näher kennen lernten, knüpfte zwischen ihm und mir das festeste Band der Freundschaft, so daß er bei mir gleich auf meinen lieben Hennings folgt. [. . .] Lottchen wußte ihn so kurz zu halten und auf eine solche Art zu behandeln, daß keine Hoffnung bei ihm aufkeimen konnte und er sie in ihrer Art, zu verfahren, noch selbst bewundern mußte. Seine Ruhe litt sehr dabei. Es gab mancherlei merkwürdige Szenen, wobei Lottchen bei mir gewann und er mir als Freund auch werter werden mußte, ich aber doch manchmal bei mir erstaunen mußte, wie die Liebe so gar wunderliche Geschöpfe selbst aus den stärksten und sonst für sich selbständigen Menschen machen kann. [. . .] Er fing nach einigen Monaten an einzusehen, daß er zu seiner Ruhe Gewalt brauchen mußte. In einem Augenblick, da er sich darüber völlig determiniert hatte, reisete er ohne Abschied davon, nachdem er schon öfters vergebliche Versuche zur Flucht gemacht hatte. Er ist zu Frankfurt, und wir reden fleißig durch Briefe miteinander. Bald schrieb er, nunmehr wieder seiner mächtig zu sein, gleich darauf fand ich wieder Veränderungen bei ihm. Kürzlich konnte er es doch nicht lassen, mit einem Freunde, der hier Geschäfte hatte, herüber zu kommen; er würde vielleicht noch hier sein, wenn seines Begleiters Geschäfte nicht in einigen Tagen beendet worden wären, und dieser gleiche Bewegungsgründe gehabt hätte, zurückzueilen; denn er folgt seiner nächsten Idee und bekümmert sich nicht um die Folgen, und dieses fließt aus seinem Charakter, der ganz Original ist.

Die Freundschaft zu Kestner und Charlotte gestaltete sich so, dass sie »durch Gewohnheit und Nachsicht leidenschaftlicher als billig« (DuW) geworden war. Auf Anraten Johann Heinrich Mercks (1741–1791) verlässt Goethe am 11. September 1772 Wetzlar vorzeitig: »Ich faßte den Entschluß, mich freiwillig zu entfernen, ehe ich durch das Unerträgliche vertrieben wurde« (ebd.). Nach einem abendlichen Gespräch mit Kestner und Lotte bricht Goethe am nächsten Morgen, ohne Abschied zu nehmen, auf, wandert die Lahn hinunter, um einer Einladung des Ehe-

Goethes »Flucht« aus Wetzlar

paars La Roche auf Schloss Ehrenbreitstein bei Koblenz zu folgen. Hier lernt er die älteste Tochter der Schriftstellerin Sophie von La Roche (1731–1807), Maximiliane von La Roche (1756–1793) kennen, sodass sich in ihm »eine neue Leidenschaft zu regen« anfing, »ehe die alte noch ganz verklungen« war (ebd.). Etwa am 20. September fuhren Goethe, Merck und dessen Frau, die der Dichter bei den La Roches kennen gelernt hatte, gemeinsam rheinaufwärts und gelangten nach Frankfurt bzw. Darmstadt, wo Mercks wohnten. Unerwartet erhielt Goethe bereits Ende September Besuch von Kestner, der zur Michaelismesse nach Frankfurt gekommen war. Umgekehrt führte es Goethe nochmals vom 6. bis 9. November 1772 nach Wetzlar. Er begleitete seinen späteren Schwager Johann Georg Schlosser (1739–1799), der dort zu tun hatte, und wohnte bei den Buffs.

Vor diesem Wiedersehen hatte Goethe Anfang Oktober die Nachricht, Goué habe in Wetzlar Selbstmord begangen, erhalten. Die Nachricht erwies sich zwar als falsch, aber in der Nacht vom 29. zum 30. Oktober erschoß sich Jerusalem. Er hatte – so wurde gemunkelt – Schwierigkeiten mit seinem Vorgesetzten, dem braunschweigischen Gesandten von Höfler; außerdem liebte er unerwidert Elisabeth Herd, die Gattin des Pfalz-Lauternschen Gesandtschaftssekretärs. Kestner war insofern in die Sache verwickelt, weil sich Jerusalem bei ihm unter dem Vorwand, er wolle eine lange Reise antreten, die Pistole ausgeliehen hatte, mit der er den Selbstmord ausführte. Goethe reagierte auf die Nachricht umgehend in einem Brief Anfang November, adressiert an Kestner:

> Der unglückliche Jerusalem! Die Nachricht war mir schröcklich und unerwartet [...] Der arme Junge! Wenn ich zurückkam vom Spaziergang und er mir begegnete hinaus im Mondenschein, sagt ich: er ist verliebt [...] Gott weiß, die Einsamkeit hat sein Herz untergraben, und – seit 7 Jahren kenn' ich die Gestalt, ich habe wenig mit ihm geredt' [...].

Später erbat er sich von Kestner einen ausführlichen Bericht über Jerusalem:

Kestner an Goethe, 2. November 1772
Jerusalem ist die ganze Zeit seines hiesigen Aufenthalts mißvergnügt gewesen, es sey nun überhaupt wegen der Stelle die

er hier bekleidete, und daß ihm gleich Anfangs (bey Graf Bassenheim) der Zutritt in den großen Gesellschaften auf eine unangenehme Art versagt worden, oder insbesondere wegen des Braunschweigischen Gesandten, mit dem er bald nach seiner Ankunft kundbar heftige Streitigkeiten hatte, die ihm Verweise vom Hofe zuzogen und noch weitere verdrießliche Folgen für ihn gehabt haben. Er wünschte längst, und arbeitete daran, von hier wieder wegzukommen; sein hiesiger Aufenthalt war ihm verhaßt, wie er oft gegen seine Bekannte geäußert hat [. . .]

Neben dieser Unzufriedenheit war er auch in des pfältz. Sekret. Herd Frau verliebt. Ich glaube nicht, daß diese zu dergleichen Galanterien aufgelegt ist, mithin, da der Mann noch dazu sehr eifersüchtig war, mußte diese Liebe vollends seiner Zufriedenheit und Ruhe den Stoß geben.

Er entzog sich allezeit der menschlichen Gesellschaft und den übrigen Zeitvertreiben und Zerstreuungen, liebte einsame Spaziergänge im Mondenscheine, gieng oft viele Meilen weit und hieng da seinem Verdruß und seiner Liebe ohne Hoffnung nach. Jedes ist schon im Stande die erfolgte Würkung hervorzubringen. Er hatte sich einst Nachts in einem Walde verirrt, fand endlich noch Bauern, die ihn zurechtwiesen, und kam um 2 Uhr zu Haus.

Charakteristik Jerusalems

Dabey behielt er seinen ganzen Kummer bey sich, und entdeckte solchen, oder vielmehr die Ursachen davon, nicht einmahl seinen Freunden. Selbst dem Kielmansegge hat er nie etwas von der Herd gesagt, wovon ich aber zuverläßig unterrichtet bin.

Er las viele Romane und hat selbst gesagt, daß kaum ein Roman seyn würde, den er nicht gelesen hätte. Die fürchterlichsten Trauerspiele waren ihm die liebsten. Er las ferner philosophische Schriftsteller mit großem Eyfer und grübelte darüber. Er hat auch verschiedene philosophische Aufsäze gemacht, die Kielmansegge gelesen und sehr von anderen Meinungen abweichend gefunden hat; unter andern auch einen besondern Aufsatz, worin er den Selbstmord vertheidigte. Oft beklagte er sich gegen Kielmansegge über die engen Gränzen, welche dem menschlichen Verstande gesetzt wären,

Jerusalems Lektüre

wenigstens dem Seinigen; er konnte äußerst betrübt werden, wenn er davon sprach, was er wißen möchte, was er nicht ergründen könne etc. (Diesen Umstand habe ich erst kürzlich erfahren und ist, deucht mir, der Schlüssel eines großen Theils seines Verdrusses, und seiner Melancholie, die man beyde aus seinen Mienen lesen konnte; ein Umstand der ihm Ehre macht und seine letzte Handlung bei mir zu veredeln scheint.) Mendelsohns Phädon war seine liebste Lectüre; in der Materie vom Selbstmorde war er aber immer mit ihm unzufrieden; wobey zu bemercken ist, daß er denselben auch bey der Gewißheit von der Unsterblichkeit der Seele, die er glaubte, erlaubt hielt. Leibnitzen's Werke las er mit großem Fleiße.

Jerusalems
Apologie des
Selbstmords

Als letzthin das Gerücht vom Goué sich verbreitete, glaubte er diesen zwar nicht zum Selbstmorde fähig, stritt aber in Thesi eifrig für diesen, wie mir Kielmansegge, und viele, die um ihn gewesen, versichert haben. Ein paar Tage vor dem unglücklichen, da die Rede vom Selbstmorde war, sagte er zu Schleunitz, es müße aber doch eine dumme Sache seyn, wenn das Erschiessen mißriethe. [. . .]

Am Mittewochen, da im Kronprinz groß Fest war und jeder jemanden zu Gaste hatte, gieng er, ob er gleich sonst zu Haus aß, zu Tisch und brachte den Secr. Herd mit sich. Er hat sich da nicht anders als sonst, vielmehr muntrer betragen. Nach dem Essen nimmt ihn Secret. Herd mit nach Haus zu seiner Frau. Sie trinken Kaffee. Jerusalem sagt zu der Herd: Liebe Frau Secretairin, dieß ist der letzte Kaffee, den ich mit Ihnen trinke. – Sie hält es für Spaß und antwortet in diesem Tone. Diesen Nachmittag (Mittwochs) ist Jerusalem allein bei Herds gewesen, was da vorgefallen, weiß man nicht [. . .]

Inzwischen, oder noch später, ist unter Herd und seiner Frau etwas vorgegangen, wovon Herd einer Freundin vertrauet, daß sie sich über Jerusalem etwas entzweyet und die Frau endlich verlangt, daß er ihm das Haus verbieten solle, worauf er es auch folgenden Tags in einem Billet gethan.

Nachts vom Mittewoch auf den Donnerstag ist er um 2 Uhr aufgestanden, hat den Bedienten geweckt, gesagt, er könne nicht schlafen, es sey ihm nicht wohl, läßt einheitzen, Thee machen, ist aber doch nachher ganz wohl, dem Ansehen nach.

Donnerstags Morgens schickt Secret. Herd an Jerusalem ein
Billet. Die Magd will keine Antwort abwarten und geht. Jerusalem hat sich eben rasiren lassen. Um 11 Uhr schickt Jerusalem wiederum ein Billet an Secret. Herd, dieser nimmt es
dem Bedienten nicht ab, und sagt, er brauche keine Antwort,
er könne sich in keine Correspondenz einlassen, und sie sähen
sich ja alle Tage auf der Dictatur. Als der Bediente das Billet
unerbrochen wieder zurückbringt, wirft es Jerusalem auf den
Tisch und sagt: es ist auch gut. (Vielleicht den Bedienten glauben zu machen, daß es etwas gleichgültiges betreffe.)
Mittags isset er zu Haus, aber wenig, etwas Suppe. Schickt
um 1 Uhr ein Billet an mich und zugleich an seinen Gesandten, worin er diesen ersucht, ihm auf diesen (oder künftigen)
Monat sein Geld zu schicken. Der Bediente kommt zu mir.
Ich bin nicht zu Hause, mein Bedienter auch nicht. Jerusalem
ist inzwischen ausgegangen, kommt um $^1/_4$ 4 Uhr zu Haus,
der Bediente gibt ihm das Billet wieder. Dieser sagt: Warum er
es nicht in meinem Hause, etwa an eine Magd, abgegeben?
Jener: Weil es offen und unversiegelt gewesen, hätte er es nicht
thun mögen. – Jerusalem: Das hätte nichts gemacht, jeder
könne es lesen, er sollte es wieder hinbringen. – Der Bediente
hielt sich hierdurch berechtigt, es auch zu lesen, ließt es und
schickt es mir darauf durch einen Buben, der im Hause auf-
wartet. Ich war inzwischen zu Haus gekommen, es mogte
$^1/_2$ 4 Uhr seyn, als ich das Billet bekam:

»Dürfte ich Ew. Wohlgeb. wohl zu einer vorhabenden Reise
um ihre Pistolen gehorsamst ersuchen?

Jerusalems Bil-
lett an Kestner

J.«

Da ich nun von alle dem vorher erzählten und von seinen
Grundsätzen nichts wußte, indem ich nie besondern Umgang
mit ihm gehabt – so hatte ich nicht den mindesten Anstand
ihm die Pistolen sogleich zu schicken.
Nun hatte der Bediente in dem Billet gelesen, daß sein Herr
verreisen wollte, und dieser ihm solches selbst gesagt, auch
alles auf den anderen Morgen um 6 Uhr zur Reise bestellt,
sogar den Friseur, ohne daß der Bediente wußte wohin, noch
mit wem, noch auf was Art? Weil Jerusalem aber allezeit seine
Unternehmungen vor ihm geheim tractiret, so schöpfte dieser

keinen Argwohn. [. . .] Er mußte die Pistolen zum Büchsen-
schäfter tragen und sie mit Kugeln laden lassen.

Den ganzen Nachmittag war Jerusalem für sich allein beschäftigt, kramte in seinen Papieren, schrieb, ging, wie die
Leute unten im Hause gehört, oft im Zimmer heftig auf und
nieder. Er ist auch verschiedene Mal ausgegangen, hat seine
kleinen Schulden, und wo er nicht auf Rechnung ausgenommen, bezahlt; er hatte ein Paar Manschetten ausgenommen,
er sagt zum Bedienten, sie gefielen ihm nicht, er sollte sie
wieder zum Kaufmann bringen; wenn dieser sie aber nicht
gern wieder nehmen wollte, so wäre da das Geld dafür, welches der Kaufmann auch lieber genommen.

Etwa um 7 Uhr kam der Italiänische Sprachmeister zu ihm.
Dieser fand ihn unruhig und verdrießlich. Er klagte, daß er
seine Hypochondrie wieder stark habe, und über mancherley;
erwähnt auch, daß das Beste sey, sich aus der Welt zu schikken. Der Italiäner redet ihm sehr zu, man müsse dergleichen
Passionen durch die Philosophie zu unterdrücken suchen etc.
Jerusalem: das ließe sich nicht so thun; er wäre heute lieber
allein, er möchte ihn verlassen. Der Italiäner: er müsse in Gesellschaft gehen, sich zerstreuen etc. Jerusalem: er gienge auch
noch aus. – Der Italiäner, der auch die Pistolen auf dem Tische liegen gesehen, besorgt den Erfolg, geht um halb acht
Uhr weg und zu Kielmansegge, da er denn von nichts als von
Jerusalem, dessen Unruhe und Unmuth spricht, ohne jedoch
von seiner Besorgniß zu erwähnen, indem er geglaubt, man
möchte ihn deswegen auslachen.

Der Bediente ist zu Jerusalem gekommen, um ihm die Stiefel
auszuziehen. Dieser hat aber gesagt, er gienge noch aus; wie
er auch wirklich gethan hat, vor das Silberthor auf die Starke
Weide, und sonst auf die Gasse, wo er bey Verschiedenen, den
Hut tief in die Augen gedrückt, vorbey gerauscht ist, mit
schnellen Schritten, ohne jemand anzusehen. Man hat ihn
auch um diese Zeit eine ganze Weile an dem Fluß stehen sehen, in einer Stellung, als wenn er sich hineinstürzen wolle (so
sagt man).

Vor 9 Uhr kommt er zu Haus, sagt dem Bedienten, es müsse
im Ofen noch etwas nachgelegt werden, weil er sobald nicht

zu Bette ginge, auch solle er auf Morgen früh 6 Uhr alles zurecht machen, läßt sich auch noch einen Schoppen Wein geben. Der Bediente, um recht früh bey der Hand zu seyn, da sein Herr immer sehr accurat gewesen, legt sich mit den Kleidern ins Bette.

Da nun Jerusalem allein war, scheint er alles zu der schrecklichen Handlung vorbereitet zu haben. Er hat seine Briefschaften alle zerrissen und unter den Schreibtisch geworfen, wie ich selbst gesehen. Er hat zwey Briefe, einen an seine Verwandte, den Andern an Herd geschrieben; man meint auch einen an den Gesandten Höffler, den dieser vielleicht unterdrückt. Sie haben auf dem Schreibtisch gelegen. Erster, den der Medicus andern Morgens gesehen, hat überhaupt nur folgendes enthalten, wie Dr. Held, der ihn gelesen, mir erzählt:

»Lieber Vater, liebe Mutter, liebe Schwestern und Schwager, verzeihen Sie Ihrem unglücklichen Sohn und Bruder; Gott, Gott, segne euch!«

In dem zweyten hat er Herd um Verzeihung gebeten, daß er die Ruhe und das Glück seiner Ehe gestört, und unter diesem theuren Paar Uneinigkeit gestiftet etc. Anfangs sey seine Neigung gegen seine Frau nur Tugend gewesen etc. In der Ewigkeit aber hoffe er ihr einen Kuß geben zu dürfen etc. Er soll drey Blätter groß gewesen seyn, und sich damit geschlossen haben: »Um 1 Uhr. In jenem Leben sehen wir uns wieder.« (Vermuthlich hat er sich sogleich erschossen, da er diesen Brief geendigt.) [...]

Nach diesen Vorbereitungen, etwa gegen 1 Uhr, hat er sich denn über das rechte Auge hinein durch den Kopf geschossen. Man findet die Kugel nirgends. Niemand im Hause hat den Schuß gehört; sondern der Franciskaner Pater Guardian, der auch den Blick vom Pulver gesehen, weil es aber stille geworden, nicht darauf geachtet hat. Der Bediente hatte die vorige Nacht wenig geschlafen und hat sein Zimmer weit hinten hinaus, wie auch die Leute im Haus, welche unten hinten hinaus schlafen.

Es scheint sitzend im Lehnstuhl vor seinem Schreibtisch geschehen zu seyn. Der Stuhl hinten im Sitz war blutig, auch die

Armlehnen. Darauf ist er vom Stuhle heruntergesunken, auf der Erde war noch viel Blut. Er muß sich auf der Erde in seinem Blute gewälzt haben; erst beym Stuhle war eine große Stelle von Blut; die Weste vorn ist auch blutig; er scheint auf dem Gesichte gelegen zu haben; dann ist er weiter, um den Stuhl herum, nach dem Fenster hin gekommen, wo wieder viel Blut gestanden, und er auf dem Rücken entkräftet gelegen hat. (Er war in völliger Kleidung, gestiefelt, im blauen Rock mit gelber Weste.)

Morgens vor 6 Uhr geht der Bediente zu seinem Herrn ins Zimmer, ihn zu wecken; das Licht war ausgebrannt, es war dunkel, er sieht Jerusalem auf der Erde liegen, bemerkt etwas Nasses, und meynt er möge sich übergeben haben; wird aber die Pistole auf der Erde, und darauf Blut gewahr, ruft: Mein Gott, Herr Assessor, was haben Sie angefangen; schüttelt ihn, er giebt keine Antwort, und röchelt nur noch. Er läuft zu Medicis und Wundärzten. Sie kommen, es war aber keine Rettung. Dr. Held erzählt mir, als er zu ihm gekommen, habe er auf der Erde gelegen, der Puls noch geschlagen; doch ohne Hülfe. Die Glieder alle wie gelähmt, weil das Gehirn lädirt, auch herausgetreten gewesen; Zum Ueberflusse habe er ihm eine Ader am Arm geöffnet, wobey er ihm den schlaffen Arm halten müssen, das Blut wäre doch noch gelaufen. Er habe nichts als Athem geholt, weil das Blut in der Lunge noch circulirt, und diese daher noch in Bewegung gewesen.

Das Gerücht von dieser Begebenheit verbreitete sich schnell; die ganze Stadt war in Schrecken und Aufruhr. Ich hörte es erst um 9 Uhr, meine Pistolen fielen mir ein, und ich weiß nicht, daß ich kurzens so sehr erschrocken bin. Ich zog mich an und gieng hin. Er war auf das Bette gelegt, die Stirne bedeckt sein Gesicht schon wie eines Todten, er rührte kein Glied mehr, nur die Lunge war noch in Bewegung, und röchelte fürchterlich, bald schwach, bald stärker, man erwartete sein Ende.

Von dem Wein hatte er nur ein Glas getrunken. Hin und wieder lagen Bücher und von seinen eignen schriftlichen Aufsätzen. *Emilia Galotti* lag auf dem Pult am Fenster aufgeschlagen; daneben ein Manuscript ohngefähr Fingerdick in Quart,

Emilia Galotti

philosophischen Inhalts, der erste Theil oder Brief war über-
schrieben: *Von der Freyheit*, es war darin von der moralischen
Freyheit die Rede. Ich blätterte zwar darin, um zu sehen, ob
der Inhalt auf seine letzte Handlung einen Bezug habe, fand es
aber nicht; ich war aber so bewegt und consternirt, daß ich
mich nichts daraus besinne, noch die Scene, welche von der
Emilia Galotti aufgeschlagen war, weiß, ohngeachtet ich mit
Fleiß darnach sah.

Gegen 12 Uhr starb er. Abends ³/₄ 11 Uhr ward er auf dem
gewöhnlichen Kirchhof begraben, (ohne daß er seciret ist,
weil man von dem Reichs-Marschall-Amte Eingriffe in die
gesandtschaftlichen Rechte fürchtete) in der Stille mit
12 Lanternen und einigen Begleitern; Barbiergesellen haben
ihn getragen; das Kreuz ward voraus getragen; kein Geistlicher hat ihn begleitet. Jerusalems Beerdigung

Es ist ganz ausserordentlich, was diese Begebenheit für einen
Eindruck auf alle Gemüther gemacht. Leute, die ihn kaum
einmahl gesehen, können sich noch nicht beruhigen; viele
können seitdem noch nicht wieder ruhig schlafen; besonders
Frauenzimmer nehmen großen Antheil an seinem Schicksal;
er war gefällig gegen das Frauenzimmer, und seine Gestalt
mag gefallen haben etc.

Wetzlar d. 2. Nov. 1772

In dem Brief vom 28. November bedankte sich Goethe bei Kestner für das erhaltene Schreiben:

Ich dank Euch, lieber Kestner, für die Nachricht von des armen Jerusalems Tod, sie hat uns herzlich interessiert. Ihr sollt
sie wiederhaben, wenn sie abgeschrieben ist. [...] Gestern fiel
mir ein, an Lotten zu schreiben. Ich dachte aber, alle ihre
Antwort ist doch nur: wir wollen's gut sein lassen. Und erschießen mag ich mich vor der Hand noch nicht. [...]

Am 4. April 1773 heirateten Kestner und Charlotte Buff; sie
zogen nach Hannover. Am 9. Januar 1774 heiratete Maximiliane von La Roche den Frankfurter Kaufmann Peter Brentano
(1735–1797), der zwanzig Jahre älter als seine achtzehnjährige
Braut war. Goethe verkehrte in dem Frankfurter Haus, zog sich
dann aber zurück, weil Peter Brentano den vertrauten Umgang
Goethes mit Maximiliane misstrauisch beäugte. Heirat Charlot-
tes und Maxi-
milianes

In diese Situation hinein fällt auch eine der ersten eindeutigen Bemerkungen, die sich auf den *Werther* beziehen lassen, bezeichnenderweise in einem Brief an Kestner vom März 1774 enthalten:

> Die Max La Roche ist hierher verheiratet, und das macht einem das Leben noch erträglich, wenn anders dran was erträglich zu machen ist. Wie oft ich bei Euch bin – heißt das: in Zeiten der Vergangenheit –, werdet Ihr vielleicht ehstens ein Dokument zu Gesichte kriegen.

Danach häufen sich die Anspielungen auf den *Werther* bzw. die Ankündigungen des *Werther* in Goethes Korrespondenz. Zwei Briefstellen sind besonders wichtig, da sie eine erste Deutung von Goethes Seite aus enthalten. An Johann Caspar Lavater (1741–1801) schrieb Goethe am 26. April 1774:

> Ich will verschaffen, daß ein Manuskript Dir zugeschickt werde. Denn bis zum Druck währt's eine Weile. Du wirst großen Teil nehmen an den Leiden des lieben Jungen, den ich darstelle. Wir gingen nebeneinander an die sechs Jahre, ohne uns zu nähern. Und nun hab ich seiner Geschichte meine Empfindungen geliehen, und so macht's ein wunderbares Ganze.

In dem Brief vom 1. Juni 1774 an Gottlieb Friedrich Ernst Schönborn (1737–1817) heißt es:

> Allerhand Neues hab ich gemacht. Eine Geschichte des Titel *Die Leiden des jungen Werthers*, darin ich einen jungen Menschen darstelle, der, mit einer tiefen reinen Empfindung und wahrer Penetration begabt, sich in schwärmende Träume verliert, sich durch Speculation untergräbt, bis er zuletzt durch dazutretende unglückliche Leidenschaften, besonders eine endlose Liebe zerrüttet, sich eine Kugel vor den Kopf schießt.

Der *Werther* erschien anonym zur Herbstmesse im September 1774 bei der Weygandschen Buchhandlung in Leipzig.

Dokumente zur zeitgenössischen Wirkung

Werther sollte Goethes größter Bucherfolg werden, den er mit keinem anderen Werk einholen oder gar übertreffen konnte. Allein die Erstfassung wurde bis 1790 etwa dreißigmal gedruckt, die Zweitfassung erreichte zu Lebzeiten Goethes weitere fünfundzwanzig Auflagen. Schon kurz nach dem Erscheinen des *Werther* wurde er mehrfach übersetzt (ins Französische 1775, ins Englische 1779, ins Russische und Italienische 1781, ins Niederländische 1790, ins Schwedische 1796, ins Spanische 1803, ins Dänische 1820). An die Seite der Ausgaben und Übersetzungen trat die öffentliche Diskussion über den *Werther* in Form von Rezensionen, literarischen Gesprächen oder privater Briefwechsel. Durch den hohen Bekanntheitsgrad, den der Roman sich unmittelbar nach seinem Erscheinen erobert hatte, eignete er sich zu weiteren literarischen Bearbeitungen, zu Nachdichtungen, Fortsetzungen oder auch Parodien: »Immer wieder wurde der Stoff aufgegriffen und umgeformt. Mit *Werther* beschäftigten sich Romane, Dramen, Gedichte, Briefsammlungen, Opern, Operetten, Parodien, Bänkelsang, Volkstheater, Posse, Harlekinade, Ballett und ein Feuerwerk mit dem Titel ›Werthers Zusammenkunft mit Lottchen im Elysium‹. Darstellungen der Figuren und Szenen aus dem Roman wurden in Öl gemalt, in Kupfer gestochen und auf Porzellan gebrannt« (Rothmann, S. 140). Szenen aus dem *Werther* schmückten Broschen bzw. Medaillons. Man kleidete sich wie Werther (blauer Frack, gelbe Weste und Beinkleider) oder Lotte, benutzte ein Parfum namens »Eau de Werther« und imitierte die Melancholie von Goethes Titelhelden als Lebenshaltung, sodass man von einem in Europa grassierenden »Werther-Fieber« sprach und fürchten musste, dass eine »Selbstmordkrankheit« in Werther-Manier wie eine Epidemie junge, verschmähte Liebhaber befallen würde.

Diese Auswüchse der Rezeption trugen sicherlich auch dazu bei, dass der Roman zunächst eine durchaus zwiespältige Aufnahme bei der literarischen Kritik fand. Einerseits rief man nach Zensur und sogar Verbot des *Werther*, andererseits erlebte er einen ge-

Marginalien:
Übersetzungen

Literarische Sensation

*Werther-*Fieber

radezu sensationellen Erfolg, besonders im Kreis der Stürmer und Dränger.

Um die Bandbreite der Urteile zu zeigen, seien im Folgenden einige typische Textzeugnisse wiedergegeben. Insbesondere soll aus der *Werther*-Parodie von Friedrich Nicolai (1733–1811) eine längere Passage zitiert werden, da sie zu einem Kristallisationspunkt der Kritik und des Anstoßes wurde und sich an ihr ermessen lässt, worin der *Werther* von der Position der Aufklärung abweicht.

Ruf nach Zensur

Anonym:

Zu den Schriften welche der Hr. Verf. als sichtbare Beyspiele der Ausbrüche des Verderbens unsrer Zeiten anführt, rechnen wir billig noch die *Leiden* (Narrheiten u. Tollheiten, solte es heissen) *des jungen Werthers*, einen Roman, welcher keinen andern Zweck hat, als das schändliche von dem Selbstmorde eines jungen Witzlings, den eine närrische und verbotene Liebe, und eine daher entsprungene Desparation zu dem Entschlusse gebracht haben, sich die Pistole vor den Kopf zu setzen, abzuwischen, und diese schwarze That als eine Handlung des Heroismus vorzuspiegeln, einen Roman, der von unsern jungen Leuten nicht gelesen sondern verschlungen wird [...] Natürlich kann die Jugend keine andre als diese Lehren daraus ziehen: Folgt euren natürlichen Trieben. Verliebt euch, um das Leere eurer Seele auszufüllen. Gaukelt in der Welt herrum; will man euch zu ordentlichen Berufsgeschäften führen, so denket an das Pferd, das sich unter den Sattel bequemte, und zu schanden geritten wurde. Will es zuletzt nicht mehr gehen, wohlan ein Schuß Pulver ist hinlänglich aller eurer Noth ein Ende zu machen. Man wird eure Grosmuth bewundern, und den Schönen wird euer Name heilig seyn. Und was ist zuletzt das Ende von diesem Liede? dieses: lasset uns essen und trinken und fröhlich seyn, wir können sterben wenn wir wollen. Ohngefähr sind wir geboren, und ohngefähr fahren wir wieder dahin, als wären wir nie gewesen.

Welcher Jüngling kann eine solche verfluchungswürdige Schrift lesen, ohne ein Pestgeschwür davon in seiner Seele zurück zu behalten, welches gewis zu seiner Zeit aufbrechen

wird. Und keine Censur hindert den Druck solcher Lock-
speisen des Satans? [. . .] Ewiger Gott! was für Zeiten hast du
uns erleben lassen!
(Aus: *Freywillige Beyträge zu den Hamburgischen Nachrichten aus
dem Reiche der Gelehrsamkeit*, Hamburg, 1775, 21. März.)

Verbotsantrag der Theologischen Fakultät:
  Pro Memoria an die Churf. Bücher Kommission
  Es wird hier ein Buch verkauft, welches den Titel führt, *Leiden des jungen Werthers* usw. Diese Schrift ist eine Apologie
und Empfehlung des Selbst Mordes; und es ist auch um des
Willen gefährlich, weil es in witziger und einnehmender
Schreib Art abgefaßt ist. [. . .] so hat die theol. Fakultät für
nötig gefunden zu sorgen, daß diese Schrift unterdrückt werde: dazumal itzo die Exempel des Selbstmordes frequenter
werden. [. . .]

Vertriebsver-
bot des Buches

                              Leipzig am 28. Jan. 1775.

Gotthold Ephraim Lessing (1729–1781):
  Haben Sie tausend Dank für das Vergnügen, welches Sie mir
durch Mitteilung des Göthischen Romans gemacht haben.
Ich schicke ihn noch einen Tag früher zurück, damit auch
andere dieses Vergnügen je eher je lieber genießen können.
  Wenn aber ein so warmes Produkt nicht mehr Unheil als Gutes stiften soll: meinen Sie nicht, daß es noch eine kleine kalte
Schlußrede haben müßte? Ein paar Winke hintenher, wie
Werther zu einem so abenteuerlichen Charakter gekommen;
wie ein andrer Jüngling, dem die Natur eine ähnliche Anlage
gegeben, sich dafür zu bewahren habe. Denn ein solcher dürfte die poetische Schönheit leicht für die moralische nehmen,
und glauben, daß der *gut* gewesen sein müsse, der unsere
Teilnehmung so stark beschäftiget. Und das war er doch
wahrlich nicht; ja, wenn unsers J**s [Jerusalems] Geist völlig
in dieser Lage gewesen wäre, so müßte ich ihn fast – verachten. Glauben Sie wohl, daß je ein römischer oder griechischer
Jüngling sich *so* und *darum* das Leben genommen? Gewiß
nicht. [. . .]
Solche kleingroße, verächtlich schätzbare Originale hervor-

Kritik Lessings
an der Gleich-
setzung ästhe-
tischer mit
ethischen Ge-
sichtspunkten

zubringen, war nur der christlichen Erziehung vorbehalten, die ein körperliches Bedürfnis so schön in eine geistige Vollkommenheit zu verwandeln weiß. Also, lieber Göthe, noch ein Kapitelchen zum Schlusse; und je zynischer je besser! [. . .]
(Aus: *Brief an Johann Joachim Eschenburg vom 26.10.1774*.)

Friedrich Nicolai (1733–1811):
Gespräch

Personen: Martin. Ein Mann. Hanns. Ein Jüngling.
[. . .]

H. Da sieht man's, bist 'n alter, kalter, weiser Kerl, der mit Werthern und mit seinen Leiden nicht sympathisieren kann, liebst nit 'n jungen braven Buben, voll Feu'r und Leben, und willst 'n steifen, trocknen Aktenkrämer loben, wie Albert.

Nicolais Werther-Parodie

M. Also bin ich so kalt? Hab dir g'sagt, daß ich 'n Autor bewundere, und sollt nicht Werthers Charakter bewundern, der des Autors Meisterstück ist? Wer kann diesem feurigen edlen Charakter Bewunderung und Liebe, und seinem Schicksal, zumal wenns so meisterhaft erzählt, so lebhaft dargestellt wird, seine Tränen versagen? [. . .]

H. Wenn du denn Werthern liebst, siehst nicht, wie gut's wär, wir wären alle so wie Werther, unserer Kräfte uns bewußt, und brauchten unsere Kräfte so weit's ginge, und keiner ließe sich *durch Gesetz und Wohlstand modeln*.

M. Schau Hanns, dazu hat, wenn ich's recht sehe, der Autor die *Leiden des jungen Werthers* nicht geschrieben, dir und dein's Gleichen nicht. Er kennt euch besser, ihr jungen Burschen (Hanns, bist auch einer davon), die ihr itzt eben pflücke seid, und anfangt, aus der hohen Schule in d' Welt zu gucken.

Polemik gegen den Sturm und Drang

Euch Kerlchen ist nichts recht, all's wißt ihr besser, was der Welt nützt mögt ihr nicht lernen, denn's wäre Brotwissenschaft, eingeführter guter Ordnung wollt ihr euch nicht fügen, denn's wäre Einschränkung, was andre tun mögt ihr nicht, wollt Originale sein, wollt's anders haben, 's lange gnug so gewesen, was kümmern euch Gesetze und Ordnungen und Staaten und Reiche und Könige und Fürsten; prätorianische Garden wollt ihr haben, und 'n biss'l Faustrecht, und Keulen und Völkerwanderungen, da wär noch 'ne Selbständigkeit in'n Menschen, gäng doch fein kunterbunt. Sa! Sa! wärs nicht 'n Leben, wenn ihr denn so zusehn könntet, wie das alles passierte, und ließt eure winzige Seelchen drob erschüttern, und könnt't schreien: He! da ist Kraft und Tat! Ja traun *zusehn* und drob *schreien* würdet ihr Bürschchen, und nichts weiter! Denn was auch in der Welt vorginge, ihr tät't nichts, 's doch in eur'n lappigen Mäuslein keine Schnellkraft, noch Festigkeit in euren leeren Geistern. Plaudert da viel von Kraft und Stetigkeit, und seid arme lässige herumtrollende Flittchen. Habt 'n weidlich Geschwätz, von Einschränkung und Modelung, und Polierung und Nachahmung, und doch gäbt ihr nicht 'n Polsterchen von eurem Sorgestuhle, noch 'n Schleifchen von eurem Haarbeutel weg, daß 's anders würde. Euch Püppchen würd's auch frommen, wenn's Faustrecht gälte, müßt't ja ausm Lande laufen. Daß ihr Springinsfelde Werther würdet, damit hat's nicht Not, dazu habt 'r 'n Zeug nicht. Aber wohl könnt am guten Werther von weitem sehen, wohin's führen muß, wenn einer auch beim besten Kopfe und beim edelsten Herzen, immer einzeln für sich sein, immer Kräfte anstrengen, und immer dabei außerm Gleise ziehen will. Wenn dabei Kraft und Stetigkeit in der Seel ist (ist die aber nicht da, so ists eitel Lächerlichs), und ein Unglück stemmt sich dawider, wo will da Trost oder Entschluß herkommen, muß da nicht, wie der Autor vortrefflich sagt: ›die ganz in sich gedrängte, sich selbst ermangelnde, und unaufhaltsam hinabstürzende Kreatur, in den innern Tiefen ihrer vergebens aufarbeitenden Kräfte knirschen‹ Das würd euch nicht frommen, ihr Füllen die ihr Rosse wollt sein, eh's Zeit ist! Zieht denn nur ruhig am Seil wo ihr gespannt seid und laßt euch füttern, wähnt nicht, daß 's euch im Walde besser wär.

[. . .]

H. Geh, hast nur 'ne halbe Seele, 's lodert nur 'n schwaches Fünkchen himmlischen Feuers in dein'r engen Brust. Spottst über Edeltat. ›Daß ich diesen Kerker verlassen kann, wenn ich will‹, ists nicht 'n süßes Gefühl von Freiheit? Kannst's leugnen?

M. Wär der Körper der Seele ein Kerker, nicht ein nötiges Werkzeug, so möcht's drum sein, aber –

H. Aber Mensch, bist kalt wie 'n Stein. Mußt nicht Werthern betauern, inniglich im Herzen betauern?

M. Betauern? Ja. Lieben und betauern! Wo so viel edle Kräfte, bloß zur *unruhigen Lässigkeit verwendet, ungenutzt vermodern*, wenn, der so viel wichtige Zwecke sehn und erfüllen konnte, *tobender endloser Leidenschaft* folgt, bis Natur unter Anstrengung erliegt, wer wird da nichts betauern! [. . .]

M. Gut, daß du gestehst, daß der Mensch, der seinen Körper zerstören will, sich in einem eben so unnatürlichen Zustande befindet, als der ein hitziges Fieber hat. Aber ich sage dem Kranken nicht, warte, eh du stirbst, bis sich deine Säfte verbessert, dein Blut gekühlt, deine Kräfte erholt haben. Ich sage: Freund! liegst in einer engen Stube voll fauler Dünste, öffne's Fenster, draußen ist's lieben Gottes reine Luft die alle Kreaturen erquickt, trink 'n Julep der dein Blut abkühlt, nimm 'n Chinatrank, der Fäulnis hindert und Kraft gibt. Dies war Werther auch sich selbst schuldig. Die ganze Welt lag ja vor ihm. Und war er, der edelsten einer, der Welt nichts zu leisten schuldig? Warum wollt er einzeln sein. Wenn ihn Menschen *haben mochten, sich an ihn hängten, deren Weg nur so eine kleine Strecke mit seinem ging*, warum schlendert' er nicht *ihren Weg* mit ihnen eine Strecke weiter, bloß weils Menschen, *eine rechte gute Art Volks* waren. Er würde *viel besser mit sich gestanden haben. Die vielerlei Menschen, die allerlei neue Gestalten*, die dem in sich und in seine Leidenschaften eingeschloßnen gleichgültigen Werther sonst nur ein *buntes Marionettenspiel* machten, würden ein heilsames Kühlungs- und Stärkungsmittel worden sein, wenn er Teil genommen und bedacht hätte: Sie sind ja, was ich bin, Menschen. Die *Kräfte* die in ihm *ungenutzt* ruhten, hätt er sie entwickelt und gebraucht, so würd ihm in kurzen die Welt wenigstens so gefallen haben, wie der kleine Knabe, den er ungeachtet seines Rotznäschens küßte, und die Welt würd ihm die Hand geboten haben, eben wie's freimütige Kind.

H. 's alles schön und gut; aber 's war mit Werthern zu weit, 's konnt nun nicht anders werden, mußt *notwendig* so kommen.

M. Versteh mich. Wenn du Werthern betrachtest, wie den

Ton in der Hand des Töpfers, wie einen Charakter in der Hand des Dichters, so mußt 's so kommen. Der Autor hat freilich, mit seltner Kenntnis, alle Züge dieses schwärmerischen Charakters so zusammengesetzt, mit bewundernswürdiger Feinheit, alle Begebenheiten, auch die kleinsten, so eingeleitet, daß die schreckliche Katastrophe natürlich erfolgt, die uns das herbe Ach! auspressen soll. Stellstu dir aber Werthern vor, als einen Menschen, der in der Gesellschaft lebt, so hatt' er unrecht, daß er einzeln sein, und die Menschen um sich, als Fremde ansehn wollte. Er hatte, seit er an der Mutter Brust lag, die Wohltaten der Gesellschaft genossen, er war ihr dagegen Pflichten schuldig. Sich ihnen entziehn war Undank und Laster; sie ausüben, würde Tugend und Beruhigung gewesen sein. Selbst, nachdem er schon die hoffnungslosen Todesbriefe geschrieben hatte, selbst da noch, hätt er gedacht, daß er noch Sohn, Bürger, Vater, Hausvater, Freund sein könnte, sein müßte, so konnte noch Trost und Zufriedenheit, von vielen Seiten her, auf seine bedrängte Seele fließen, wenn er nicht mit einem Stoße die Tür zuwarf.

[. . .]

(Aus: *Freuden des jungen Werthers. Leiden und Freuden Werthers des Mannes. Voran und zuletzt ein Gespräch*, Berlin 1775.)

Christoph Martin Wieland (1733–1813):
Nicht Leiden in dem Sinne, wie sonst die Romanhelden zu Wasser und zu Lande tausend Fährlichkeiten, auszustehen hatten, sondern ein Gemälde eines innern Seelenkampfes, wie der nur entwerfen kann, der den Schöpfer des Hamlet und des Othello studiert hat. [. . .] Hier ist es aber nicht um kalte moralische Diskussionen, sondern darum zu tun, die Wahrscheinlichkeit zu zeigen, wie ein vernünftiger und sonst schätzbarer Mann bis zu einem solchen Schritte gebracht werden kann. [. . .] Hier aber in einer langen Reihe von Briefen können wir den Charakter desselben nach allen seinen kleinen Bestimmungen so durchschauen, daß wir ihn selbst an den Rand des Abgrundes begleiten. Und der Dichter hat ihn wie Pygmalions Bildsäule so beseelt, daß wir ihn vor Augen zu sehen glauben, und kein einziger Zug von ihm un-

kenntlich bleibt. Einen einzelnen Selbstmörder rechtfertigen, und auch nicht rechtfertigen, sondern nur zum Gegenstande des Mitleids zu machen, in seinem Beispiele zu zeigen, daß ein allzuweiches Herz und eine feurige Phantasie oft sehr verderbliche Gaben sind, heißt keine Apologie des Selbstmords schreiben. Dennoch ist dieser gewöhnliche Fehlschluß auch bei diesem Buche gemacht worden, unerachtet der Verfasser ausdrücklich die Erzählung nur denen zum Troste empfiehlt, die aus Geschick oder eigner Schuld keinen bessern finden können. Unzufriedenheit mit den Schicksale ist eine der allgemeinen Leidenschaften, und daher sympathisiert hier jeder, zumal da Werthers liebenswürdige Schwärmerei und wallendes Herz jeden anstecken müssen. [. . .]

Werther ist keine Rechtfertigung des Selbstmords

(Aus: *Der Teutsche Merkur*. Dezember 1774.)

Jakob Michael Reinhold Lenz (1751–1792):

Lieber Freund! Wie, Sie wünschen in ganzem Ernste, Goethe hätte die *Leiden des jungen Werthers* nie sollen drucken lassen? Verzeihen Sie, der Wunsch ist zu seltsam, als daß ich von einem Freunde, dessen Verstand und Herz ich hochzuschätzen habe, nicht mit Recht fordern könnte, er solle und müsse ihn verantworten. [. . .] Ich weiß, daß die Schönen Künste den höchsten Reiz Ihres Lebens ausmachen. [. . .] Nun sehen Sie Werthers Leiden nur als Produkt des Schönen an. [. . .] – und wagen Sie es noch einmal, einen so ungerechten Urteilsspruch mit Ihrem Namen zu unterschreiben. – Sie halten ihn für eine subtile Verteidigung des Selbstmords? Das gemahnt mich, als ob man Homers Iliade für eine subtile Aufmunterung zu Zorn, Hader und Feindschaft ausgeben wollte. [. . .] Die Darstellung so heftiger Leidenschaften wäre dem Publikum gefährlich? [. . .] Laßt uns also einmal die Moralität dieses Romans untersuchen, nicht den moralischen Endzweck, den sich der Dichter vorgesetzt (denn da hört er auf, Dichter zu sein), sondern die moralische Wirkung, die das Leben dieses Romans auf die Herzen des Publikums haben könne und haben müsse. [. . .] Eben darin besteht Werthers Verdienst, daß er uns mit Leidenschaften und Empfindungen bekannt macht, die jeder in sich dunkel fühlt, die er aber nicht mit

Reaktion aus dem Kreis der Stürmer und Dränger

Moralität des Romans

Namen zu nennen weiß. Darin besteht das Verdienst jedes Dichters. [. . .]

(Aus: Briefe über die Moralität der »Leiden des jungen Werthers«. 1775 im Freundeskreis von Goethe, Lenz, Jacobi und Wagner handschriftlich verbreitet. Gedruckt erst 1918.)

Christian Friedrich Daniel Schubart (1739–1791):

Da sitz ich mit zerfloßnem Herzen, mit klopfender Brust, und mit Augen, aus welchen wollüstiger Schmerz tröpfelt, und sag dir, Leser, daß ich eben *die Leiden des jungen Werthers* von meinem lieben *Göthe* – gelesen? – Nein, verschlungen habe. Kritisieren soll ich? Könnt ichs, so hätt ich kein Herz. Göttin Critica steht ja selbst vor diesem Meisterstücke des allerfeinsten Menschengefühls aufgetaut da. [. . .] Kann nicht; das hieße mit dem Brennglas Schwamm anzünden, und sagen: Schau, Mensch, das ist Sonnenfeur! – Kauf's Buch, und lies selbst! Nimm aber dein Herz mit! – Wollte lieber ewig arm sein, auf Stroh liegen, Wasser trinken, und Wurzeln essen, als einem solchen sentimentalischen Schriftsteller nicht nachempfinden können. [. . .]

(Aus: *Teutsche Chronik.* 5. Dezember 1774.)

Goethes Selbstinterpretation

Am 16. Juni 1774 schrieb Goethe an Charlotte Kestner geb. Buff:

> Adieu, liebe Lotte, ich schick' Euch eh'stens einen Freund, der viel Ähnlich's mit mir hat, und hoffe, Ihr sollt ihn gut aufnehmen – er heißt Werther, und ist und war – das mag er Euch selbst erklären.

Im Hause Kestner war man allerdings von Goethes *Werther* nicht sonderlich angetan. In einem Briefentwurf vom September oder Oktober 1774 schrieb Kestner an Goethe:

Kestners Kritik am *Werther*

> Euer *Werther* würde mir großes Vergnügen machen, da er mich an manche interessante Szene und Begebenheit erinnern könnte. So aber, wie er da ist, hat er mich in gewissem Betracht schlecht erbaut. Ihr wißt, ich rede gern, wie es mir ist. – Ihr habt zwar in jede Person etwas Fremdes gewebt oder mehrere in eine geschmolzen [...] Aber wenn Ihr bei dem Verweben und Zusammenschmelzen Euer Herz ein wenig hättet mit raten lassen, so würden die wirklichen Personen, von denen Ihr Züge entlehnet, nicht dabei so prostituiert.

Goethe wiederum war der Meinung, dass die Erzürnung unberechtigt gewesen sei und die »Besorgnisse zu hoch gespannt waren« (Brief an das Ehepaar Kestner im Oktober 1774). Er hoffte, dass Kestners das »unschuldige Gemisch von Wahrheit und Lüge« eines Tages in ihrem »Herzen gefühlt haben werden« (ebd.).

Goethe erstaunten die ungehaltenen Reaktionen, die der *Werther* auslöste. Er selbst war sich sicher, Wirklichkeit in Poesie verwandelt zu haben. Nun musste er zunehmend sehen, wie andere glaubten, Poesie in Wirklichkeit verwandeln zu müssen (s. *Dichtung und Wahrheit*, s. auch im vorliegenden Band S. 186).

Goethes Spottverse auf Nicolai

Eine der ersten Erwiderungen Goethes auf die Aufnahme seines *Werther* sind kleine, derb gehaltene Schmäh- oder Spottgedichte, die sich vor allem gegen den Berliner Aufklärer Friedrich Nicolai und dessen *Werther*-Parodie (s. S. 168ff.) wenden.

Nicolai auf Werthers Grabe, 1775
»Freuden des jungen Werthers«

Ein junger Mensch, ich weiß nicht wie,
Starb einst an der Hypochondrie
Und ward denn auch begraben.
Da kam ein schöner Geist herbei,
Der hatte seinen Stuhlgang frei,
Wie's denn so Leute haben.
Der setzt' notdürftig sich aufs Grab
Und legte da sein Häuflein ab,
beschaute freundlich seinen Dreck,
Ging wohl eratmet wieder weg
Und sprach zu sich bedächtiglich:
»Der gute Mensch, wie hat er sich verdorben!
Hätt er geschissen so wie ich,
Er wäre nicht gestorben!«

»Die Leiden des jungen Werther«
an Nicolai
1775

Mag jener dünkelhafte Mann
Mich als gefährlich preisen:
Der Plumpe, der nicht schwimmen kann,
Er will's dem Wasser verweisen!
Was schiert mich der Berliner Bann,
Geschmäcklerpfaffenwesen!
Und wer mich nicht verstehen kann,
Der lerne besser lesen.

Wie in diesen »Invectiven« machte Goethe auch in kleineren Versen seinem Unmut darüber Luft, dass man seinen *Werther* nicht als Kunstwerk liest, sondern ihn daraufhin befragt, was daran denn »wahr« sei. So hatte die zweite der *Römischen Elegien* ursprünglich wie folgt geheißen:

Fraget nun wen ihr auch wollt mich werdet ihr nimmer er-
reichen
Schöne Damen und ihr Herren der feineren Welt!
Ob denn auch Werther gelebt? ob denn auch alles fein wahr
sei?
Welche Stadt sich mit Recht Lottens der Einzigen rühmt?
Ach, wie hab ich so oft die törigten Blätter verwünschet,
Die mein jugendlich Leid unter die Menschen gebracht.
Wäre Werther mein Bruder gewesen, ich hätt ihn erschlagen,
Kaum verfolgte mich so rächend sein trauriger Geist.
[...]

In den *Venetianischen Epigrammen* finden sich folgende Zeilen:

Mich hat Europa gelobt, was hat mir Europa gegeben?
Nichts! Ich habe noch oft meine Gedichte bezahlt.
Deutschland ahmte mich nach, und Frankreich mochte mich
lesen.
Und wie gefällig empfing England den leidenden Gast.
Doch was hilft es mir, daß auch sogar der Chinese
Malt mit geschäftiger Hand, Werthern und Lotten auf Glas?
Nie hat nach mir ein Kaiser gefragt, nie hat sich ein König
Um mich gekümmert, und er war mir August und Mäzen.

Ganz sollte Goethe nicht Recht behalten, wenn er unwirsch fest-
stellte, kein Kaiser habe nach ihm gefragt. Bei der Begegnung am
2. Oktober 1808 zwischen Goethe und Napoleon in Erfurt war
der *Werther* das beherrschende Gesprächsthema, wobei sich der
Kaiser als ausgesprochen genauer *Werther*-Leser herausstellen
sollte. Goethe selbst hat von diesem Zusammentreffen berichtet
und Kanzler Friedrich von Müller (1779–1849) von dem Gespräch erzählt, welches von Müller in seinen *Erinnerungen* fol-
gendermaßen wiedergibt:

Werthers Leiden versicherte er [Napoleon], siebenmal gelesen zu haben, und machte zum Beweise dessen eine tief ein-
dringende Analyse dieses Romans, wobei er jedoch an gewissen Stellen eine Vermischung der Motive des gekränkten Ehr-
geizes mit denen der leidenschaftlichen Liebe finden wollte.
»Das ist nicht naturgemäß und schwächt bei dem Leser die
Vorstellungen von dem übermächtigen Einfluß, den die Liebe

Begegnung
zwischen
Goethe und
Napoleon

auf Werther gehabt. Warum haben Sie das getan?« – Goethe
fand die weitere Begründung dieses kaiserlichen Tadels so
richtig und scharfsinnig, daß er ihn späterhin oftmals gegen
mich mit dem Gutachten eines kunstverständigen Kleider-
machers verglich, der an einem angeblich ohne Naht gear-
beiteten Ärmel sobald die fein versteckte Naht entdeckt. –
Dem Kaiser erwiderte er, es habe ihm noch niemand diesen
Vorwurf gemacht, allein er müsse ihn als ganz richtig aner-
kennen; einem Dichter dürfte jedoch zu verzeihen sein, wenn
er sich mitunter eines nicht leicht zu entdeckenden Kunst-
griffs bediene, um eine gewisse Wirkung hervorzubringen,
die er auf einfachem, natürlichem Wege nicht hervorbringen
zu können glaube.

Als der Stiefsohn von Carl Friedrich Zelter (1758–1832) im November des Jahres 1812 Selbstmord begangen hatte, schrieb
Goethe am 3. Dezember ein »heilendes Wort« an seinen Freund
und erwähnt in diesem Trostschreiben den *Werther*: Goethes Trostschreiben an
Zelter

> Wenn das *taedium vitae* den Menschen ergreift, so ist er nur
> zu bedauern, nicht zu schelten. Daß alle Symptome dieser
> wunderlichen, so natürlichen als unnatürlichen Krankheit
> auch einmal mein Innerstes durchrast haben, daran läßt *Wer-
> ther* wohl niemand zweifeln. Ich weiß recht gut, was es mich
> für Entschlüsse und Anstrengungen kostete, damals den Wel-
> len des Todes zu entkommen, so wie ich mich aus manchem
> spätern Schiffbruch auch mühsam rettete und mühselig er-
> holte. [. . .] Ich getraute mir, einen neuen *Werther* zu schrei-
> ben, über den dem Volke die Haare noch mehr zu Berge stehn
> sollten, als über den ersten.

Neben der Bemerkung, nach Jean Jacques Antoine Ampère
(1800–1864) sei der Tasso ein gesteigerter Werther (Gespräch
vom 3. Mai 1827), findet sich in den *Gesprächen mit Eckermann* noch eine zweite Stelle (2. Januar 1824), wo Goethe ausführlich auf *Werther* zu sprechen kommt: Gespräch mit
Eckermann

> Das Gespräch wendete sich auf den Werther. »Das ist auch so
> ein Geschöpf«, sagte Goethe, »das ich gleich dem Pelikan mit
> dem Blut meines eigenen Herzens gefüttert habe. Es ist darin
> so viel Innerliches aus meiner eigenen Brust, soviel von Emp-
> findungen und Gedanken, um damit wohl einen Roman von

zehn solcher Bändchen auszustatten. Übrigens habe ich das Buch, wie ich schon öfter gesagt, seit seinem Erscheinen nur ein einziges Mal wieder gelesen und mich gehütet, es abermals zu tun. Es sind lauter Brandraketen! – Es wird mir unheimlich dabei, und ich fürchte, den pathologischen Zustand wieder durch zu empfinden, aus dem es hervorging.« [. . .]

Ich brachte zur Erwähnung, ob denn die große Wirkung, die der Werther bei seinem Erscheinen gemacht, wirklich in der Zeit gelegen. Ich kann mich, sagte ich, nicht zu dieser allgemein verbreiteten Ansicht bekennen. Der Werther hat Epoche gemacht, weil er erschien, nicht weil er in einer gewissen Zeit erschien. Es liegen in jeder Zeit so viel unausgesprochenes Leiden, so viel heimliche Unzufriedenheit und Lebensüberdruß und in einzelnen Menschen so viele Mißverhältnisse zur Welt, so viele Konflikte ihrer Natur mit bürgerlichen Einrichtungen, daß der Werther Epoche machen würde, und wenn er erst heute erschien.

»Sie haben wohl recht«, erwiderte Goethe, »weshalb denn auch das Buch auf ein gewisses Jünglingsalter noch heute wirkt wie damals. Auch hätte ich kaum nötig gehabt, meinen eigenen jugendlichen Trübsinn aus allgemeinen Einflüssen meiner Zeit und aus der Lektüre einzelner englischer Autoren herzuleiten. Es waren vielmehr individuelle nahe liegende Verhältnisse, die mir auf die Nägel brannten und mir zu schaffen machten und die mich in jenen Gemütszustand brachten, aus dem der Werther hervorging. Ich hatte gelebt, geliebt, und sehr viel gelitten! – Das war es.

Die vielbesprochene Wertherzeit gehört, wenn man es näher betrachtet, freilich nicht dem Gange der Weltkultur an, sondern dem Lebensgange jedes Einzelnen, der mit angeborenem freiem Natursinn sich in die beschränkenden Formen einer veralteten Welt finden und schicken lernen soll. Gehindertes Glück, gehemmte Tätigkeit, unbefriedigte Wünsche, sind nicht Gebrechen einer besonderen Zeit, sondern jedes einzelnen Menschen, und es müßte schlimm sein, wenn nicht jeder einmal in seinem Leben eine Epoche haben sollte, wo ihm der Werther käme, als wäre er bloß für ihn geschrieben.«

Als der Leipziger Verlag Weygand, der ursprünglich den *Werther* publiziert hatte, an Goethe mit der Bitte herantrat, anlässlich des 50. Jahrestags der Ersterscheinung des Buches eine bibliophile Ausgabe veröffentlichen zu dürfen, womöglich mit einem Vorwort des Autors versehen, gab Goethe statt des Vorwortes dieser Edition sein Gedicht *An Werther* bei. Später stellte er es mit noch zwei weiteren Gedichten zu der *Trilogie der Leidenschaft* zusammen: Jubiläumsausgabe zum 50. Jahrestag der Erstausgabe

An Werther

Noch einmal wagst du, vielbeweinter Schatten,
Hervor dich an das Tageslicht,
Begegnest mir auf neu beblümten Matten,
Und meinen Anblick scheust du nicht.
Es ist, als ob du lebtest in der Frühe,
Wo uns der Tau auf Einem Feld erquickt,
Und nach des Tages unwillkommner Mühe
Der Scheidesonne letzter Strahl entzückt;
Zum Bleiben ich, zum Scheiden zu erkoren,
Gingst du voran – und hast nicht viel verloren.

Des Menschen Leben scheint ein herrlich Los:
Der Tag wie lieblich, so die Nacht wie groß!
Und wir, gepflanzt in Paradieses Wonne,
Genießen kaum der hocherlauchten Sonne,
Da kämpft sogleich verworrene Bestrebung
Bald mit uns selbst und bald mit der Umgebung;
Keins wird vom andern wünschenswert ergänzt,
Von außen düstert's, wenn es innen glänzt,
Ein glänzend Äußres deckt mein trüber Blick,
Da steht es nah – und man verkennt das Glück.

Nun glauben wir's zu kennen! Mit Gewalt
Ergreift uns Liebreiz weiblicher Gestalt:
Der Jüngling, froh wie in der Kindheit Flor,
Im Frühling tritt als Frühling selbst hervor,
Entzückt, erstaunt, wer dies ihm angetan?

Er schaut umher, die Welt gehört ihm an.
Ins Weite zieht ihn unbefangne Hast,
Nichts engt ihn ein, nicht Mauer, nicht Palast;
Wie Vögelschar an Wäldergipfeln streift,
So schwebt auch er, der um die Liebste schweift,
Er sucht vom Äther, den er gern verläßt,
Den treuen Blick, und dieser hält ihn fest.

Doch erst zu früh und dann zu spät gewarnt,
Fühlt er den Flug gehemmt, fühlt sich umgarnt,
Das Wiedersehn ist froh, das Scheiden schwer,
Das Wieder-Wiedersehn beglückt noch mehr,
Und Jahre sind im Augenblick ersetzt;
Doch tückisch harrt das Lebewohl zuletzt.

Du lächelst, Freund, gefühlvoll, wie sich ziemt:
Ein gräßlich Scheiden machte dich berühmt;
Wir feierten dein kläglich Mißgeschick,
Du ließest uns zu Wohl und Weh zurück;
Dann zog uns wieder ungewisse Bahn
Der Leidenschaften labyrinthisch an;
Und wir, verschlungen wiederholter Not,
Dem Scheiden endlich – Scheiden ist der Tod!
Wie klingt es rührend, wenn der Dichter singt,
Den Tod zu meiden, den das Scheiden bringt!
Verstrickt in solche Qualen, halbverschuldet,
Geb' ihm ein Gott zu sagen, was er duldet.

Goethe über den *Werther* in *Dichtung und Wahrheit*

Die ausführlichste Kommentierung des *Werther* findet sich jedoch in der breiten Schilderung im dritten Teil von *Dichtung und Wahrheit*. Es handelt sich dabei um Passagen aus dem 12. und 13. Buch, die Goethe in den Jahren 1812 und 1813 niederschrieb. Einige Passagen werden im Folgenden wiedergegeben:

Charakteristik Kestners

Unter den jungen Männern, welche der Gesandtschaft zugegeben, sich zu ihrem künftigen Dienstlauf vorüben sollten, fand sich einer [Kestner] den wir kurz und gut den Bräutigam zu nennen pflegten. Er zeichnete sich aus durch ein ruhiges gleiches Betragen, Klarheit der Ansichten, Bestimmtheit im

Handeln und Reden. Seine heitere Tätigkeit, sein anhaltender Fleiß empfahl ihn dergestalt den Vorgesetzten, daß man ihm eine baldige Anstellung versprach. Hiedurch berechtigt, unternahm er sich mit einem Frauenzimmer zu verloben, das seiner Gemütsart und seinen Wünschen völlig zusagte. Nach dem Tode ihrer Mutter, hatte sie sich als Haupt einer zahlreichen jüngeren Familie höchst tätig erwiesen und den Vater in seinem Witwerstand allein aufrecht erhalten, so daß ein künftiger Gatte von ihr das Gleiche für sich und seine Nachkommenschaft hoffen und ein entschiedenes häusliches Glück erwarten konnte. Ein Jeder gestand, auch ohne diese Lebenszwecke eigennützig für sich im Auge zu haben, daß sie ein wünschenswertes Frauenzimmer sei. Sie gehörte zu denen, die, wenn sie nicht heftige Leidenschaften einflößen, doch ein allgemeines Gefallen zu erregen geschaffen sind. Eine leicht aufgebaute, nett gebildete Gestalt, eine reine gesunde Natur und die daraus entspringende frohe Lebenstätigkeit, eine unbefangene Behandlung des täglich Notwendigen, das alles war ihr zusammen gegeben. In der Betrachtung solcher Eigenschaften ward auch mir immer wohl, und ich gesellte mich gern zu denen die sie besaßen; und wenn ich nicht immer Gelegenheit fand ihnen wirkliche Dienste zu leisten, so teilte ich mit ihnen lieber als mit andern den Genuß jener unschuldigen Freuden, die der Jugend immer zur Hand sind und ohne große Bemühung und Aufwand ergriffen werden. [. . .] Der Bräutigam, bei seiner durchaus rechtlichen und zutraulichen Sinnesart, machte Jeden, den er schätzte, bald mit ihr bekannt, und sah gern, weil er den größten Teil des Tages den Geschäften eifrig oblag, wenn seine Verlobte, nach vollbrachten häuslichen Bemühungen, sich sonst unterhielt und sich gesellig auf Spaziergängen und Landpartieen mit Freunden und Freundinnen ergetzte. Lotte – denn so wird sie denn doch wohl heißen – war anspruchslos in doppeltem Sinne: erst ihrer Natur nach, die mehr auf ein allgemeines Wohlwollen als auf besondere Neigungen gerichtet war, und dann hatte sie sich ja für einen Mann bestimmt, der, ihrer wert, sein Schicksal an das ihrige für's Leben zu knüpfen sich bereit erklären mochte. [. . .]

Charakteristik
Charlotte
Buffs

Der neue Ankömmling, völlig frei von allen Banden, sorglos in der Gegenwart eines Mädchens, das, schon versagt, den gefälligsten Dienst nicht als Bewerbung auslegen und sich desto eher daran erfreuen konnte, ließ sich ruhig gehen, war aber bald dergestalt eingesponnen und gefesselt, und zugleich von dem jungen Paare so zutraulich und freundlich behandelt, daß er sich selbst nicht mehr kannte. Müßig und träumerisch, weil ihm keine Gegenwart genügte, fand er das was ihm abging in einer Freundin, die, indem sie für's ganze Jahr lebte, nur für den Augenblick zu leben schien. Sie mochte ihn gern zu ihrem Begleiter; er konnte bald ihre Nähe nicht missen, denn sie vermittelte ihm die Alltagswelt, und so waren sie, bei einer ausgedehnten Wirtschaft, auf dem Acker und den Wiesen, auf dem Krautland wie im Garten, bald unzertrennliche Gefährten. Erlaubten es dem Bräutigam seine Geschäfte, so war er an seinem Teil dabei; sie hatten sich alle drei an einander gewöhnt ohne es zu wollen, und wußten nicht, wie sie dazu kamen, sich nicht entbehren zu können. So lebten sie, den herrlichen Sommer hin, eine echt deutsche Idylle, wozu das fruchtbare Land die Prosa, und eine reine Neigung die Poesie hergab. [. . .]

Er [Merck] stellte mir eine Rheinreise, die er eben mit Frau und Sohn zu machen im Begriff sei, so reizend vor, und erregte die Sehnsucht, diejenigen Gegenstände endlich mit Augen zu sehn, von denen ich so oft mit Neid hatte erzählen hören. Nun, als er sich entfernt hatte, trennte ich mich von Charlotten zwar mit reinerem Gewissen als von Friedriken, aber doch nicht ohne Schmerz. Auch dieses Verhältnis war durch Gewohnheit und Nachsicht leidenschaftlicher als billig von meiner Seite geworden; sie dagegen und ihr Bräutigam hielten sich mit Heiterkeit in einem Maße, das nicht schöner und liebenswürdiger sein konnte, und die eben hieraus entspringende Sicherheit ließ mich jede Gefahr vergessen. Indessen konnte ich mir nicht verbergen, daß diesem Abenteuer sein Ende bevorstehe: denn von der zunächsterwarteten Beförderung des jungen Mannes hing die Verbindung mit dem liebenswürdigen Mädchen ab; und da der Mensch, wenn er einigermaßen resolut ist, auch das Notwendige selbst zu wollen übernimmt, so faßte ich den Entschluß, mich freiwillig zu entfernen, ehe ich durch das Unerträgliche vertrieben würde. [...] Als daher jener Überdruß zu schildern war, mit welchem die Menschen, ohne durch Not gedrungen zu sein, das Leben empfinden, mußte der Verfasser sogleich darauf fallen, seine Gesinnung in Briefen darzustellen: denn jeder Unmut ist eine Geburt, ein Zögling der Einsamkeit; wer sich ihm ergibt, flieht allen Widerspruch, und was widerspricht ihm mehr, als jede heitere Gesellschaft? Der Lebensgenuß anderer ist ihm ein peinlicher Vorwurf, und so wird er durch das was ihn aus sich selbst herauslocken sollte, in sein Innerstes zurückgewiesen. Mag er sich allenfalls darüber äußern, so wird es durch Briefe geschehn: denn einem schriftlichen Erguß, er sei fröhlich oder verdrießlich, setzt sich doch Niemand unmittelbar entgegen; eine mit Gegengründen verfaßte Antwort aber gibt dem Einsamen Gelegenheit, sich in seinen Grillen zu befestigen, einen Anlaß, sich noch mehr zu verstocken. Jene in diesem Sinne geschriebenen Wertherischen Briefe haben nun wohl deshalb einen so mannigfaltigen Reiz, weil ihr verschiedener Inhalt erst in solchen ideellen Dialogen mit mehreren Individuen durchgesprochen worden, sie sodann aber in der Komposition selbst, nur an einen Freund und Teilnehmer gerichtet erscheinen. Mehr über die Behandlung des so viel besprochenen Werkleins zu sagen, möchte kaum rätlich sein; über den Inhalt jedoch läßt sich noch einiges hinzufügen.

Über den Lebensüberdruss

Jener Ekel vor dem Leben hat seine physischen und seine sittlichen Ursachen, jene wollen wir dem Arzt, diese dem Moralisten zu erforschen überlassen, und bei einer so oft durchgearbeiteten Materie, nur den Hauptpunkt beachten, wo sich jene Erscheinung am deutlichsten ausspricht. Alles Behagen am Leben ist auf eine regelmäßige Wiederkehr der äußeren Dinge gegründet. Der Wechsel von Tag und Nacht, der Jahreszeiten, der Blüten und Früchte, und was uns sonst von Epoche zu Epoche entgegentritt, damit wir es genießen können und sollen, diese sind die eigentlichen Triebfedern des irdischen Lebens. Je offener wir für diese Genüsse sind, desto glücklicher fühlen wir uns; wälzt sich aber die Verschiedenheit dieser Erscheinungen vor uns auf und nieder, ohne daß wir daran Teil nehmen, sind wir gegen so holde Anerbietungen unempfänglich: dann tritt das größte Übel, die schwerste Krankheit ein, man betrachtet das Leben als eine ekelhafte Last. Von einem Engländer wird erzählt, er habe sich aufgehangen, um nicht mehr täglich sich aus- und anzuziehn. [. . .] Dieses sind eigentlich die Symptome des Lebensüberdrusses, der nicht selten in den Selbstmord ausläuft, und bei denkenden in sich gekehrten Menschen häufiger war als man glauben kann.

Nichts aber veranlaßt mehr diesen Überdruß, als die Wiederkehr der Liebe. [. . .]

Ferner wird ein junger Mann, wo nicht gerade an sich selbst, doch an andern bald gewahr, daß moralische Epochen eben so gut wie die Jahreszeiten wechseln. Die Gnade der Großen, die Gunst der Gewaltigen, die Förderung der Tätigen, die Neigung der Menge, die Liebe der Einzelnen, alles wandelt auf und nieder, ohne daß wir es festhalten können, so wenig als Sonne, Mond und Sterne; und doch sind diese Dinge nicht bloße Naturereignisse: sie entgehen uns durch eigne oder fremde Schuld, durch Zufall oder Geschick, aber sie wechseln, und wir sind ihrer niemals sicher.

Was aber den fühlenden Jüngling am meisten ängstigt, ist die unaufhaltsame Wiederkehr unserer Fehler: denn wie spät lernen wir einsehen, daß wir, indem wir unsere Tugenden ausbilden, unsere Fehler zugleich mit anbauen. Jene ruhen auf diesen wie auf ihrer Wurzel, und diese verzweigen sich insgeheim eben so stark und so mannigfaltig als jene im offenbaren Lichte. [. . .]

Solche düstere Betrachtungen jedoch, welche denjenigen, der sich ihnen überläßt, ins Unendliche führen, hätten sich in den Gemütern deutscher Jünglinge nicht so entschieden entwickeln können, hätte sie nicht eine äußere Veranlassung zu diesem traurigen Geschäft angeregt und gefördert. Es geschah dieses durch die englische Literatur, besonders durch die poetische, deren große Vorzüge ein ernster Trübsinn begleitet, welchen sie einem Jeden mitteilt, der sich mit ihr beschäftigt. [. . .]

Damit aber ja allem diesem Trübsinn nicht ein vollkommen

passendes Lokal abgehe, so hatte uns *Ossian* bis ans letzte Ossian
Thule gelockt, wo wir denn auf grauer, unendlicher Heide,
unter vorstarrenden bemoosten Grabsteinen wandelnd, das
durch einen schauerlichen Wind bewegte Gras um uns, und
einen schwer bewölkten Himmel über uns erblickten. [. . .]

In einem solchen Element, bei solcher Umgebung, bei Lieb- Über den Selbstmord
habereien und Studien dieser Art, von unbefriedigten Leidenschaften gepeinigt, von außen zu bedeutenden Handlungen
keineswegs angeregt, in der einzigen Aussicht, uns in einem
schleppenden, geistlosen, bürgerlichen Leben hinhalten zu
müssen, befreundete man sich, in unmutigem Übermut, mit
dem Gedanken, das Leben, wenn es einem nicht mehr anste-
he, nach eignem Belieben allenfalls verlassen zu können, und
half sich damit über die Unbilden und Langeweile der Tage
notdürftig genug hin. Diese Gesinnung war so allgemein, daß
eben Werther deswegen die große Wirkung tat, weil er überall
anschlug und das Innere eines kranken jugendlichen Wahns
öffentlich und faßlich darstellte. [. . .]

Wir haben es hier mit solchen [Personen] zu tun, denen eigentlich aus Mangel von Taten, in dem friedlichsten Zustande
von der Welt, durch übertriebene Forderungen an sich selbst
das Leben verleidet. Da ich selbst in dem Fall war, und am
besten weiß, was für Pein ich darin erlitten, was für Anstrengung es mir gekostet, ihr zu entgehn; so will ich die Betrachtungen nicht verbergen, die ich über die verschiedenen To-
desarten, die man wählen könnte, wohlbedächtig angestellt.
[. . .]

Wenn ich nun alle diese Mittel [des Selbstmordes] überlegte, Überwindung der eigenen Selbstmord-gedanken
und mich sonst in der Geschichte weiter umsah, so fand ich
unter allen denen die sich selbst entleibt, keinen, der diese Tat
mit solcher Großheit und Freiheit des Geistes verrichtet, als
Kaiser *Otto.* Dieser, zwar als Feldherr im Nachteil, aber doch
keineswegs aufs Äußerste gebracht, entschließt sich zum Besten des Reichs, das ihm gewissermaßen schon angehörte,
und zur Schonung so vieler Tausende, die Welt zu verlassen.
Er begeht mit seinen Freunden ein heiteres Nachtmahl, und
man findet am anderen Morgen, daß er sich einen scharfen
Dolch mit eigner Hand in das Herz gestoßen. Diese einzige

Tat schien mir nachahmungswürdig und ich überzeugte mich, daß wer nicht hierin handeln könne wie Otto, sich nicht erlauben dürfe, freiwillig aus der Welt zu gehn. Durch diese Überzeugung rettete ich mich nicht sowohl von dem Vorsatz als von der Grille des Selbstmords, welche sich in jenen herrlichen Friedenszeiten bei einer müßigen Jugend eingeschlichen hatte. Unter einer ansehnlichen Waffensammlung, besaß ich auch einen kostbaren wohlgeschliffenen Dolch. Diesen legte ich mir jederzeit neben das Bette, und ehe ich das Licht auslöschte, versuchte ich, ob es mir wohl gelingen möchte, die scharfe Spitze ein paar Zoll tief in die Brust zu senken. Da dieses aber niemals gelingen wollte, so lachte ich mich zuletzt selbst aus, warf alle hypochondrische Fratzen hinweg, und beschloß zu leben. Um dies aber mit Heiterkeit tun zu können, mußte ich eine dichterische Aufgabe zur Ausführung bringen, wo alles was ich über diesen wichtigen Punkt empfunden, gedacht und gewähnt, zur Sprache kommen sollte. Ich versammelte hierzu die Elemente, die sich schon ein paar Jahre in mir herumtrieben, ich vergegenwärtigte mir die Fälle, die mich am meisten gedrängt und geängstigt; aber es wollte sich nichts gestalten: es fehlte mir eine Begebenheit, eine Fabel, in welcher sie sich verkörpern könnten.

Jerusalems
Selbstmord

Auf einmal erfahre ich die Nachricht von Jerusalems Tode, und unmittelbar nach dem allgemeinen Gerüchte, sogleich die genauste und umständlichste Beschreibung des Vorgangs, und in diesem Augenblick war der Plan zu Werthern gefunden, das Ganze schoß von allen Seiten zusammen und ward eine solide Masse. [. . .]

Jerusalems Tod, der durch die unglückliche Neigung zu der Gattin eines Freundes verursacht ward, schüttelte mich aus dem Traum, und weil ich nicht bloß mit Beschaulichkeit das was ihm und mir begegnet, betrachtete, sondern das Ähnliche was mir im Augenblicke selbst widerfuhr, mich in leidenschaftliche Bewegung setzte; so konnte es nicht fehlen, daß ich jener Produktion die ich eben unternahm, alle die Glut einhauchte, welche keine Unterscheidung zwischen dem Dichterischen und dem Wirklichen zuläßt. Ich hatte mich äu-

Niederschrift
des *Werther*

ßerlich völlig isoliert, ja die Besuche meiner Freunde verbeten, und so legte ich auch innerlich alles bei Seite, was nicht unmittelbar hierher gehörte. Dagegen faßte ich alles zusammen, was einigen Bezug auf meinen Vorsatz hatte, und wiederholte mir mein nächstes Leben, von dessen Inhalt ich noch keinen dichterischen Gebrauch gemacht hatte. Unter solchen Umständen, nach so langen und vielen geheimen Vorbereitungen, schrieb ich den Werther in vier Wochen, ohne daß ein Schema des Ganzen, oder die Behandlung eines Teils irgend vorher wäre zu Papier gebracht gewesen. [. . .]

Da ich dieses Werklein ziemlich unbewußt, einem Nachtwandler ähnlich, geschrieben hatte, so verwunderte ich mich selbst darüber, als ich es nun durchging, um daran etwas zu ändern und zu bessern. Doch in Erwartung daß nach einiger Zeit, wenn ich es in gewisser Entfernung besähe, mir manches beigehen würde, das noch zu seinem Vorteil gereichen könnte, gab ich es meinen jüngeren Freunden zu lesen, auf die es eine desto größere Wirkung tat, als ich, gegen meine Gewohnheit, vorher Niemanden davon erzählt, noch meine Absicht entdeckt hatte. Freilich war es hier abermals der Stoff, der eigentlich die Wirkung hervorbrachte, und so waren sie gerade in einer der meinigen entgegengesetzten Stimmung: denn ich hatte mich durch diese Komposition, mehr als durch jede andere, aus einem stürmischen Elemente gerettet, auf dem ich durch eigne und fremde Schuld, durch zufällige und gewählte Lebensweise, durch Vorsatz und Übereilung, durch Hartnäckigkeit und Nachgeben, auf die gewaltsamste Art hin und wider getrieben worden. Ich fühlte mich, wie nach einer Generalbeichte, wieder froh und frei, und zu einem neuen Leben berechtigt. Das alte Hausmittel war mir diesmal vortrefflich zu statten gekommen. Wie ich mich nun aber dadurch erleichtert und aufgeklärt fühlte, die Wirklichkeit in Poesie verwandelt zu haben, so verwirrten sich meine Freunde daran, indem sie glaubten, man müsse die Poesie in Wirklichkeit verwandeln, einen solchen Roman nachspielen und sich allenfalls selbst erschießen; und was hier im Anfang unter wenigen vorging, ereignete sich nachher im großen Publikum, und dieses Büchlein, was mir so viel genützt hatte, ward als höchst schädlich verrufen.

Aufnahme des *Werther* im Freundeskreis

Wirkung des
Werther beim
Publikum

Die Wirkung dieses Büchleins war groß, ja ungeheuer, und vorzüglich deshalb, weil es genau in die rechte Zeit traf. Denn wie es nur eines geringen Zündkrauts bedarf, um eine gewaltige Mine zu entschleudern, so war auch die Explosion welche sich hierauf im Publikum ereignete, deshalb so mächtig, weil die junge Welt sich schon selbst untergraben hatte, und die Erschütterung deswegen so groß, weil ein Jeder mit seinen übertriebenen Forderungen, unbefriedigten Leidenschaften und eingebildeten Leiden zum Ausbruch kam. Man kann von dem Publikum nicht verlangen, daß es ein geistiges Werk geistig aufnehmen solle. Eigentlich ward nur der Inhalt, der Stoff beachtet, wie ich schon an meinen Freunden erfahren hatte, und daneben trat das alte Vorurteil wieder ein, entspringend aus der Würde eines gedruckten Buchs, daß es nämlich einen didaktischen Zweck haben müsse. Die wahre Darstellung aber hat keinen. Sie billigt nicht, sie tadelt nicht, sondern sie entwickelt die Gesinnungen und Handlungen in ihrer Folge und dadurch erleuchtet und belehrt sie. [. . .]

Dichtung und
Wahrheit im
Werther

Vorbereitet auf alles was man gegen den Werther vorbringen würde, fand ich so viele Widerreden keineswegs verdrießlich; aber daran hatte ich nicht gedacht, daß mir durch teilnehmende, wohlwollende Seelen eine unleidliche Qual bereitet sei: denn anstatt daß mir jemand über mein Büchlein wie es lag, etwas Verbindliches gesagt hätte, so wollten sie sämtlich ein für allemal wissen, was denn eigentlich an der Sache wahr sei? worüber ich denn sehr ärgerlich wurde, und mich meistens höchst unartig dagegen äußerte. Denn diese Frage zu beantworten, hätte ich mein Werkchen, an dem ich so lange gesonnen, um so manchen Elementen eine poetische Einheit zu geben, wieder zerrupfen und die Form zerstören müssen, wodurch ja die wahrhaften Bestandteile selbst wo nicht vernichtet, wenigstens zerstreut und verzettelt worden wären.

Aspekte der Interpretation

Anhand der Interpretationen, die der *Werther* durch die Literaturwissenschaft seit dem 19. Jahrhundert erfahren hat, ließe sich wegen der Kontinuität und Fülle eine Geschichte der Literaturwissenschaft, ihrer Methoden und Erkenntnisinteressen schreiben. Biografische, ideengeschichtlich orientierte, stilanalytische, morphologische, werkimmanente, soziologische, psychoanalytische, epochenzuordnende, sozial- und klassengeschichtliche, rezeptionshistorische und in letzter Zeit dekonstruktivistische Deutungsversuche liegen mittlerweile vor. Die folgenden Textauszüge begnügen sich damit, wichtige Forschungspositionen pointiert wiederzugeben und zugleich durch die Abfolge der Textauszüge auch einen kleinen Einblick in die Geschichte der *Werther*-Interpretation zu geben.

Was schon die Anteilnahme der Zeitgenossen bewegte, entzündete auch das Interesse der Literaturwissenschaft. Eine positivistisch ausgerichtete Forschung versuchte mehr und mehr, den Wahrheitsgehalt des *Werther* zu bestimmen. So wurde der lebensgeschichtliche Umkreis, in dem sich Goethe während des halben Jahres in Wetzlar aufhielt, immer eingehender untersucht, und auch die Frankfurter Zeit nach der Station in Wetzlar fand detaillierte Beachtung. Und obwohl man eigentlich annehmen sollte, dass nach 200 Jahren *Werther*-Forschung zumindest der biografische Komplex gänzlich ausgeleuchtet sei, lieferte die Forschung noch in den letzten Jahrzehnten erstaunliche Ergebnisse. Ernst Beutler gelang zum Beispiel der Nachweis, dass der Bericht im Brief vom 12. August 1771 über das ertrunkene Mädchen durch einen Vorfall in Frankfurt angeregt worden sein könnte, nach dem »ein Mädchen«, nämlich Anna Elisabeth Stöber, »vor weniger zeit im Wasser todt gefunden« worden war. Zu den Funden gehört auch Horst Flaschkas Aufarbeitung der »Gesandtschaftsaffaire« im Wetzlar der 1770er Jahre.

Aber unter den neueren biografischen Arbeiten wird jedoch im Vergleich zu früheren Studien nie vergessen, wie sehr der *Werther* eben doch Kunstwerk, Fiktion und Komposition, ist. Aber nicht nur der *Werther* ist im Wesentlichen Kunstwerk, auch Goe-

Biografische Deutungsversuche

Ernst Beutler

Horst Flaschka

thes eigene Aussagen über die Entstehung des Romans und damit seine nachträgliche Interpretation des Werkes dürfen nicht wörtlich genommen werden. Wolfgang Kayser hat dargelegt, dass die Selbstaussagen in *Dichtung und Wahrheit* desgleichen auf einem Kompositionsprinzip beruhen, nämlich dem der Novelle, und die Deutungsrichtung, die Goethe hier seinem *Werther* gibt, durch die Situation, in der er sich bei Abfassung der entsprechenden Passagen aus *Dichtung und Wahrheit* befand, mitbestimmt ist: Es galt nämlich, einen fremden Tod, den Selbstmord des Stiefsohns von Zelter, begreiflich zu machen.

Die in *Dichtung und Wahrheit* behauptete Entstehung des *Werther* aus plötzlich überwundenen Selbstmordgedanken muß also bezweifelt werden. Aber die Zweifel erstrecken sich weiter, nämlich auf den ganzen von Goethe angegebenen Sinn der Dichtung. Als eigentlicher »Inhalt« war der Lebensüberdruß hingestellt worden, für den Goethe drei zeitlose Gründe gab: die Wiederholung der Liebe, den Wechsel von Gunst und Ungunst bei den Mitlebenden und die Wiederkehr der eigenen Fehler. Es braucht kaum näher behandelt zu werden, daß keiner dieser Gründe zum Lebensekel im *Werther* als Motiv erscheint. In Lotte erlebt er ja seine erste große Liebe; ängstigende, quälende, unerträgliche Wiederkehr von Fehlern, – es ist ein ganz anderes Denksystem als im Roman. Und wenn man auf den ersten Blick noch versucht sein könnte, die Erlebnisse am Hofe als Darstellung der wechselnden Gunst und Ungunst anzusehen, so erkennt man beim zweiten genaueren Blick, daß hier ein bestimmter, zudem gänzlich anders gelagerter *Vorfall* wirkt, nicht die Erfahrung des ewigen Wechsels. Werther verliert nicht einmal die Gunst des Ministers oder des Erbprinzen oder des Fräulein v.B. Man könnte auf der anderen Seite leicht zeigen, – ohne daß wir solche sich aufdrängenden Gedanken hier weiter verfolgen wollen – daß die drei Gründe zum Lebensüberdruß gar nicht in einem jungen Menschen, sondern erst in einem älteren wirksam werden können, daß der an *Dichtung und Wahrheit* schreibende Goethe in die Erörterung des *Werther* viel von späteren Erlebnissen hineingelegt hat. Auf jeden Fall, nachdem sich gezeigt hat, daß die bei der Sinndeutung genannten Motive keinen Bezug auf die Dichtung haben, werden zugleich Zweifel wach, ob die Sinndeutung selber standhält: *Werther* als Gestaltung des Selbstmordes aus Lebensekel.

Wie kam Goethe zu seiner Deutung und seiner Entstehungsgeschichte aus dem Selbstmord, wie kam es zu der ganzen Wertherdarstellung in *Dichtung und Wahrheit*? Die entsprechenden Abschnitte sind im Mai und Juni des Jahres 1813 geschrieben worden. Wenige Monate vorher war der Schatten *Werthers* beschworen worden und dabei in Zusammenhänge gerückt, die für die Selbstbiographie übernommen wurden. Im November 1812 teilte Zelter mit, daß sein geliebter Stiefsohn sich erschossen habe. »Warum weiß ich noch nicht eigentlich.« [. . .] Die Sinnbezüge, die sich im Dezember 1812 zwischen Werther und »Lebensekel« geknüpft hatten, und zwar unter dem Drang, einen fremden Tod zu deuten und zu rechtfertigen, sowie durch persönliches Bekenntnis den Freund zu trösten, sie bestimmten die Darstellung vom Mai und Juni 1813. Damit aber den größten Teil der späteren Wertherdeutungen und das Bild, das sich die Nachwelt von der Entstehung machen mußte. (Kayser 1941, S. 433–435)

Als sehr folgenreich für die Deutungsgeschichte des *Werther* sollte sich Georg Lukács' These erweisen, in dem Liebeskonflikt seien »alle großen Probleme des Kampfes um die Persönlichkeitsentwicklung« einbezogen: Werther scheitert, Lukács zufolge, an den Schranken, die die adelige Gesellschaft dem Bürgerlichen gegenüber aufrichtet. Goethe, der »aus der Liebe Werthers zu Lotte einen dichterisch gesteigerten Ausdruck der volkstümlichen, antifeudalen Lebenstendenzen des Helden« gemacht habe, zeige überdies die innere Widersprüchlichkeit der bürgerlichen Ehe:

Georg Lukács' klassengeschichtliche Deutung

Der erste Teil ist der Darstellung der entstehenden Liebe Werthers gewidmet. Als Werther den unlösbaren Konflikt seiner Liebe sieht, will er ins praktische Leben, in die Tätigkeit, fliehen und nimmt einen Posten bei einer Gesandtschaft an. Trotz seiner dort anerkannten Begabung scheitert dieser Versuch an den Schranken, die die adelige Gesellschaft dem Bürgerlichen gegenüber aufrichtet. Erst nachdem Werther hier gescheitert ist, kommt es zur tragischen Wiederbegegnung mit Lotte.

[. . .]

Gerade dies bringt aber die Katastrophe hervor: Lotte ist eine bürgerliche Frau, die an ihrer Ehe mit dem tüchtigen und geachteten Mann instinktiv festhält und vor der eigenen Leidenschaft erschreckt zurücktaumelt. Die Werthertragödie ist also nicht nur die Tragödie der unglücklichen Liebesleidenschaft, sondern die vollendete Gestaltung des inneren Widerspruchs der bürgerlichen Ehe: sie ist auf individuelle Liebe basiert, mit ihr entsteht historisch die individuelle Liebe – ihr ökonomisch-soziales Dasein steht aber in unlösbarem Widerspruch zur individuellen Liebe. (Lukács 1936, zit. nach 1973, S. 200f.)

Die von Lukács so pointiert benannten »sozialen Pointen der Liebestragödie« konnten nicht unwidersprochen bleiben, aber sie lenkten das Interesse vor allem auf die Kapitel »Werther am Hofe« und zwangen hier zu einer genaueren Lektüre. Arnold Hirsch sieht ebenfalls in *Werther* ein »bürgerliches Schicksal im absolutistischen Staat« (*Études Germaniques* 13, 1958) und kommt trotz einer gegenüber Lukács viel umsichtigeren, breiteren Konzeption seiner Studie zu einer ähnlichen Schlussfolgerung, wenn er Werthers Tragik »nur von seinem bürgerlichen Schicksal aus zu erklären unternimmt« (ebd., S. 247), dessen »voll entwickelter Persönlichkeit« im Absolutismus die Anerkennung versagt bleibt. Dem hält Gerhard Kluge Folgendes entgegen:

> Werthers Leiden in der Residenz wurzeln in dem notwendigen Versuch einer Selbstbehauptung, der Rettung der eigenen Persönlichkeit und Würde in einer ständisch bestimmten Gemeinschaft, und man sollte diese Episode nicht nur negativ, aus der Sicht der Gesellschaft sehen, an der, wie man sagt, Werther scheitert, sondern gleichermaßen in ihren positiven Aspekten, von Werther aus: *als Aufgabe zur Selbstbewahrung*, wodurch Gestalt und Tragik Werthers nur vertieft würden. Es zeigt sich dann aus dieser Optik, daß das hier erörterte Problem in einem tieferen Sinn das Problem der Wertherschen Existenz, seiner Menschlichkeit, ist und nicht nur ein

[margin: Arnold Hirsch]

[margin: Gerhard Kluge]

[margin: Selbstbehauptung des Individuums]

sekundäres Beiwerk, ein Appendix, der Werthers *Bürger-schicksal* vorführt. Werther schreibt mit so auffallender Heftigkeit die Schuld am Ausgang dieser Epoche den anderen zu, die ihn beredet haben, die Gesandtschaftsstelle anzunehmen, daß man nicht umhin kann, darin einen Zug von Unsicherheit, Maskerade und ein Eingeständnis seines Scheiterns zu sehen. Er geht so weit, daß er alle Verantwortlichkeit für den negativen Ausgang der Residenzepisode von sich weist. Dieser Versuch, die Hände in Unschuld zu waschen, sich – er wird es später nochmals in der Interpretation seines Selbstmords wiederholen – zum Opfer zu machen, verbirgt Werthers Einsicht in das durch ihn selbst verschuldete Scheitern seiner Mission in der Stadt nur zum Teil. Ihn trifft zweifellos keine Schuld, weil er konventionelle Gesetze mißachtet hat; schuldig wäre er allenfalls, weil er – wieder einmal – ausschließlich seinem Herzen gefolgt ist. Das aber ist die Bedingung seiner Existenz. Deren Gefährdung wird Anlaß des gesellschaftlichen Eklats, der zugleich zeigt, wie antinomische Lebenshaltungen aufeinanderstoßen. Ein Zirkel von tragischer Auswegslosigkeit also ergibt sich: es ist eine Schuld, die, wenn man sie akzeptiert, im Wesen Werthers liegt. Ist er andererseits schuldig zu nennen, wenn er seine Existenz behaupten, seine Seele retten will in einer seelenlosen Welt? Der Konflikt kann nur bestimmt werden, wenn man die hier in den Vordergrund gerückten Szenen als voll in den Roman integrierte Bestandteile betrachtet und auf den generellen, unlösbaren antinomisch-tragischen Gegensatz Werthers zur Welt, nicht nur zur Gesellschaft, bezieht. (Kluge 1971, S. 130f.)

Antinomisch-tragischer Gegensatz Werthers zur Welt

Peter Uwe Hohendahl stimmt zwar mit Kluge darüber ein, dass in der Gesandtschaftsepisode nicht der Gegensatz zwischen Adel und Bürger relevant werde, aber Kluges Behauptung, im *Werther* stehe die Selbstbehauptung des Individuums im Vordergrund und der *Werther* stelle den unlösbaren, antinomisch-tragischen Gegensatz Werthers zur Welt dar, weist er ab, indem er – nun differenzierter als Lukács oder Hirsch – nach dem sozialhistorischen Stellenwert bei der Suche nach individueller Identität fragt:

Peter Uwe Hohendahl

Die gesellschaftliche Relevanz von Werthers Empfindsamkeit

ist also nicht abhängig von einem expliziten Klassenbewußtsein. [. . .] Werthers Nonkonformismus und dessen Scheitern läßt sich nicht abstrakt als der tragische Zusammenstoß von antinomischen Lebenshaltungen verstehen, weil sie den Gegensatz von Aristokratie und ständischem Bürgertum transzendieren. Repräsentativ ist Werthers Schicksal weniger, wie Hirsch vermutete, für das Bürgertum im absolutistischen Staat als für die progressive Intelligenz, die sich von der affirmativen Moralphilosophie der deutschen Aufklärung gelöst hat, ohne doch bei irgendeiner breiteren gesellschaftlichen Gruppe einen Halt zu finden. [. . .] Der *Werther* demonstrierte das Recht der emotionalen Rebellion und zugleich ihre Ohnmacht. Die Kritik des Helden wird auf den Innenraum abgedrängt und verliert dort das Bewußtsein, daß ihre eigene Sehweise integraler Teil der beklagten Zustände ist. (Hohendahl 1972, S. 203f.)

Hans Peter Herrmann

Um den *Werther* historisch einzuordnen, beschreitet Hans Peter Herrmann einen ganz anderen Weg, indem er nämlich den Landschaftsbildern im *Werther* nachfragt und anhand deren künstlerischer Konstruktion und Funktion innerhalb des Romans diesem einen gesellschaftlichen Übergangszustand zwischen feudaler und bürgerlicher Gesellschaft ablesen kann:

Der Roman artikuliert vielfache Kritik an der Gesellschaft des 18. Jahrhunderts, an deren Strukturen Werther sich wundstößt. Kritik am feudalen Ständedenken, Kritik an bürgerlicher Konventionalität, Kritik an staatlicher Bürokratisierung, Kritik an entfremdeter Arbeit. [. . .]

Landschaftsdarstellungen im *Werther*

Ohne das positive Gegenbild zur Gesellschaft in den Landschaften des Romans könnte man versucht sein, Werthers Ablehnung der Gesellschaft einfach seiner Unfähigkeit zuzuschreiben, sich in den Lauf der Dinge zu schicken. Ein Mann mit einem imponierenden, aber doch auch überspannten Absolutheitsanspruch. Die Landschaftsdarstellungen jedoch heben die Gesellschaftskritik des Romans ins Prinzipielle. Erst an der Erfülltheit, dem Anspruch unentfremdeten Lebens der Landschaft, an ihrer lebendigen Einheit von Subjekt und Gegenstandswelt, Einzelnem und Ganzem, erweist die Gesellschaft ihre eigentliche Fragwürdigkeit.

Die erste Landschaft im Brief vom 18. August ist der Versuch (Goethes durch die Figur Werthers hindurch), sich der in der bürgerlichen Gesellschaft als verloren erlebten Einheit mit der Natur, der Gesellschaft und der inneren Natur noch einmal in der Rückschau zu versichern, den in der bürgerlichen Gesellschaft als verloren erfahrenen Sinn des Ganzen und der Geschichte noch einmal in der Rückschau zu beschwören. Das »Ach damals . . .« läßt sich, so gesehen, durchaus gesellschaftsgeschichtlich lesen: wie Werther in den Idyllen Anleihen bei der vergangenen patriarchalischen Gesellschaft nimmt, um seine Sehnsucht zu artikulieren, so nimmt er im ersten Landschaftsbild Anleihen am Gottesbegriff der vergangenen, mittelalterlich-christlichen Welt, den er bis zum Pantheismus hin säkularisiert, aber an dessen personalen Charakter und allmächtiger, sinngebender Kraft er noch festhält, wie übrigens auch an einem hierarchischen Grundaufbau der Natur.

Das »Ach damals . . .« beschwört eine göttliche Ordnung der Welt, als sei sie vergangen. Tatsächlich war sie auch damals nicht so. In der konkreten Form, in der Werther/Goethe sie hier vorführt, restituiert sie nicht noch einmal mittelalterlich-feudale Gottesgläubigkeit, vielmehr verdankt sie sich einer Subjektivität, die es »damals« noch gar nicht gab: dem Subjektbegriff der bürgerlichen Gesellschaft, wie ihn Werther in seiner sentimentalen Form zu verwirklichen gezwungen ist. (Herrmann 1984, zit. nach 1994, S. 375–377)

Untersucht man die Form der im *Werther* vorgestellten Individualität, so liefert die psychologisch-psychoanalytisch orientierte Interpretation des Romans ein eindrucksvolles Instrumentarium, mit dessen Hilfe der Typus Werther als extreme Subjektivität, fixiert in der narzisstischen Phase, beschrieben und erklärt werden kann. Dies tut z. B. Wolfgang Kaempfer in seiner Abhandlung über *Das Ich und der Tod in Goethes ›Werther‹*, aus der im Folgenden einige Abschnitte zitiert und um einen weiteren Abschnitt aus einem Aufsatz von Helmut Schmiedt ergänzt werden:

> Werther, dessen Subjektivität, eben weil sie nichts als dies ist, extrem sich abhängig gemacht hat von den Objekten, wird

Psychologisch-psychoanaly-tische Deutungsversuche

Wolfgang Kaempfer

fortan nicht mehr ohne Lotte leben können. Was je ihm ›die Welt‹ verheißen haben mag: soweit er seinen wesentlichen Inhalt an ihr selbst hat, schießt es wie in einem Hohlspiegel im Bilde von Lotte zusammen. Gewissermaßen wird dies Bild Teil seiner selbst, es wird Instanz in ihm, und er ist »gefangen« in jenem buchstäblichen Sinne, daß er auf sich selbst – auf die eigene Vollkommenheit, die er in dem Bild gespiegelt weiß – nicht mehr wird verzichten können. [. . .]

Werthers Objekt-Abhängigkeit

Lotte ist nicht eigentlich Objekt der Liebe Werthers – die Psychoanalyse nennt die Objektliebe nicht zufällig die höchste Form der Liebe –, sondern sie ist Selbst-Objekt einer Liebe, welche die initiale Phase aller Liebe, die Selbstliebe, aus inneren und äußeren Gründen, [. . .] nicht zu überschreiten vermag. Solche Liebe bedeutet eine schwindelerregende Steigerung des Selbstwerts – »wie wert ich mir selbst werde« – sie ist nichts anderes als eine Form der »Selbstanbetung«, denn die Liebende, so heißt es wenig später, »ist mir heilig«.

Kein Zufall wohl, daß Werther bald darauf die absolute Objekt-Abhängigkeit verspürt, in der er mangels »eigener Struktur«, Identität, Selbstidentität [. . .] geraten ist. Befreiung von solcher Abhängigkeit gewährt allenfalls der Freitod, der daher so lapidar wie unverblümt, mitten im schönsten Schwärmen, evoziert wird. (Kaempfer 1979, S. 65 f.)

Helmut Schmiedt schreibt:

Werthers Narzissmus

Werther erscheint so als extremer Narzißt. Das Verhältnis zur Umwelt soll nicht dem Zweck dienen, private Orientierungen zu modifizieren und die eigene Persönlichkeit kontinuierlich weiterzuentwickeln; vielmehr hat die Außenwelt die Aufgabe, alle Neigungen der Innenwelt zu bestätigen und zu verstärken. Daß Kindern dieses Verhalten von ihrer Umgebung zugestanden wird, steigert Werthers Neigung, sich ihnen anzugleichen und Form und Ziel seiner Emotionen danach auszurichten: Indem seine Beziehung zur Umwelt vorrangig immer dazu dient, diese den eigenen Bedürfnissen ohne weiteres anzupassen und zu unterwerfen, entwickelt sich letztlich nur eine Liebe zum eigenen Ich. Auch die Bindung an Lotte ist von diesem Hintergrund geprägt: »wie ich mich selbst anbethe, seitdem sie mich liebt!« Wenn jene narzißtische, auf infantile

Reaktionen angelegte Lebensweise in der Kommunikation des Alltags schon keine Erfüllung findet, dann kann Werther doch wenigstens der Absicht gerecht werden, seine Überzeugungen, Urteile und Kommentare entsprechend zu gestalten, und unter diesem Aspekt erscheinen die verschiedensten Äußerungen in einem bezeichnenden Licht. Daß Homers Werk Werther den »Wiegengesang« liefert, ist, was die Formulierung betrifft, ein Hinweis auf die Grundlage seiner ästhetischen Interessen, und daß Werther »[s]ein Herzchen [hält] wie ein krankes Kind; jeder Wille wird ihm gestattet«, verweist mit dem Bezug auf die ›Krankheit‹ auf das zeitweilige Bemühen, der selbstverschuldeten Isolation zu entkommen. Der im Brief vom 30. Mai bewunderte Wahnsinnige; der Bauernbursche, dessen Verbrechen Werther so angelegentlich entschuldigt – es sind Modelle einer Lebensführung, die übergeordnete Verantwortung nicht kennt, rein selbstbezogen handelt und, wo sie sich an den Realitäten stößt, diese in der radikalen Art der Kinder zu überwinden oder zu vereinnahmen trachtet. [. . .]

Was Werther frühzeitig hätte helfen können, wäre eine Orientierungsinstanz, die sowohl dem Gefühlsreichtum wie auch dem Intellekt Hilfe gewährt: Werther braucht wie das Kind eine Mutter, die seine Liebe aus ihrer narzißtischen Isolation befreit und ihm den Weg zur Außenwelt erschließt. (Schmiedt 1979, S. 87–89)

In den letzten Jahrzehnten wurde immer häufiger nach der historischen Bedingtheit überkommener Subjektivitäts- und Individualitätsvorstellungen gefragt. Insbesondere der *Werther* bot sich als einer der Kristallisationspunkte der Diskussion an, da er geradezu als Paradigma moderner Subjektivitätskonstruktion gelesen werden konnte. Eine entscheidende Vorgabe für die Diskussion machte Niklas Luhmann in seinem Aufsatz *Individuum, Individualität, Individualismus*, in: *Gesellschaftsstruktur und Semantik: Studie zur Wissenssoziologie der modernen Gesellschaft* (Bd. III, 1989, S. 149–258). Luhmann führt darin aus, dass die Logik der Empfindsamkeit – ihrerseits Produkt einer sich funktional ausdifferenzierenden Gesellschaft – ein Individuum entstehen lässt, das sich zwangsläufig als außerhalb

Niklas Luhmann

der Gesellschaft begreifen muss. Individualität selbst nämlich entsteht erst dann, wenn sich das Subjekt in den Teilsystemen der neuen, nicht mehr geschlossenen Gesellschaft nicht mehr wieder findet. Für Goethes *Werther* bedeutet das nach Walter Erhart:

Die Geschichte Werthers zeigt, wie die in der Empfindsamkeit entstandene Identität einer »sich fühlenden Menschlichkeit« (Lessing) zerbricht in der Erkenntnis, nur über eine aus Diskursen konstruierte Ersatz-Identität zu verfügen. Die *Leiden des jungen Werthers* präsentieren deshalb weder die konsequente Radikalisierung der Empfindsamkeit noch deren Pathologie. Goethes Roman schreibt nämlich die in der Empfindsamkeit erst konstruierte Frontstellung zwischen Individuum und Gesellschaft nicht ein weiteres Mal fort, sondern stellt ihre Bedingungen und Voraussetzungen in Frage. Er entlarvt diejenigen Diskurse, die eine empfindsame Exklusion des Individuums – also die Selbstausgrenzung aus der Gesellschaft – aufbauen und stärken, als eine Reihe künstlich hergestellter Mechanismen. Nicht Triumph oder Zerstörung des Individuums, Aufstieg oder Untergang des bürgerlichen Subjekts sind das Thema von Werthers Leiden, sondern Entstehung und Phantasmagorie der dabei [. . .] unbefragt vorausgesetzten anthropologischen Kategorien. Werther, auf der Suche nach seiner Einzigartigkeit und Authentizität, macht die – für ihn – schockhafte Erfahrung, daß die erst im Schnittpunkt der Vermittlungen und diskursiven Medien zu lokalisierende Individualität nur aus Zeichen und Beziehungen besteht. Er zeigt, wie die aus gesellschaftlichen Beziehungen freigesetzte Individualität produziert wird, gleichzeitig jedoch daß sie außerhalb der sie erzeugenden Diskurse nur als Leerstelle existiert. Je mehr Werther die ihn begrenzenden Zeichensysteme zu überschreiten versucht, desto meht enthüllen sie sich ihm als »Vorhang« und »optischer Betrug«. Je mehr Werther seine imaginären Rollenspiele als konstantes »Beziehungsdilemma« durchschaut, desto mehr erweist sich das Ich selbst als imaginär: strukturiert durch Beziehungen, vermittelt durch fremde Diskurse. Seither gehört Werthers Exempel zur Kehrseite jedes emphatisch ausgerufenen Individualismus: Im vermeintlichen Zentrum der Ich-Suche verbreitet sich die Erfahrung, daß dieses Ich nicht nur in Illusionen und Bildern schwelgt, sondern selbst aus Bildern zusammengesetzt ist. (Erhart 1992, S. 346f.)

Herbert Schöffler war der Erste, der in seiner Studie auf die vielen Parallelisierungen von Evangelienstellen und dem Leiden und Sterben des jungen Werther aufmerksam machte und den *Werther* als Erbauungsbuch in den Prozess fortschreitender Säkularisation im 18. Jahrhundert einbaute:

Herbert Schöfflers geistes- und religionsgeschichtliche Einordnung

> Die *Leiden des jungen Werther* sind der Urfall eines Leidens in Sehnsucht nach unerreichbarem diesseitigem Werte, eines übermächtig werdenden Begehrens nach des Nächsten Weibe. Die alte dogmatische Gottesidee hat sich verflüchtigt wie nach ihr die rationalisierend-deistische, und diesseitige Werte, die im alten Glaubenssystem niedergehalten worden waren, sind aufgestiegen und sind ebenso wesentlich geworden, wie dieser ehedem einzige absolute Wert, die Gottesidee, es gewesen war. Das Begehren nach des Nächsten Weibe entfesselt hier alles Leiden und führt zu frühem Tode. [...] Die Darstellung dieses Leidens und Sterbens eines Liebenden enthält ständig erneuten Hinweis auf ein anderes Leiden und Sterben um jenseitigen Wertes willen. Gerade weil sich alle Inhalte zutiefst geändert haben und der Selbsterlösungstod Werthers von all seinen Leiden mit dem theonomen Erlösungstod nichts zu tun hat, werden Formen des uralten Leidensberichtes beibehalten. Leiden an der Liebe, diesem übermächtig werdenden diesseitigen Werte, Zugrundegehen an ihr darf sich in unserer Geistesgeschichte erstmalig heiligster Worte und Wendungen bedienen.

Solche Deutung der – im verbalen Sinne unleugbaren – Parallelen zwischen Werther- und Evangelientext braucht nicht zu erstaunen. Wir mögen zunächst Mühe haben, geistesgeschichtlich zu sehen. [...] Daß es ein Erbauungsbuch in einem völlig neuen Sinne sein kann und will, daß es wie ein Leiden, eine Passio, gelesen werden will, sagen die einleitenden Worte selbst: »Und du, gute Seele, die du eben den Drang fühlst, wie er, schöpfe Trost aus seinem Leiden und laß das Büchlein deinen Freund sein, wenn du aus Geschick oder eigener Schuld keinen näheren finden kannst.« (Schöffler 1938, zit. nach 1956, S. 178f.)

Werther als Erbauungsbuch

Schöffler schließt nicht aus der Integration biblischer Partikel auf die Nähe des *Werther* zu christlich-orthodoxer Gesinnung. Er sieht diese Gesinnung durch und durch verweltlicht und konstatiert schließlich Goethes Nähe zum Pantheismus, was nicht

unwidersprochen blieb, denn Ernst Beutler entgegnete, im *Werther* lasse sich durchaus noch eine theistische Gottesvorstellung erkennen, die Vorstellung von Gott als dem allliebendem Vater. Aber auch diese geistes- bzw. religionsgeschichtliche »Einord-

nung« des *Werther* blieb nicht unbestritten. Richard Brinkmann zeigte nämlich, wie sehr Goethe, was er in *Dichtung und Wahrheit* eingesteht, von Gottfried Arnolds *Unparteyischer Kirchen- und Ketzer-Historie* (1700) eingenommen war, als er den *Götz* und den *Werther* schrieb. Brinkmann macht diese aufgedeckte Beziehung für seine *Werther*-Interpretation fruchtbar:

Werthers Naturerfahrung hat gewiß pantheisierende Züge. Das Göttliche, das da begegnet, ist indessen elementar bestimmt von dem, wovon die Seele erfüllt ist: der Sehnsucht der Liebe, und es wandelt sich mit dem Schicksal, das sie in der sozialen Wirklichkeit erleidet, vom überwältigend Positiven

und Beglückenden zum überwältigend Negativen und Vernichtenden, vom Lebenerfüllten zum Sterbenerfüllten. Zur gleichen Zeit, als Ossian zum Medium der Empfindung einer von allem Göttlichen entleerten Natur wird, nimmt Werther die Redeweise und die Rolle des leidenden Gerechten, nämlich Christi an. Von seinem Geist scheint er nun so erfüllt, daß er wie jener sprechen kann in dem Moment, in dem jede Vermittlung seines subjektiven Wollens und Fühlens mit der sozialen Wirklichkeit, mit den geltenden Ordnungsformen und -normen, auf welcher Ebene auch immer, gescheitert ist, weil er seine innerste Empfindung gegen jeden Anspruch von außen gesetzt hat. Die religiösen Fragmente in den späten Aufzeichnungen Werthers sind nicht oder nur sehr eingeschränkt Manifestation »jener Gläubigkeit« pietistischer Provenienz, von der Beutler gesprochen hatte. Vielmehr werden die Rudimente jener für Werther längst unverbindlich gewordenen positiven Religiosität Ausdruckssurrogat für den absoluten Wert der Liebe und für die unmögliche Realisierung der eigenen Subjektivität. Die Terminologie und Vorstellungswelt des Unbedingten und Uneingeschränkten kommt zurück aus dem Arsenal der religiösen Tradition als geeignetes Vokabular für ein vollkommenes Erfülltsein von einem Geist, der nicht mehr der des transzendenten Gottes, sondern der immanenten Unbedingtheit des Gefühls ist. Der Unmöglichkeit, es zu realisieren, wird der selbstvollzogene Hinüberschritt in eine Welt jenseits der Grenze des Lebens entgegengesetzt, auf die sich eine kaum mehr begründete Hoffnung richtet, eine auf die christliche Unsterblichkeitslehre optierende Hoffnung der endlichen Erfüllung der Liebe und Vereinigung.

Der wahre Christ Arnolds ist derjenige, der unmittelbar aus dem Geist Christi lebt, fühlt, handelt. Es ist nach allem nicht merkwürdig, daß dieser weltlich gewordene, auf sich selbst verwiesene Werther in der Krisis selbst wie Christus sprechen kann. Denn was ihn ergriffen hat, ist von prinzipiell analogem absolutem Anspruch, von ähnlicher Beziehung zum Leiden, ähnlichem Anspruch der Wahrheit wie jene Christusnachfolge in Arnolds Sicht; auch die Antinomie von erleuchtetem Einzelnem und Allgemeinem: Orthodoxie, Institution, kehrt in analoger Fassung wieder. Daß Werther ganz und gar nichts mehr zu tun hätte »mit der Welt altprotestantisch-dogmatischen Glaubens«, ist in dieser entschlossenen Formulierung ebensowenig richtig wie die unspezifizierte These vom Pantheismus Werthers. Dieser Werther ist ja im Grunde naiv. Er ist weder ein Renegat noch ein verhinderter Revolutionär. Er stößt keine Normen um, er stellt sie nicht einmal ernsthaft in Frage, auch wo er mit den Zähnen knirscht. Alle allgemeine Reflexion, alles kritische Räsonnement bezieht sich doch immer nur auf ihn, *seine* Einschränkung, *seinen* Erweiterungsdrang, *seine* Sehnsucht, *sein* Scheitern, *seine* Erfüllung. Aber er hat in der Hinwendung zu seinem eigenen Ich – auch und gerade in der Begegnung mit Lotte und mit allen Menschen, deren Weg er kreuzt, die seinen Weg kreuzen – die Verweltlichung vollzogen, von der die Rede war. Gleichwohl kann er – ohne Zweifel mit der größten Aufrichtigkeit – in den Kategorien des christlichen Glaubens reden; er hat ihn ja nicht eigentlich und dezidiert aufgegeben. Indem sie gewissermaßen für die absolute eigene Subjektivität in Anspruch genommen werden, präsentiert sich der Tatbestand an dieser historischen Stelle der Veränderung, der Säkularisierung: christlich geglaubte metaphysische Realität und Realität des immanent gewordenen Subjekts und seiner diesseitigen Welt sind hier noch konvertierbar. [...]

Werther mit dem Arnoldschen »Ketzer« gleichzusetzen, wäre gewiß eine platte Identifikation, die hier nirgendwo gemeint ist; es kann nur um Analogien im Vorstellungsmodell gehen, aber doch auch um geschichtliche Folgen. Mit dieser Einschränkung ist zu bemerken, daß Werther sich in eine grundsätzlich ähnliche Aporie laviert, ja, auf Grund seines Verhältnisses zur Wirklichkeit und seines Selbstgefühls sich von Anfang an in ihr befindet. Sie aktualisiert und radikalisiert sich im Lauf der Handlung. Diese »Handlung« ist entscheidend vom Wesen der desintegrierten Subjektivität Werthers bestimmt, dabei auch und nicht zuletzt von seinen Reflexionen, die mit direkten oder indirekten Argumenten und Schlußfolgerungen die irrationale Selbstbestimmung begründen und forttreiben. Die etablierte Irrationalität des Wollens und Fühlens färbt aber mehr und mehr jeden Rest an Rationalität und desavouiert sie. Die Subjektivität legitimiert sich in der Entgegensetzung gegen die Wirklichkeit, auf die allein sie sich mit ihrem Wollen richten kann, die sie aber verneinen muß, wenn sie sich nicht aufheben will. Das widersprüchliche Verhältnis Werthers zur Gesellschaft [...] hat da seine Wurzeln, auch wenn man plausibel machen kann, daß die konkreten gesellschaftlichen Zustände der Epoche den Typus der Subjektivität [...] und seine Konflikte gefördert und ermöglicht haben. [...]

Der Widerspruch hat *auch* in der Individualität Werthers, die in der Form der entschiedenen Subjektivität erscheint, den Charakter der Aporie: einen Ausweg kann es aus dieser Position nicht geben, das Ende *muß* katastrophal sein. Das emanzipierte Subjekt muß auch hier, *indem* es sich verwirklicht, sich verneinen. (Brinkmann 1976, zit. nach 1982, S. 116–119, 125f.)

Ähnlich wie Brinkmann wählt auch Hans-Edwin Friedrich seinen Zugang zum *Werther*. Die zentrale Schwierigkeit Werthers sieht er in der Art und Weise, wie dieser seine enthusiastische Weltsicht mit der Materialität der Welt zu vermitteln sucht:

Werthers Grundproblem besteht in der dramatischen Zuspitzung des Dualismus von Körper und Seele. Die zeitgenössische Auffassung vom Menschen als eines Mitteldings zwischen Engel und Vieh (Haller) wird radikalisiert: Die Engelnatur ist dem »Ganzen« zugeordnet, der unverkürzten Wahrheit, einer Teilhabe an der göttlichen Totalität. Die Viehnatur und das ihr zugeordnete Reich der Materie, des Partikularen, hingegen wird als fundamentale Beschädigung erfahren. Ein Ausgleich zwischen beiden ist unmöglich. Werther sucht den Weg zum Ganzen zunächst auf dem Weg der Introspektion. Die Außenwelt wird radikal als partikulare Existenzform verworfen, die innere »Freiheit« als Ausweis ganzheitlicher Privilegiertheit, ja »Genialität« erfahren. Aus der Opposition von bestimmter Existenz und unbedingter Innenwelt ergibt sich das Gefühl, entfremdet vom Wahren leben zu müssen. [...] Aus dem grundsätzlichen Gefühl, ein uneigentliches, vom »Wahren« abgeschnittenes Leben führen zu müssen, ergibt sich ein Riß in Werthers Innerem, der die Vermittlung der beiden Pole von Enthusiasmus und Materialität schließlich unmöglich macht. Für seine Vorstellungen von Welt folgt aus dieser Privilegierung des »Eigentlichen«, daß es keine einläßliche Auseinandersetzung mit Welt geben kann. [...]

Werthers ausführlich dokumentierte Identifikation mit Christus ist Ausdruck seines Selbsterlösungsstrebens. Christus fungiert für ihn nicht als Mittler, sondern ist ›figura‹, Antitypus einer kühnen Typologie, die auf ihn, Werther, zielt. Die Wanderermotivik ist ein weiterer Bildbereich für die Auffassung vom Menschenleben als eines dem Eigentlichen, Wahren, Göttlichen entfremdeten Lebens in der Materie. Christus ist die Exempelfigur, Lehrer der Menschheit. Als inkarnierter Gott ist er ebenso Mittelnatur wie nach Werthers anthropologischer Bestimmung der Mensch überhaupt. Werther adaptiert ihn als literarischen Topos, daher kann und muß er das Scheitern seiner irdischen Wanderschaft und seines Erlösungswerkes als Aufruf zur Selbsterlösung interpretieren. Er ist der Überzeugung, unmittelbar zu Gott zu sein.

Werthers Identifikation mit Christus

Damit lebt er aber in der Aporie, in göttlicher Teilhabe und unendlichem Abstand zum Göttlichen zugleich existieren zu müssen. Die Selbststilisierung zum *alter Christus* in der Tradition gnostischer Grundüberzeugung ist weder allgemeinverbindlich noch objektivierbar. [. . .]

Werther als
Dilettant

Kunst als Einwirkung des formenden Willens auf die Außenwelt ist für Werther ein existentielles Problem. Er pflegt einen metaphysisch überhöhten Geniebegriff, ist aber selbst ein Dilettant, der nur zeichnen kann. Die Antithetik von Erlebnis und Stoff, von Ganzheit und ihrer Fixierung im materiellen Medium wird für ihn zum prinzipiellen Problem. Kunstbegriff und Kunstausübung fallen in seiner Person unverbunden auseinander. Werther sieht sich paradoxerweise als Künstler ohne Werk. Die Präferenz des künstlerischen Erlebnisses geht für ihn so weit, daß das Ergebnis von Kunstanstrengungen auf die Funktion reduziert werden kann, Zeichen eines erfüllten Augenblicks zu sein. Im Gegensatz dazu betont Goethe selbst in seinen Reflexionen zu diesem Problem im Umfeld des Romans, daß das »Packen« des Stoffs, also die direkte souveräne und autonome Einwirkung des Künstlers in die Materie, erst die Kunstausübung zu ihrem Ziel gelangen lassen kann. (Friedrich 1991, S. 283f., 287)

Ganz gleich jedoch, ob man den *Werther* biografisch, psychologisch, psychoanalytisch, geistes- oder sozialgeschichtlich interpretiert, einen rezeptionsgeschichtlichen Ansatz wählt oder ihn als Dokument der Geschichte der Subjektivität liest, nie darf vergessen werden, dass der *Werther* Fiktion ist, sprachlich gestaltete »Wirklichkeit«, ein literarisches Kunstwerk. Auf diesen Aspekt haben immer wieder die Interpreten hingewiesen, wenn er zu sehr in Vergessenheit zu geraten schien. Zunächst war es Melitta Gerhard, die in ihrer Studie die beiden Fassungen des *Werther* als zwei unterschiedliche Kunstwerke interpretierte:

Trotz alledem aber könnte man aus dem zweiten *Werther* – abgesehen von den sonstigen dazugehörigen Änderungen der zweiten Fassung – die Bauerburschen-Episode nicht einfach herauslösen, ohne den Eindruck des Ganzen völlig zu wandeln. Denn tatsächlich ist durch diese Hinzufügung das Gesamtbild der Dichtung ein anderes geworden. Ungeachtet je-

Melitta
Gerhard

Bauerbur-
schen-Episode

nes Widerspruchs bleibt bestehen, daß durch die Daneben-
stellung eines verwandten Geschicks neben das Werthers dieses in die Reihe menschlicher Geschicke überhaupt eingereiht
ist. [. . .] Durch die Bauerburschen-Episode [. . .] gewinnen
wir einen Standpunkt außerhalb Werthers (hierzu treten entsprechende Änderungen im Ton des Herausgeberberichts der
zweiten Fassung), sehen sein Schicksal objektiver, aus einiger
Entfernung, gewissermaßen von einer höheren Warte aus.
Die Hinzufügung hat die Dichtung nicht nur geändert, sondern sie hat in gewissem Maße geradezu ein anderes Kunstwerk daraus gemacht. (Gerhard 1916, S. 73f.)

In neuerer Zeit hat nochmals Klaus Müller-Salget darauf aufmerksam gemacht, wie wichtig der Herausgeberbericht als Ba-
sisfiktion innerhalb des Romans und der Herausgeber als eigne
Kunstfigur sind:

Abschließend bleibt noch von einer bislang ganz vernachläs-
sigten Person zu sprechen, von der des fiktiven Herausgebers
nämlich. Auch diese Kunstfigur hat im Briefroman Tradition
und dient gemeinhin der Herstellung einer epischen Distanz,
die den an Tag und Stunde gebundenen einzelnen Briefen not-
gedrungen abgeht, für den meist didaktischen Zweck des Autors aber unentbehrlich ist. Auch dem ›Herausgeber‹ des
Werther sagt man zumeist diese distanzierte Position und eine
entsprechende Wirkung auf den Leser nach. Mir scheint dagegen, daß auch hier die schon mehrfach bemerkte Ambiva-
lenz von Innen und Außen, »Kunst« und »Natur« zu beob-
achten ist, die dem Roman sein spezifisches Gepräge gibt.
Goethe bemüht sich nämlich in der ersten Fassung seines Romans
die überkommene Figur des Herausgebers gerade nicht zu
dem Zweck, den Leser in eine distanziert-kontemplative Hal-
tung zu versetzen, sondern er läßt ihn unverhohlen und sug-
gestiv an das Gefühl des Lesers appellieren. [. . .] Bewunderung, Liebe und mitleidige Anteilnahme sollen geweckt
werden, d.h. es geht gerade nicht um Distanz, sondern um
Identifikation, wenn auch sicherlich nicht um tätige Nach-
folge. [. . .] Für die zweite Fassung von 1786 endlich hat Goethe viel Mühe darauf verwandt, den abschließenden Heraus-
geber-Bericht so zu gestalten, daß Werther als pathologischer

Klaus Müller-Salget

Kunstfigur Herausgeber

Der Herausge-ber in der ers-ten Fassung

Der Herausge-ber in der zweiten Fas-sung

Fall erscheint und alle negativen Äußerungen über Albert nun auf bloße Mißverständnisse und Mißdeutungen Werthers zurückgeführt werden. Angesichts dieser Änderungen muß man bedauern, daß Goethe sich nicht an Werthers Einsicht aus dem Brief vom 15. August 1771 gehalten hat: »wie ein Autor durch eine zweite, veränderte Auflage seiner Geschichte, und wenn sie noch so poetisch besser geworden wäre, notwendig seinem Buche schaden muß.« (Müller-Salget 1981, S. 541f.)

Victor Lange

Victor Lange interpretierte den *Werther* als einen Roman über sprachliche Verständigung:

> Die Figuren des Romans [werden] von der Art und Reichweite ihres Sprechens her aufgebaut: Alberts antithetische Sätze sind das erste, was wir von ihm und über ihn hören; der Gesandte ist ein grammatikalischer Spießer, der Werthers gerade für die Gefühlskultur so bezeichnende Neigung zur Inversion ärgerlich bemäkelt. [...] Der »sogenannte« Herr Schmidt ist »durch Eigensinn und üblen Humor am Mitteilen verhindert«; der alte Pfarrer hört schwer und wird durch einen Husten vom Reden abgehalten. [...]

Sprach- und Erzählgebärden

Durch die Sprache, ihre bildhaften und syntaktischen Möglichkeiten, wird jede Szene und jede Figur in den Gesamteindruck des Erzählens eingegliedert und mit der einen oder anderen Bewußtseinslage des Romans verknüpft. Schon in der ersten Zustands- und Ereignisschilderung, deren Motive aus der zeitgenössischen Dichtung stammen, drängen sich die Gefühlsvokabeln zuerst aus dem empfindsamen Sprachgebrauch, dann aus der pietistischen Redeweise zu immer weniger artikulierten Gesten, die schließlich zu den zwar stummen, aber in der Metaphorik der Zeit um so aufschließenderen Tränen führen. Das Gegenständliche wird in einer Bewegung von kunstvoll gesteuerter Spannung seelisch geladen, bis es am Ende – man denke an die letzten Worte des ereignisreichen Briefes vom 16. Juni – verschwimmt, in einen Strom von Empfindung versinkt. »Die ganze Welt verliert sich um mich her« (19. Juni).

Der Weg vom Reden zum Nicht-sprechen-Können, vom Gespräch zum Vorlesen expressiver Texte, vom Dialog zum Monolog und schließlich zum Schweigen – diese Gefühlsinversion der Zeit wird im *Werther* ebenso erlebt wie der entgegengesetzte Weg von der banalen, der eindeutigen und familiären Szene zum vieldeutigen Wort. Das Begreifen der Grenzen und der Spannweite der Verständigung wird dem Leser durch die Fülle der Gefühlsprojektionen geboten, die in der Dichtersprache vorgebildet waren und im religiösen und literarischen Gruppenleben der Zeit, in den zahlreichen Sozietäten und Gemeinden gepflegt wurden und die nun in Goethes Roman zum erstenmal nicht komisch oder parodistisch, sondern in einer neuen Form des lyrisch-symbolischen Erzählens zueinander in Bezug gestellt werden.

[. . .] Goethes raffinierte Kenntnis der seelischen Ambienz einzelner zeitgenössischer Sprach- und Erzählgebärden war die Voraussetzung einer Kunstleistung, die das Bekannte in der Perspektive eines neuen Gefühlsbewußtseins fragwürdig erscheinen lassen wollte. Der zentrale Gegenstand des *Werther* ist das Problem der Verständigung. Es konnte nur dadurch anschaulich gemacht werden, daß auf geläufige Mitteilungsformen zurückgegriffen und dadurch eine im ganzen schwer übersehbare und beunruhigende Situation wenigstens nachempfindbar gemacht wurde. (Lange 1964, S. 271)

Gerade Langes Lesart mag begründen, warum der *Werther* so lange Zeit zur Verständigung drängte, Verständnis verlangte und immer wieder – auch in Zukunft – erneutes, vielleicht ein modifiziertes Verständnis einklagt.

Bibliografie

Ausgaben

Die Leiden des jungen Werthers. Erster/Zweyter Theil. Leipzig, in der Weygandschen Buchhandlung, 1774. (Faksimiledruck dieser Ausgabe mit Beiheft von Walther Migge: Frankfurt/M. 1967).

Goethes's Schriften. Erster bis Achter Band. Leipzig, bey Georg Joachim Göschen, 1787–90. 1. Verzeichnis der Subscribenten, Zueignung, Werther. 1787 (Erstausgabe der Zweitfassung).

Die Leiden des jungen Werther. Neue Ausgabe, von dem Dichter selbst eingeleitet. Leipzig: Weygandsche Buchhandlung 1825.

Der junge Goethe. Neu bearbeitete Ausgabe in fünf Bänden. Hg. von Hanna Fischer-Lamberg. Bd. 4: Januar – Dezember 1774. Berlin 1968.

Goethe: Die Leiden des jungen Werther. Text. 1. und 2. Fassung. Hg. von Erna Merker. Berlin 1954.

Johann Wolfgang Goethe. Sämtliche Werke, Briefe, Tagebücher und Gespräche. Die Frankfurter Ausgabe. Erste Abteilung: Bd. 8: Die Leiden des jungen Werthers/Die Wahlverwandtschaften/Kleine Prosa/Epen. Hg. von Waltraud Wiethölter unter Mitarbeit von Christoph Brecht, Frankfurt/M. 1994 (Paralleldruck beider Werther-Fassungen; die Wiedergabe der Erstfassung dieser Ausgabe bildete die Textgrundlage für den vorliegenden Band).

Materialien

Zeitgenössische Rezensionen und Urteile über Goethes ›Götz‹ und ›Werther‹. Hg. von Hermann Blumenthal. Berlin 1935.

Wörterbuch zu Goethes ›Werther‹. Begr. von Erna Merker u. a., fortgef. und vollendet von Isabel Engel. Berlin 1966.

Goethe im Urteile seiner Zeitgenossen. Zeitungskritiken, Berichte, Notizen, Goethe und seine Werke betreffend, aus den

Jahren 1773–1786. Gesammelt u. hg. von Julius W. Braun. Berlin 1883.

Die Leiden des jungen Werther. Goethes Roman im Spiegel seiner Zeit. Eine Ausstellung des Goethe-Museums Düsseldorf. Katalog. Hg. von Jörn Göres. Düsseldorf 1972.

Interpretationen

Düntzer, Heinrich: Goethe's ›Leiden des jungen Werthers‹. Erläutert. Jena 1855.

Schmidt, Erich: Rousseau und Goethe: ›Die neue Heloise‹ und ›Werthers Leiden‹. In: ders.: Richardson, Rousseau und Goethe. Ein Beitrag zur Geschichte des Romans im 18. Jahrhundert. Jena 1875, S. 126–243.

Brüggemann, Fritz: ›Werthers Leiden‹, eine Analyse. In: ders.: Die Ironie als entwicklungsgeschichtliches Moment. Jena 1909, S. 39–56.

Lauterbach, Martin: Das Verhältnis der zweiten zur ersten Ausgabe von ›Werthers Leiden‹. Straßburg 1910.

Feise, Ernst: Zu Entstehung, Problem und Technik von Goethes ›Werther‹. In: The Journal of English and Germanic Philology 13 (1914), S. 1–36.

Gerhard, Melitta: Die Bauernburschen-Episode im ›Werther‹. In: Zeitschrift für Ästhetik und allgemeine Kunstwissenschaft 11 (1916), S. 61–74.

Feise, Ernst: Goethes Werther als nervöser Charakter. In: The Germanic Review 1 (1926), S. 185–253.

Lukács, Georg: Die Leiden des jungen Werther. In: Goethe, Johann Wolfgang: Die Leiden des jungen Werther. Mit einem Essay von Georg Lukács. Nachwort von Jörn Göres. Frankfurt/M. 1973, S. 181–206 (zuerst 1936).

Schöffler, Herbert: Die Leiden des jungen Werther. Ihr geistesgeschichtlicher Hintergrund. Frankfurt/M. 1938 (Wiederabdruck in: ders.: Deutscher Geist im 18. Jahrhundert. Göttingen 1956, S. 155–181).

Beutler, Ernst: Wertherfragen. In: Goethe 5 (1940), S. 138–160.

Mann, Thomas: Goethe's ›Werther‹. In: ders.: Altes und Neues.

Kleine Prosa aus fünf Jahrzehnten. Frankfurt/M. 1961, S. 186–201 (zuerst Rundfunkrede 1940).

Kayser, Wolfgang: Die Entstehung von Goethes ›Werther‹. In: Deutsche Vierteljahrsschrift für Literaturwissenschaft und Geistesgeschichte 19 (1941), S. 430–457.

Atkins, Stuart: J. C. Lavater and Goethe. Problems of Psychology and Theology in ›Die Leiden des jungen Werthers‹. In: Publications of the Modern Language Association of America 63 (1948), S. 520–576.

Anstett, Jean-Jacques: La crise religieuse de Werther. In: Études germaniques 4 (1949), S. 221–228.

Hirsch, Arnold: Die Leiden des jungen Werthers. Ein bürgerliches Schicksal im absolutistischen Staat. Wiederabdruck in: Wacker, Manfred (Hg.): Sturm und Drang. Darmstadt 1985, S. 341–367 (zuerst Vortrag 1949).

Trunz, Erich: Anmerkungen des Herausgebers zu ›Die Leiden des jungen Werther‹. In: Goethes Werke. Hamburger Ausgabe. Bd. 6, Hamburg 1951, S. 536–595.

Hass, Hans-Egon: Werther-Studie. In: Alewyn, Richard (Hg.): Gestaltprobleme der Dichtung. Bonn 1957, S. 83–125.

Forster, Leonard: Werther's Reading of ›Emilia Galotti‹. In: Publications of the English Goethe Society N. S. 27 (1958), S. 33–45.

Burger, Heinz-Otto: Die Geschichte der unvergnügten Seele. Ein Entwurf. In: Deutsche Vierteljahrsschrift für Literaturwissenschaft und Geistesgeschichte 34 (1960), S. 1–20.

Graham, Ilse: Minds without Medium. Reflections on ›Emilia Galotti‹ and ›Werthers Leiden‹. In: Euphorion 56 (1962), S. 3–24.

Maurer, Karl: Die verschleierten Konfessionen. Zur Entstehungsgeschichte von Goethes ›Werther‹ (›Dichtung und Wahrheit‹, 12. und 13. Buch). In: Gutenbrunner, Siegfried (Hg.): Die Wissenschaft von deutscher Sprache und Dichtung. Stuttgart 1963, S. 424–437.

Lange, Victor: Die Sprache als Erzählform in Goethes ›Werther‹. In: Formenwandel. Hamburg 1964, S. 261–272.

Ryder, Frank G.: Season, Day and Hour. Time as Metaphor in Goethe's ›Werther‹. In: The Journal of English and Germanic Philology 63 (1964), S. 389–407.

Miller, Norbert: Goethes ›Werther‹ und der Briefroman. In: ders.: Der empfindsame Erzähler. Untersuchungen an Romananfängen des 18. Jahrhunderts. München 1968, S. 138–214.

Müller, Peter: Zeitkritik und Utopie in Goethes ›Werther‹. Berlin 1969.

Scherpe, Klaus: ›Werther‹ und Wertherwirkung. Zum Syndrom bürgerlicher Gesellschaftsordnung im 18. Jahrhundert. Bad Homburg 1970.

Kluge, Gerhard: Die Leiden des jungen Werthers in der Residenz. Vorschlag zur Interpretation einiger Werther-Briefe. In: Euphorion 65 (1971), S. 115–131.

Rothmann, Kurt: Erläuterungen und Dokumente zu Johann Wolfgang Goethe ›Die Leiden des jungen Werthers‹. Stuttgart 1971.

Rothmann, Kurt: War Goethes Werther ein Revolutionär? Auseinandersetzung mit Georg Lukács. In: Goethe-Jahrbuch 89 (1972), S. 86–115.

Hohendahl, Peter Uwe: Empfindsamkeit und gesellschaftliches Bewußtsein. Zur Soziologie des empfindsamen Romans am Beispiel von ›La vie de Marianne‹, ›Clarissa‹, ›Fräulein von Sternheim‹ und ›Werther‹. In: Jahrbuch der Deutschen Schillergesellschaft 16 (1972), S. 176–207.

Reuter, Hans-Heinrich: Der gekreuzigte Prometheus: Goethes Roman ›Die Leiden des jungen Werthers‹. In: Goethe-Jahrbuch 89 (1972), S. 86–115.

Faber, M. D.: The Suicide of Young Werther. In: Psychoanalytic Review 60 (1973), S. 239–276.

Graham, Ilse: Goethes eigener Werther. Eines Künstlers Wahrheit über seine Dichtung. In: Jahrbuch der Deutschen Schillergesellschaft 18 (1974), S. 268–303.

Wapnewski, Peter: Zweihundert Jahre Werthers Leiden oder: Dem war nicht zu helfen. In: Merkur 29 (1975), S. 530–544.

Brinkmann, Richard: Goethes ›Werther‹ und Gottfried Arnolds ›Kirchen- und Ketzerhistorie‹. Zur Aporie des modernen Individualitätsbegriffs. In: Dürr, Volker (Hg.): Versuche zu Goethe. Heidelberg 1976, S. 167–189 (Wiederabdruck in: Brinkmann, Richard: Wirklichkeiten. Essays zur Literatur. Tübingen 1982, S. 91–126).

Oettinger, Klaus: »Eine Krankheit zum Tode«. Zum Skandal um Werthes Selbstmord. In: Deutschunterricht 28 (1976) H.2., S. 55–74.

Meyer-Kalkus, Reinhart: Werthers Krankheit zum Tode. Pathologie und Familie in der Empfindsamkeit. In: Kittler, Friedrich A.: Urszenen. Frankfurt/M. 1977, S. 76–138.

Alewyn, Richard: »Klopstock!« In: Euphorion 73 (1979), S. 357–364.

Kaempfer, Wolfgang: Das Ich und der Tod in Goethes ›Werther‹. In: Recherches Germaniques 9 (1979), S. 55–79.

Schmiedt, Helmut: Woran scheitert Werther? In: Poetica 11 (1979), S. 83–104.

Zimmermann, Rolf Christian: ›Die Leiden des jungen Werther‹. In: ders.: Das Weltbild des jungen Goethe. Studien zur hermetischen Tradition des deutschen 18. Jahrhunderts. Bd. II. Interpretationen. München 1979, S. 167–212, 312–320.

Kittler, Friedrich A.: Autorschaft und Liebe. In: ders. (Hg.): Austreibung des Geistes aus den Geisteswissenschaften. Programme des Poststrukturalismus. Paderborn 1980, S. 142–173.

Saine, Thomas: Passion and Aggression. The Meaning of Werther's Last Letter. In: Orbis Litterarum 35 (1980), S. 327–356.

Müller-Salget, Klaus: Zur Struktur von Goethes ›Werther‹. In: Zeitschrift für deutsche Philologie 100 (1981), S. 527–544.

Duncan, Bruce: »Emilia Galotti lag auf dem Pult aufgeschlagen«. Werther as (Mis-)Reader. In: Goethe Yearbook 1 (1982), S. 42–50.

Fechner, Jörg-Ulrich: Die alten Leiden des jungen Werthers. Goethes Roman in petrarkistischer Sicht. In: Arcadia 17 (1982), S. 1–15.

Haverkamp, Anselm: Illusion und Empathie. Die Struktur der ›Teilnehmenden Lektüre‹ in den ›Leiden Werthers‹. In: Lämmert, Eberhard (Hg.): Erzählforschung. Stuttgart 1982, S. 243–268.

Jauß, Hans Robert: Rousseaus ›Nouvelle Héloise‹ und Goethes ›Werther‹ im Horizontwandel zwischen französischer Aufklärung und deutschem Idealismus. In: ders.: Ästhetische Er-

fahrung und literarische Hermeneutik. Frankfurt/M. 1982,
S. 585–653.

Kurz, Gerhard: Werther als Künstler. In: Anton, Herbert (Hg.):
Invaliden des Apoll. München 1982, S. 95–112.

Meyer-Krentler, Eckhardt: »Kalte Abstraktion« gegen »versengte Einbildung«. Destruktion und Restauration auf-
klärerischer Harmoniemodelle in Goethes ›Leiden‹ und
Nicolais ›Freuden des jungen Werthers‹. In: Deutsche Vierteljahrsschrift für Literaturwissenschaft und Geistesgeschichte
56 (1982), S. 217–229.

Nutz, Maximilian: Die Sprachlosigkeit des erregten Gefühls.
Zur Problematik der Verständigung in Goethes ›Werther‹ und
seiner Rezeption. In: Literatur für Leser (1982), S. 217–229.

Waniek, Erdmann: ›Werther‹ lesen und Werther als Leser. In:
Goethe Yearbook 1 (1982), S. 51–92.

Pütz, Peter: Werthers Leiden an der Literatur. In: Lillyman, Wil-
liam J.: Goethe's Narrative Fiction. The Irvine Goethe Sym-
posium. Berlin 1983, S. 55–68.

Forget, Philippe: Aus der Seele geschrie(b)en? Zur Problematik
des Schreibens (écriture) in Goethes ›Werther‹. In: ders.: Text
und Interpretation. München 1984, S. 130–180.

Grathoff, Dirk: Der Pflug, die Nußbäume und der Bauernbursche. Natur im thematischen Gefüge des ›Werther‹-Romans.
In: Clasen, Thomas (Hg.): Goethe. Vorträge aus Anlaß seines
150. Todestages. Bern 1984, S. 55–75.

Herrmann, Hans Peter: Landschaft in Goethes ›Werther‹. Zum
Brief vom 18. August. In: Clasen, Thomas (Hg.): Goethe.
Vorträge aus Anlaß seines 150. Todestages. Gießen 1984,
S. 77–100.

Jäger, Georg: Die Leiden des alten und neuen Werther. Kommentare, Abbildungen, Materialien zu Goethes ›Leiden des
jungen Werthers‹ und Plenzdorfs ›Neuen Leiden des jungen
W.‹, mit einem Beitrag zu den Werther-Illustrationen von
Jutta Assel. München/Wien 1984.

Förster, Jürgen: Literatur und Subjektivität. Goethes ›Werther‹
unter Aspekten der Subjektivitätsdiskussion in der Germa-
nistik. In: Diskussion Deutsch 16 (1985), S. 297–312.

Renner, Karl L.: »...laß das Büchlein deinen Freund seyn«. Goethes Roman ›Die Leiden des jungen Werthers‹ und die Diätik der Aufklärung. In: Häntzschel, Günter (Hg.): Zur Sozialgeschichte der deutschen Literatur von der Aufklärung bis zur Jahrhundertwende. Tübingen 1985, S. 1–20.

Vaget, Hans R.: ›Die Leiden des jungen Werthers‹. In: Lützeler, Paul (Hg.): Goethes Erzählwerk. Stuttgart 1985, S. 37–72.

Blessin, Stefan: Johann Wolfgang Goethe. ›Die Leiden des jungen Werther‹. Frankfurt/Berlin/München 1986.

Ekmann, Björn: Erlebnishaftigkeit und Klassizität. Einfühlung und Verfremdung im ›Werther‹-Roman. In: Text und Kontext 14 (1986) H.1, S. 7–47.

Fischer, Peter: Familienauftritte. Goethes Phantasiewelt und die Konstruktion des Werther-Romans. In: Psyche 40 (1986) H.6, S. 527–556.

Flaschka, Horst: Goethes ›Werther‹. Werkkontextuelle Deskription und Analyse. München 1987.

Sauder, Gerhard: ›Die Leiden des jungen Werthers‹. In: ders. (Hg.): Johann Wolfgang Goethe. Sämtliche Werke nach Epochen seines Schaffens. Bd. 1,2. München 1987, S. 770–799.

Schlaffer, Hannelore: ›Leiden des jungen Werther‹. In: dies. (Hg.): Johann Wolfgang Goethe. Sämtliche Werke nach Epochen seines Schaffens. Bd. 2,2. München 1987, S. 844–853.

Witte, Bernd: Casanovas Tochter, Werthers Mutter. Über Liebe und Literatur im 18. Jahrhundert. In: Spinner, H. Kaspar u. a. (Hg.): Eros, Liebe, Leidenschaft. Ringvorlesung der RWTH Aachen im SS 1987. Bd. 2. Bonn 1988, S. 93–113.

Zahlmann, Christel: Werther als Tantalus. Zu seiner Angst vor Liebe. In: Text und Kontext 15 (1987), S. 43–69.

Scholz, Rüdiger: Frühe Zerfallserscheinungen des bürgerlichen Selbst. In: Jahrbuch der Psychoanalyse 23 (1988), S. 213–240.

Schmiedt, Helmut (Hg.): »Wie froh bin ich, daß ich weg bin!« Goethes Roman ›Die Leiden des jungen Werther‹ in literaturpsychologischer Sicht. Würzburg 1989.

Hasty, Willy: On the Construction of an Identity. The Imaginary Family in Goethe's ›Werther‹. In: Monatshefte 81 (1989), S. 163–174.

Wilson, W. Daniel: Patrarchy, Politics, Passion: Labor and

Werther's Search for Nature. In: Internationales Archiv für Sozialgeschichte der deutschen Literatur 14 (1989) H.2, S. 15–44.

Koopmann, Helmut: Warum bringt sich Werther um? In: Cepl-Kaufmann, Gertrude u. a. (Hg.): »Stets wird die Wahrheit hadern mit dem Schönen«. Köln/Wien 1990, S. 29–50.

Friedrich, Hans-Edwin: Der Enthusiast und die Materie: von den ›Leiden des jungen Werthers‹ bis zur ›Harzreise im Winter‹. Frankfurt/Bern/New York/Paris 1991.

Hein, Edgar: Johann Wolfgang Goethe ›Die Leiden des jungen Werther‹. München 1991.

Erhart, Walter: Beziehungsexperimente. Goethes ›Werther‹ und Wielands ›Musarion‹. In: Deutsche Vierteljahrsschrift für Literaturwissenschaft und Geistesgeschichte 66 (1992), S. 333–360.

Wiethölter, Waltraud: Nachwort zu ›Die Leiden des jungen Werthers‹. In: Johann Wolfgang Goethe. Sämtliche Werke, Briefe, Tagebücher und Gespräche. 1. Abt. Bd. 8. Frankfurt/M. 1994, S. 938–958.

Herrmann, Hans Peter: Goethes ›Werther‹. Kritik und Forschung. Darmstadt 1994.

7.18 **Leonore:** Name einer Figur, die nur an dieser Stelle erwähnt wird. Werther floh wohl vor dieser Person, um sich aus leidenschaftlicher Verstrickung zu lösen.

8.35 **wissenschaftlicher Gärtner:** Jemand, der den Garten als einen »französischen Garten« nach streng geometrischen, »unnatürlichen« Formen angelegt hätte. So entspricht die Anlage des Gartens dem »englischen Garten«.

10.10 **Melusine:** Meernixe, halb Weib, halb Fisch, die einen Grafen heiratete und ihn wieder verließ, nachdem er sie im Bade überraschte und ihre Doppelgestalt erkannte. Im deutschen *Volksbuch* (1474) wird sie mir ihren Schwestern an den Durstbrunnen gebannt.

10.22 **Altväter:** die biblischen Patriarchen, dann die altehrwürdigen Väter; Anspielung dieser Stelle auf Genesis, 24,11–14, wo die Brautwerbung Isaaks um Rebekka erzählt, sowie auf Joh. 4,6, wo die Begegnung Jesu mit der Samariterin am Brunnen geschildert wird.

11.1 **Homer:** griech. Dichter im 8. Jh. v.Chr.; Werther liest vor allem die idyllischen Passagen in der *Odyssee*. Im zweiten Teil des *Werther* tritt an die Stelle »seines« Homers das Werk Ossians.

13.16–19 **Batteux ... Heynen:** Nennung der Namen von Kunsttheoretikern, denen gemeinsam ist, dass sie alle eine normative und zum System ausgebaute Kunsttheorie vertreten: Charles Batteux (1713–1780), *Cours de belles lettres ou Principes de la littérature* (1747–1750); Robert Wood (1716–1771), *An Essay on the original genius and writings of Homer* (1768); Roger de Piles (1635–1709), *Œvres diverses* (1767; darin: *Abhandlungen über Malerei*); Johann Joachim Winckelmann (1717–1768), *Gedanken über die Nachahmung der griechischen Werke* (1755) und *Geschichte der Kunst des Altertums* (1764); Johann Georg Sulzer (1720–1779), *Allgemeine Theorie der Schönen Künste* (1. Theil, 1771); Christian Gottlob Heyne (1729–1812), Göttinger Altphilologe, dessen Vorlesungsnachschriften im 18. Jahrhundert sehr begehrt waren.

13.22 **Amtmann:** Verwaltungsbeamter, besonders der Renten- und

Wirtschaftsverwaltung; seit 1755 war Heinrich Adam Buff Deutschordens-Amtmann in Wetzlar.

Ball: Goethe selbst nahm in Volpertshausen im Jagdhaus am 20.14 9. Juni 1772 an einem solchen Ball teil. Er fuhr mit den Töchtern seiner Großtante, Geheimrätin Lange, dahin. Kestner, Lottes Verlobter, kam später nach.

Miß Jenny: Vielleicht Anspielung auf die Titelheldin aus dem 23.9 empfindsamen Roman *Histoire de Miss Jenny Glanville* von Marie-Jeanne Riccoboni. Der Roman war in der Übersetzung von J. G. Gellius 1764 in Leipzig erschienen.

Landpriester von Wakefield: Roman des Engländers Oliver 23.20–21 Goldsmith: *The Vicar of Wakefield* (1766).

N. N.: Abk. für »Nomen nescio« oder »Nomen nominandum« 24.17 (lat.: »den Namen weiß ich nicht« bzw. »der zu nennende Name«).

Menuets: Zu den Gesellschaftstänzen der Werther-Zeit gehören 24.21 nicht nur das alte französische Menuett (als Einzelpaartanz) und der englische Contretanz (ein gemeinschaftlicher Figurentanz, hier bereits durch den eingeschobenen Walzer abgewandelt), sondern auch der deutsche Walzer (Allemande), der sich in diesen Jahren durchzusetzen beginnt.

Pfand: Es wird offensichtlich ein Pfänderspiel ausgeführt, bei 27.25 dem als Pfand Küsse oder andere erotische Handlungen, die gesellschaftlich toleriert wurden, eingesetzt wurden.

Klopstock!: Gemeint ist Friedrich Gottlieb Klopstock (1724– 28.19 1803), dessen Name als Losungswort genannt wird und hier die Erinnerung v. a. an seine Ode *Die Frühlingsfeyer* (1759) wachruft, in der u. a. eine Landschaft nach dem Gewitter beschrieben wird. Die Reaktion von Lotte und Werther auf die Nennung des Autornamens zeigt, dass sie in diesem Augenblick in ihrem empfindsamen und religiösen Natur- und Kunsterleben wohl weitgehend übereinstimmen. In dieser Gemeinsamkeit entdeckt sich ihnen ein »Einklang der Herzen«, weil sie gleich empfinden und empfindsam sind.

Freyer der Penelope: Penelope, die Gattin des Odysseus, wird in 30.28–29 dessen Abwesenheit von vielen Freiern umworben, welche große Festgelage veranstalten; hier Bezug auf Homers *Odyssee*, 20. Gesang, Vers 247–280.

31.12–13 **dogmatische Dratpuppe:** Jemand, der sich wie eine Marionette durch gesellschaftliche Vorurteile führen lässt.

31.33 **unsere Muster:** Anspielung auf Jean-Jacques Rousseau (1712–1778), der die natürliche Unverdorbenheit des Kindes als Vorbild für den Erwachsenen sah (s. *Émile oder Über die Erziehung*, 1762).

35.33 **Lavatern:** Der schweizer. ev. Theologe, Philosoph und Schriftsteller Johann Caspar Lavater (1741–1801), dessen Einfluss während des Sturm und Drangs auf einer undogmatischen Verbindung zwischen pietistischen und ästhetischen Positionen beruhte, veröffentlichte 1773 *Predigten über das Buch Jonas*. Gemeint ist hier die darin enthaltene Predigt: *Mittel gegen Unzufriedenheit und üble Laune*.

39.12 **Ossian:** Erste Erwähnung Ossians, der dann zum Ende des Werkes hin immer häufiger genannt wird. Der Schotte James Macpherson (1736–1796) veröffentlichte 1761–1769 eigene Dichtungen, die er als Übersetzungen alter gälischer Gesänge des blinden Helden und Barden Ossian ausgab. Durch Herder wurde Goethe in Straßburg mit diesen Liedern bekannt. Der europäische Erfolg der fingierten Ossian-Gesänge erklärt sich nicht zuletzt aus der Tatsache, dass es sich dabei in Wirklichkeit um zeitgenössische Dichtung handelt, die in ihren Motiven, den angeschlagenen Stimmungslagen, der metrischen und sprachlichen Gestaltung den Bedürfnissen und dem Geschmack der Zeit entsprach.

40.15 **des Propheten ewiges Oelkrüglein:** Anspielung auf 1. Kön. 17,10–16: Eine Witwe erwidert Elia auf dessen Aufforderung hin, ihm Wasser und Brot zu bringen: »So wahr Jahwe, dein Gott, lebt, ich habe nichts Gebackenes, sondern nur noch eine Handvoll Mehl im Topf und ein bißchen Öl im Krug.« Elia entgegnet ihr, sie solle gehn und tun, wie sie gesagt habe: »Nur mache mir [vom Mehl und Öl] zuerst einen kleinen Fladen und bring ihn mir heraus; für dich aber und deinen Sohn mache hernach einen! Denn so spricht Jahwe, Israels Gott: ›Der Mehltopf soll nicht leer werden und der Ölkrug nicht versiegen bis zu dem Tag, da Jahwe Regen fallen läßt auf den Erdboden.‹ [...] Der Mehltopf wurde nicht leer, und der Ölkrug versiegte nicht nach dem Wort Jahwes, das er durch Elia gesprochen hatte.«

Kommentar

Zauberlaterne: Laterna Magica, ein Projektionsapparat (mit 41.27 Glasdiapositiven) für figürliche Darstellungen und Schriften.

Bononischen Stein: Bologneser Schwerspat, phosphoreszieren- 42.6 des Mineral, »woraus man die kleinen Kuchen bereitet, welche kalziniert im Dunkeln leuchten, wenn sie vorher dem Lichte ausgesetzt gewesen, und die man hier kurz und gut Fosfori nennt« (Goethe, *Italienische Reise*, 20.10.1786).

Barbierer: Gemeint ist der Barbier, der auch als Wundarzt ar- 48.5 beitet.

Text: hier: der Grundspruch, der Bibeltext, der einer Predigt zu 48.16 Grunde liegt; gemeint ist in diesem Fall wohl, dass Albert sein Thema zerredet.

Wer hebt den ersten Stein auf: Bibelzitat, s. Joh. 8,7 (»Wer unter 49.5 euch ohne Sünde ist, der werfe den ersten Stein auf sie.«).

ihr sittlichen Menschen ... einen von diesen: Anspielung auf Luk. 49.17–20 10,31 und 18,11.

Krankheit zum Todte: Bibelanklang, s. Joh. 11,4 (»Da Jesus das 51.6 hörte, sprach er: ›Diese Krankheit ist nicht zum Tode.‹«).

Prinzeßinn, die von Händen bedient wird: Märchen von einer 53.30 gefangenen Prinzessin, die Speise und Trank von Händen erhält, die aus der Zimmerdecke wachsen. Es handelt sich dabei um eine Episode aus dem Märchen *La chatte blanche* aus den *Contes de Fées* von Marie Cathérine Jumelle de Berneville, Gräfin von Aulnoy (etwa 1650–1705).

Fabel vom Pferde: Die Fabel findet sich bei Stesichoros, Phädrus 57.14–15 und Horaz (*Epistulae* I,10) und Lafontaine (*Fables*, IV,13). Das Pferd wendet sich an die Menschen, als es vom Hirschen bedroht wird. Die Menschen helfen, nutzen aber danach das Pferd aus.

der kleine Wetsteinische Homer: Zweibändige griech.-lat. Ho- 57.28–29 mer-Ausgabe des Amsterdamer Buchdruckers J. H. Wetstein von 1707.

Ernestischen: Die griech.-lat. Homer-Ausgabe des Leipziger Ge- 57.31 lehrten J. A. Ernesti erschien – in einem größeren Buchformat (Oktav) – in 5 Bänden zwischen 1759 und 1764.

härne Gewand und der Stachelgürtel: aus Haaren gefertigtes 59.15–16 Gewand und ein zur Kasteiung getragener Gürtel, wie ihn Einsiedler oder Büßer trugen.

Inversionen: Abweichungen von der gewöhnlichen Wortstel- 66.3

lung im Satz; v. a. bevorzugt, wenn Gefühl oder Leidenschaft ausgedrückt werden soll und sie die Wortsetzung und -stellung diktieren. Inversionen sind charakteristisch für Werthers Stil und wurden im Sturm und Drang häufig zur Steigerung der Emphase eingesetzt.

68.18 **ehrne Jahrhundert:** Nach der Vorstellung antiker Dichter und Philosophen folgte auf das goldene das silberne, dann das eherne, schließlich das eiserne Weltzeitalter. Der Begriff »ehrne Jahrhundert« wird hier zur Bezeichnung des menschlichen Lebensalters gebraucht.

69.23 **Raritätenkasten:** Guckkasten, wie er auf Jahrmärkten aufgestellt war. Er hatte ein oder zwei Vergrößerungslinsen, die ermöglichten, Bilder in richtiger Perspektive zu betrachten.

72.31 **Franz des ersten:** Franz I. (1708–1765), röm.-dt. Kaiser seit 1745.

78.16–18 **Wenn Ulyß ... Erde spricht:** Vgl. etwa Homers *Odyssee*, 10. Gesang, Vers 195, und 15. Gesang, Vers 79.

81.31–82.3 **blauen einfachen Frak ... Hose dazu:** Eine um 1772 häufige Zusammenstellung in der Herrenmode, die u. a. auch Jerusalem trug. Dadurch, dass Goethe seinem empfindsamen Helden diese Tracht gab, wurde sie dann plötzlich für eine Zeit lang zur Mode der empfindsamen Jugend.

82.34–83.1 **sich in die Untersuchung des Canons melirt:** Die Frau des Pfarrers mischt sich also in die im 18. Jahrhundert aufkommende philologisch-kritische Untersuchung der Bibel und des biblischen Kanons ein, der aus den von der Kirche offiziell als echt anerkannten, kanonisierten Büchern besteht.

83.1–2 **neumodischen ... Christenthums:** Gemeint sind Vertreter der aufklärerischen Theologie wie Bahrdt, Basedow, Eberhard u. a., die mit historischer Kritik den menschlichen Gehalt der Glaubensurkunden betonen.

83.3 **Lavaters Schwärmereyen:** Bezieht sich wohl auf Lavaters *Aussichten in die Ewigkeit* (1768ff.). Goethe selbst rezensierte kritisch Lavaters Veröffentlichung in den *Frankfurter Gelehrten Anzeigen* (3.11.1772).

83.12 **Kennikot, Semler und Michaelis:** Benjamin Kennicot (1718–1783), der englische Hebraist und Theologe, wurde bahnbrechend für die alttestamentarische Textkritik. Der Orientalist Johann David Michaelis (1717–1791) und der Theologe Johann Salomo Semler (1725–1791) führten die historisch-kritische Betrachtungsweise der biblischen Schriften weiter.

Sagt nicht selbst der Sohn Gottes: Vgl. Joh. 6,37, 6,44, 6,65 und 17,24.   88.15

Und ward der Kelch ... zu bitter: Vgl. Matth. 26,39.   88.25–26

Mein Gott! ... verlassen?: Vgl. Matth. 27,46.   89.2–3

der die Himmel ... wie ein Tuch: Vgl. Psalm 104,2; Jesaja 34,4; Offenbarung 6,14.   89.5–6

ihre Übersezzung einiger Gesänge Ossians: Goethe hatte, auf Anregung Herders, in Straßburg einige Gesänge von Macpherson ins Deutsche übertragen. Diese Übersetzungen wurden, nun noch stärker rhythmisch akzentuiert, für den *Werther* verwandt.   105.34–35

Stern der dämmernden Nacht: Anfang von *The Songs of Selma*; folgende Hinweise seien noch gegeben (zit. nach Rothmann, *Erläuterungen*, S. 56f.):   106.6

Ossian: Sänger, Sohn Fingals und Vater Oskars;

Lora: Landschaft, Wiese unterhalb des Hügels Selma;

Fingal: König von Morven, Vater Ossians;

Ullin: Sänger, der Alpins Gesang wiederholt;

Ryno, Alpin: Sänger, die gemeinsam den Tod des Helden Morar besangen;

Minona: Sängerin der Klagen Colmas, Tormans Tochter, Schwester des Helden Morar;

Selma: Landschaft, Hügelstätte, auf der Fingal sich mit seinen Helden und Sängern versammelt;

Salgar: Colmas toter Geliebter;

Colma: Geliebte Salgars, deren Klage um den toten Salgar wiederholt die Sängerin Minona;

Morar: Held, Sohn Tormans, dessen Tod zuerst von den Barden Ryno und Alpin besungen wurde und später von Ossian und Ullin;

Oskar: Held, Sohn Ossians und Enkel Fingals;

Morglan: Großvater mütterlicherseits des Helden Morar;

Armin: Held, Beherrscher der Insel Gorma;

Carmor: Held, Fürst des Galmal;

Colgar: Sohn Carmors;

Amira: Tochter Carmors;

Daura: Tochter Armins;

Arindal: Sohn Armins;

Fura: Landschaft;

Armar: Geliebter Dauras, Armaths Sohn, der irrtümlich Arindal, den Bruder seiner Geliebten, tötet;

Erath: Sohn Odgals, der seinen von Armar erschlagenen Bruder an Daura, der Geliebten Armars, rächt.

121.8–9 **Priester und Levite … Samariter:** Anspielung auf Luk. 10,30–37.

121.12 **Kelch zu fassen:** Anspielung auf Joh. 18,11: »Soll ich den Kelch nicht trinken, den mir mein Vater gegeben hat?«

123.10 **Nachts gegen eilfe:** Begräbnisse bei Nacht waren durchaus üblich. Dass Gesellen einer Handwerkerzunft den Sarg trugen, war ebenfalls üblich. Die Kirche versagte Selbstmördern das »letzte Geleit«.

LiteraMedia von Suhrkamp und Cornelsen
Literatur rundum erleben

LiteraMedia ist das ideale Arbeitsmittel für literarisch Interessierte, Lehrer, Schüler und Studenten. In dieser Reihe erscheinen bedeutende Werke der Weltliteratur jeweils in drei Medien: als Buchausgabe in der Suhrkamp BasisBibliothek, als Audio Book und als CD-ROM im Cornelsen Verlag.

»Hörbücher und CD-ROMs, wie es sie noch nicht gegeben hat. Hier kann auch noch der Lehrer etwas lernen. Denn zu all den Titeln der Suhrkamp BasisBibliothek gibt es jetzt Hörkassetten – nicht ›nur‹ Lesungen der alt-neuen Texte mit besten Darstellern, sondern auch Stimmen von Autoren. Die zweite Kassette jeder Edition bringt in einem 90-Minuten-Feature Informationen zu Leben, Werk und Wirkungsgeschichte des Autors. Hier profitiert nicht nur der Schüler, der für eine Prüfung büffeln muß, sondern auch der interessierte Leser, der sich nicht in jedem Fall Biographie oder Sekundärliteratur eines Autors beschaffen kann oder will. Ganz neu in dieser Nische der Literatur sind die multimedialen CD-ROMs: Jetzt wird Literatur zur Show, etwa durch Originalaufnahmen bedeutender Theateraufführungen – inklusive Entstehungsgeschichte des Werks, Erklärungen und Interpretation. Ein tolles Angebot.« *Die Zeit*